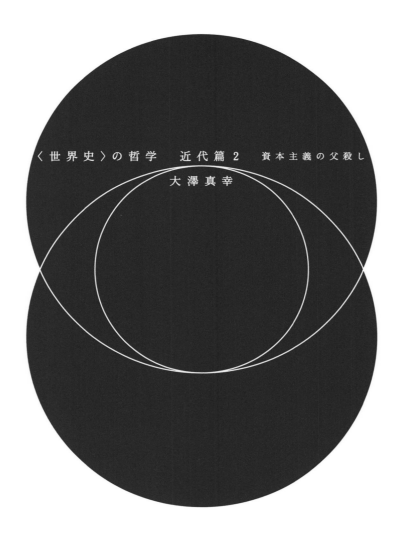

〈世界史〉の哲学　近代篇2　資本主義の父殺し

大澤真幸

講談社

〈世界史〉の哲学　近代篇2　資本主義の父殺し

装幀　帆足英里子

まえがき

本書は、「〈世界史〉の哲学」というシリーズの中の『近代篇』の後半にあたる。『古代篇』『中世篇』『東洋篇』『イスラーム篇』『近世篇』に続いて『近代篇』があり、『資本主義の父殺し』という副題をもつ本書は、『近代篇1 〈主体〉の誕生』に後続するものである。このシリーズは、世界史の流れを追っているわけではない。各篇は独立している。もちろん、論点はネットワーク状に相互に関係しあってはいるが、それぞれの篇、それぞれの一冊はそれだけで読むことができるように書いたつもりである。『近代篇2』にあたる本書を理解するのに、必ずしも『〈主体〉の誕生』を先に読んでおく必要はない。

このシリーズは、社会システム理論の観点から、世界史のダイナミズムや展開を説明しようとする試みである。理論的であることに、本シリーズは強くこだわっている。その理由をここで述べておこう。

普通は、現実は多様で複雑だが、理論は概念による抽象化を必要としているため、現実の豊かさを全体として捉えることができない、と思われている。この通念に従えば、現実の活きいきとした姿を捉えるには、理論化をむしろ避け、現実をあるがまま記述することに徹した方がよい、ということにもなる。しかし、これは理論についての誤った理解である。具体的で多様な現実と抽象的な理論とは必ずしも矛盾しない。それどころか、抽象的な理論を媒介にしなければ見出しえない現実の具体性がある。

理論を通じて（のみ）把握できるのは、ヘーゲルが言うところの「具体的普遍」である。具体的普遍とは、どういうことなのか。今述べたように、通念では、具体的な現実と抽象的な普遍との間には矛盾がある。このような通念においては、抽象的な普遍概念は、具体的で複雑な客観的現実の外に、要するに認識しようとする者の「心」の中にあると考えられている。客観的な事物の方に具体性があり、認識者の主観の側に抽象的普遍があるというかたちで分離していれば、「具体的普遍」は形容矛盾である。だが、ヘーゲルがこの語を使って示そうとしたことは——私の理解では——、普遍性へと向かう抽象化の過程が、認識者の主観の中にあるのではなく客観的な現実そのものに内在しているということ、そのようなタイプの抽象化があるということだ。このとき、具体的な現実と抽象的な普遍とが合致する。そのような現実は、抽象的な普遍概念を含む理論によってしか把握できない。

たとえば、「生命」というものを考えてみるとよい。生命のまさに生命たる所以《ゆえん》となるダイナミズム、生命一般が示す神秘は、ただひたすら個々の有機体の上に観察される現象を細かく記述したところで決して捉えられない。それは、理論を通じてしか把握できない。あらゆる生物を貫く普遍的な「生命」は、理論によってのみ——ときには理論の中に孕まれてしまう逆説や矛盾や破綻を通じて——ようやく把握することができるのだ。どうしてそうなるのかというと、理論概念によって表現される抽象化の過程こそが、生命の本質だからである。生命の中に抽象化の過程が内在していて、理論だけが、生命のまさに生命らしさ、その精妙なダイナミズムを見えるものにする。

同じことは、歴史にも言える。いや歴史的な事象に関しては、今述べたことがよりいっそう厳密に妥当する。歴史のうちにある出来事は具体的普遍である。「〈世界史〉の哲学」が理論に強くこだわってきたのは、歴史を歴史たらしめているものが具体的普遍だからである。

＊

本書において、また「〈世界史〉の哲学」の全体において、「近代」という語で指示している典型的な対象は、一九世紀の西洋である。近代はすでに「われわれの時代」だと言ってよい。現在のわれわれは、近代の中にいる。一九世紀の西洋とわれわれの現在は、言わば地続きである。われわれの基本的な価値観、美的感受性、制度や法律の根幹にある理念はすべて、一九世紀の西洋で生まれたものである。近代は未だに続いている。

だが、同時に、近代にはふしぎな性質がある。近代は、言わば自分自身を否定するのであり、その否定をも含めてなお近代なのだ。たとえば「ポスト近代《モダン》」といったあいまいな概念が成り立つのはこのためである。一方で、それは、近代以降の時代、もはや近代ではない段階を指しているとも解しうる。しかし、他方では、それは、「ポスト」という接頭辞が付いているだけの近代の下位区分でもある。こうして近代の否定が、近代のうちに包摂されているのだ。これは概念に混乱がある、ということではない。このあいまいさは、近代に本質的に内在しているものである。つまり、近代は自己を否定しながら同時に自分自身を保ち続けるのだ。

本書は、このような自己否定のポテンシャルを孕むものとして近代を理解することに、主たる力を注いでいる。どうして、近代は、このような自己否定性をもつのか。そもそも、この自己否定性とは何なのか。

＊

本書の中で具体的に論じたことをここですべて紹介したり、要約したりすることはできない。主な論点だけを予告しておこう。

『近代篇1』では、小説という文学の形式がどのようなメカニズムを通じて生まれたのかについて論じた。小説は一八世紀に芽を出し、一九世紀に開花した文学の様式だ。『近代篇1』では、個々の小説の内容には深く立ち入らず、小説という形式に主に注目した。『近代篇2』である本書では、最初の六章では、ひとりの小説家の作品の内容を考察することになる。ひとりの小説家とはドストエフスキーである。ただしドストエフスキーの作家論が目的なのではない。ドストエフスキーの小説を読むことを通じて「近代」を理解することが目的だ。

このように書くと、しかし、次のような違和感を覚える人もいるのではないか。なるほど、ドストエフスキーの小説が、この文学ジャンルの精華であり頂点のひとつでもあるかもしれないが、しかし、彼の小説の直接の背景となっている社会、つまり一九世紀の中盤から後半にかけてのロシアは、「近代」という基準で見ると、あまりに周辺的で後進的ではないか、と。だが、われわれは近代の複数性、しかも内的な複数性に留意しなくてはならない。西欧近代の外に、別の、言わばロシア的な近代があるという意味での複数性ではなく、近代そのものに内在する複数性である。たとえば、哲学に関して言えば、近代的なるものを究めたのはドイツ観念論である。

政治的な意味での近代のラディカルな表現がフランス革命にあるとして、そのフランス革命の中に含意されていた哲学は、フランスではなく、ドイツ語圏において――カントからヘーゲルへと至るドイツ観念論において――実現された……あたかもこのように見える。だがドイツは、フランスやイギリスと比較すると、政治的にも経済的にも後進的な地域である。このとき、われわれは、フランスにおける政治革命とドイツにおける精神革命を（これにイギリスの先進的な産業革命をも加えてもよいだろう）別々のものとして捉えるのではなく、単一の近代に内在する複数性として理解しなくてはならない。『近代篇1』でこのように論じておいたわけだが、ドイツ（の哲学）の範囲を超えて、ロシア（の文学）にまで視野を拡げても同じことは言える。ロシア文学、ドストエフスキーの小説は、近代の内的な複数性の一部として解釈すべきものである。

ドストエフスキーの小説を通じて何が解明されるのか。資本主義のメカニズムである。と、書くとびっくりされるかもしれない。ドストエフスキーの文学と資本主義とはあまり関係がないように思えるからだ。だが、両者のつながりを理解するには、資本主義の本質を深く理解しておく必要がある。資本主義は一種の宗教である。自分自身の宗教性を徹底して否認しようとする宗教だ。一見、資本主義は世俗的・物質的な欲望を全面的に解放するものであって、これほど宗教から遠いものはない、と感じられる。だが、資本主義において肯定されている欲望の内容にではなく、その形式の方に着目すれば、つまり欲望の無限性の方に着目すれば、それは宗教の媒介を経ずにはありえない類のものであることがわかってくる。動物としての人間は、他の動物一般と同様に、本来、充足を知らない無限の欲望などというものをもつものではない。

資本主義が宗教の一種であるならば、ドストエフスキーの文学を媒介にしてそのメカニズムへと通じる道があってもふしぎなことではない。考えてみると、ドストエフスキーの小説、主要な登場人物がたいてい「お金《かね》」のことで苦労している。と同時に、彼らは絶えず神のことで思い悩んでいる。神は存在するのか／しないのか……、存在するとすれば／しないとすれば……どうなのか。この小説では、お金の問題（資本主義的なもの）と神の問題（キリスト教）は不可分の関係にある。あるいは、ドストエフスキーの創作手法の特徴は、ポリフォニー（多声音楽）に喩えられる詩学にある、とするミハエル・バフチンの有名なテーゼを思い起こしてもよい。ポリフォニーとは、小説の中に現れるあまたの意識や声が決してひとつに収束することなく、それぞれがれっきとして独自性を保っている状態である。このポリフォニーの状態は、ドゥルーズ＝ガタリが資本主義のうちに見出したダイナミックなプロセス、脱属領化と明らかに親和性をもっている。

ドストエフスキーの文学の中心的なモチーフは、フロイトが指摘しているように、「父殺し」である。本書で、父殺しが結局、資本主義の根幹的な特徴の（意図せざる）寓意になっていることが示されるだろう。ここで暗示的なことを述べておけば、父殺しは、先ほど述べた、事象そのものに内在している抽象化（のひとつのあり方）の隠喩的な表現になっている。

ドストエフスキーの小説を媒介にした探究は、一九世紀の美術史を主な論題とした考察へと展開していく（第7章〜第12章）。たまたま美術についての話題を拾ってきた、というわけではない。美術を特に取り上げていることには理由がある。その理由の詳しい説明は本文に委ねるしかないのだが、ヒントになる疑問、たいていの人が気づいてはいるが本格的な学問的探究の対象とはなってこなかった疑問をここに記しておこう。

近代的なものの発生や発展にとって、キリスト教の内部のラディカルな革命が、要するに宗教改革とプロテスタンティズムが、強い促進的な要因として作用した。このことは、マックス・ヴェーバーをはじめとする多くの社会学者や歴史学者が論じてきたことである。実際、近代性の中心地はたいてい、プロテスタンティズムが優勢だった地域である。だが明白な例外がある。フランスである。フランスは文化に関しては、とりわけ芸術に関しては、近代の典型であり、近代的な運動をリードしていた。だが、フランスは、プロテスタンティズムが優勢だった地域ではない。フランスの近代化にあっては、キリスト教はポジティヴな役割を演じておらず、フランス革命において、キリスト教（この場合カトリック）は主に打倒すべき敵だった。ところで、視覚的な芸術（絵画）の近代ということを考えると、フランスの中心性はあまりにも圧倒的である。一九世紀の美術史は、ほとんどフランスの美術史、いやパリの美術史と言っても過言ではない。この状況は、二〇世紀の初頭まで続く。どうしてなのか。なぜパリで（のみ）近代の美術的創造力は開花したのか。まるで、プロテスタンティズムの不在を美術に表現される創造性が補っているようではないか……。

一九世紀の美術史は、本書の探究の目標にとってとりわけ有利な素材である。先ほど、近代は自己否定のダイナミズムを内在させている、と指摘しておいた。その自己否定の論理が、理念型的な純度をもって見出されるのが、美術史の領域である。二〇世紀の初めに、素朴な美術の時代が終わり、現代的な美術の時代が始まる。「パリだけが美術の中心」と言うことができる最後の時期が転換点だ。この爆発的な転換への準備は、一九世紀の美術史の中でなされている。それは、自己否定へのポテンシャルを蓄えていくプロセスのように見える。美術の領域で起きていることを鏡にして、近代の全体で作用している自己否定のメカニズムの全体を映し出すことができる。

本書の最後の五章では、近代に固有の、歴史と時間への感覚について、主に考察されている。「〈世界史〉の哲学」というプロジェクトは、当然ながら、歴史学者たちの優れた研究に全面的に依存してこそ可能になっているわけだが、考えてみると、人間は自然に、「歴史」というものに知的な関心をもつ、というわけではない。古代にまで遡ると、歴史に関心を示した文明は二つしかないことがわかる。ひとつは中国であり、もうひとつは、今日の西洋の源流とも言うべき古代地中海文明である。しかし、中国とは違い、西洋では長い間、歴史（学）は、とりたてて重要な知ではなかった。歴史は、神学のように、真理の体系の中心を占めてはいない。一七世紀に科学革命が起き、今日の自然科学へと直接連なる自然哲学が驚異的な成果をあげるようになってからも、歴史への知的関心はさして盛り上がることはなかった。

ところが、一九世紀になると、突然、歴史学が最も重要な学問分野のひとつになる。主要な大学に歴史学の講座が設けられ、偉大な歴史学者が次々と出てくる。一般の人々の歴史への関心も高まる。実は歴史的な厚み、時間的な深度への感受性は、近世（一七〜一八世紀）のエピステーメー（認識の枠組み）と近代のエピステーメーとを分かつ最も重要な特徴である。近世の学的な認識には、現象を、言わば共時的な体系として捉えようとする傾向が強く、時間的・通時的な軸への関心は希薄である。どうして、近代において、突然、人は歴史や時間的深度に関心をもつようになったのか。

これは、ナショナリズムと結びついた現象である。ネーション（国民）という共同体は、近代に誕生した。それはきわめて新しいタイプの共同体であった。近代社会をミクロなレベルで特徴づけるのが個としての〈主体〉だとすれば、マクロなレベルで特徴づけるのは〈ナショナリズム〉である。ところが、ネーションはそれ以前の人間の共同体とはまったく異なる時間の感覚をもっていた。自らをできるだけ古いものとして想像したがったのである。ネーションは、客観的には新しいのに、主観的には著しく古い。このねじれが、歴史への関心と結びついている。歴史学は、ネーションの由来を問う知として発展したのだ。近代的な歴史・時間意識についての探究は、最後に、近代の原点にある「母」という形象を見出すことになる。「死んだ父」の相関項としての「母」である。

本書の探究の途上で、しばしば、「近代」等の時代性とは無関係な、普遍的な哲学的な問いと対決することになる。たとえば、「なぜ何もないのではなく、何かがあるのか」という存在論的な疑問。この問いの内容そのものに、特に近代に結びついたものがあるわけではない。これは普遍的な難問である。だが、普遍的な問いにも、それを探究するにふさわしい文脈というものがある。適切な文脈におくと、解けるはずがないような難問に対して、突然、見通しが開かれることがある。本書では、そうした問題についても、試みとしてひとつの答えを与えてみてもいる。

〈世界史〉の哲学　近代篇2　資本主義の父殺し

目次

～〈世界史〉の哲学 近代篇１ 〈主体〉の誕生～

目 次

第1章　父殺しの密かな欲望

1　遅ればせの絶対王政

われわれは、ここまでの展開の中で、近代を代表する二つの言説に関して、それらの生産を扇動する機制《メカニズム》を見てきた。二つの言説とは、（近代）科学と（近代）小説である。両者は、ともに資本主義的だったと言える。どちらも、その言説によって記述されうる経験の領域の普遍化＝包括化への指向によって駆り立てられているからである。詳述はしないが、（規範的・技術的に）許容され可能とされている経験の範囲の普遍化の運動が、市場経済の領域においてもたらす効果が、「剰余価値」である。

近代科学と近代小説という、二つの言説がどのような関係にあるのかについては、『〈主体〉』第23章の最後に、集合論との類比によって示しておいた。現実的・可能的な経験の対象となる出来事を要素と見なせば、二つの言説が目指している普遍性は、（要素の）無限性に対応させることができる。科学と小説は、「無限」に対する、二つの異なる記述の仕方と見なすことができるのだった。科学の対象が、「閉じられた集合」としての無限集合だったとすれば、小説は、「どの要素をとったとしても後続に対して開かれている」という無限の性質に執着し、魅了されている。

ところで、このとき、第三者の審級はどうなっているのか。資本主義と結びついた二つの言説が増殖し、発展しているとき、それに対応する第三者の審級は、どのような様態にあるのか。

このような問いに対したとき、あらためて次のことが注目される。二つの言説はともに、西洋の絶対王政に源流をもっていた、ということが、である。二つの言説の原点には、絶対王政の支柱となっていた「王の二つの身体」なる政治神学があった。もう少し厳密に言い直せば、国王二体論を成り立たせているのと同じ構造をもった、第三者の審級が、二つの言説の起源にある。ここで特に強調しておきたいことは、前近代の王権や帝国の一般が直接の起源ではない、ということだ。第三者の審級の位置を占める身体を独特のやり方で二重化した西洋近世的な王権――王は政治的身体と自然的身体の両方をもつ――が、二つの言説の前提になっている。

たとえば、科学革命という知の転換を可能ならしめたのは、「政治的身体」に類比させることができる視点の設定である（『近世篇』第18章・第19章、『〈主体〉』第13章）。「表象の時代」（フーコー）の前提となる「タブロー（表象の差異と同一性のシステムが設定される場）」は、ベラスケスの「ラス・メニーナス」に間接的に描かれている王――鏡の中の王――であったことを思い起こしてもよいだろう（『近世篇』第17章）。このタブローが、ニュートンの物理学では、「絶対空間」となる。小説の言説に関しては、その前史となるべき自伝的な告白（ピューリタン風の日記）が、王の二つの身体の中に発生する「剰余権力」を前提にして生まれた、という事情を思い起こしてほしい（『〈主体〉』第16章・第17章）。あるいは、自伝的な告白や小説は、ヘーゲルが絶対王政に特徴的な言語と見なした「へつらいの英雄主義」への対抗、その克服として生まれてきた、と解釈することも可能だ（『〈主体〉』第16章）。

要するに、科学の言説も小説の言説も、絶対王政に固有の第三者の審級の設定を起点とし、これがダイナミックに展開したり、崩壊したりしていく過程で、社会的に増殖し、定着している。この点を考慮に入れて、これらの言説とともにあった第三者の審級はどのような様態にあるのか、という問いにたちもどるならば、次のような見通しを立てることができそうだ。このことを問う上で有益な戦略的素材は、一九世紀のロシアだ、と。

*

なぜか。ここには、遅ればせの西洋型絶対王政のごときものが見られるからだ。大革命を経験したフランスがその典型であるように、西欧諸国は、絶対王政に適合的な政治形態と精神状態を、あまりにも急激に崩壊させてしまった。しかし、ロシア社会は、絶対王政に類する王権を、それとはっきりと自覚することもなく一九世紀に確立し、その中で、ヨーロッパの全域で喫緊の課題だった近代的な変動を推進した。そのため、われわれは、ロシアを通じて、絶対王政に符合していた第三者の審級が、どのように変容するのか、それが文化や精神にどのように反映しているのかを、スローモーションの動画のように見ることができる。ここで、ロシアにおける「遅ればせの西洋型絶対王政」と呼んでいるのは、具体的には、主としてアレクサンドル二世の統治（一八五五―一八八一年）のことである。

一八世紀の後半にロマノフ王朝の第八代皇帝の位に就き、「啓蒙専制君主」の一人としても名高いエカチェリーナ二世（在一七六二―一七九六年）が、すでに、西欧型の君主の風貌をもっている。が、北ドイツから嫁ぎ、夫たる前皇帝からクーデタによってその地位を奪うようにして、皇帝となったこの女性は、ロマノフ王朝の歴史にとっては例外であり、その後も、ロシアは迷走する。アレクサンドル二世の前の皇帝、つまりニコライ一世（在一八二五―一八五五年）は、前近代型の君主である。というか、ニコライは、近代的な状況に、前近代的な制度と理念によって対処しようとして大きく失敗したと言うべきであろう。彼は、近代への過渡期のロシアの矛盾をそのまま体現した。その点が最もはっきり現れているのは、農奴制への対応である。

いわゆるデカブリストの蜂起（一八二五年十二月）が、その打倒の目標としていたのは、この農奴制だ。農奴制は、政治的な理念との関連においても維持し難く、また急速に進捗しつつあった工業化にとっても障害となっていた。アメリカ合衆国の奴隷制は、理念としてはともかく、当時の資本主義への積極的な適応のために必要とされ、創出されたものだが、ロシアの農奴制は違う。当時の若い知識人の目には、彼らが憧れた西欧の立憲君主国に追いつくためには、農奴解放が不可欠に見えたということもあるが、それ以上に、農奴を解放しなければ、工業化にとって必要な市場の拡大が困難だった、という事情がある。実際、工場主等は、いわゆる自由な賃労働者を必要としており、一八三〇年代には、農奴の解放は少しずつだが始まっていたようだ。とはいえ、当時のロシアの工業資本は脆弱で、地主にとって有利な――そして商人にも利益をもたらしていた――伝統的な農奴制を撤廃する力はなかった。ニコライは当然、安易な道を選び、農奴制を維持した。

農奴制を維持したまま、工業資本が要請するように市場を拡大するために、ニコライはどのような政策をとったのか。外交政策、つまりは国外への侵略である。が、それも、順調ではなかった。結局、ニコライは、オスマン帝国とのクリミア戦争の渦中に――圧倒的に不利な戦況の中で

——、自殺に近いかたちで亡くなった。ロシアの南下政策に警戒し、オスマン・トルコに左袒していた英仏の連合艦隊は蒸気船であり、また鋼鉄艦ももっていたが、ロシアの軍艦は木造帆船や旧式の(つまり外車式の)蒸気船だったというから、戦力の差は、そしてその原因だった(ロシア側の)近代化の遅れは、歴然としていた。ニコライの専制によって甘い汁を吸っていた者さえも、ロシア軍の敗退をさして悲惨なこととは思っておらず、国民の多くは、内心、敗勢を歓迎してさえいた。ニコライの支配の正統性は、著しく危ういものだったのだ。

それゆえ、新帝アレクサンドル二世の即位は、待望の——長く抑圧されていた——改革への気運を解放した。とりわけ重要な事案は、農奴の解放である。もはや、トルコの市場をあてにできないとなれば、これは焦眉の課題である。実際、アレクサンドルは独裁的な手法で次々と改革を断行する中で、ついに一八六一年に農奴解放を宣言した。もっとも、この宣言は、皇帝が宣言書に署名したのが二月十九日であったにもかかわらず、その日が「大精進の前週」(カトリックでいうところの「謝肉祭」)に含まれていて、解放された農奴が酒に酔って暴動をひき起こす恐れがあるなどとわけのわからない理由によって公布が三月五日まで延期されるという、及び腰のスタートからも暗示されているように、すぐに実効的な解放をもたらしたとは言えない。実際、解放されたとはいえ、農民は十分な土地をもっているわけではないので、地主に、「年貢」を納める代わりに「小作料」を払うようになっただけだ。かえって搾取機構は堅固なものになったとさえ言えるのであって、農民の反乱は頻発した。こうしたこともあり、最初は自由主義に対して比較的寛容だったアレクサンドルも、反自由主義的な専制へと態度をシフトさせていった。が、農奴解放に関して言えば、それが直後には効果をあげなかったとしても、長期的には、ロシアにとって明らかに必要な改革であった。

いずれにせよ、ロシアが具体的な改革をどのように推進して、西欧諸国にキャッチアップしていったのか、どのような挫折と成功を経験したのか、ということをていねいに追いかけることは、ここでのわれわれの課題ではない。とりあえず、一九世紀の中盤から後半にかけての時期に、ロシアに、西欧の絶対王政に似た王権が成立していた、ということをまずは確認しておきたかっただけだ。というのも、絶対王政を起点にしながら展開した「資本主義的なタイプの言説」をもたらした精神の変容を、最も深い部分、最も本質的な部分に絞って抽出するために、この時期に活動していたひとりのロシアの作家を考察の俎上に載せるということここでの議論の構成に、正当性がある、ということを理解してもらう必要があったからだ。その作家とはドストエフスキーである。

2　誰もが父の死を欲している？

だから、われわれの目的は、ドストエフスキーの小説の正確な読解ではない。正確な読解のためには、たとえば、作品の時代背景の細部や、モデルとなった事件や人物の詳細に立ち入る必要がある。われわれも、もちろん、必要な限りで、具体的な出来事や文化的背景に言及するが、あまりに細部にこだわった説明は、ここではかえって有害だ。ここで抽出したいのは、前節で述べたように、一般的な論理だからだ。

さて、フョードル・ミハイロヴィッチ・ドストエフスキーは、一八二一年十月三十日に生まれた。彼が生まれた年は、ナポレオンが幽閉されていたセント・ヘレナで没した年に一致する。つまり、ヨーロッパが大革命後の反動期に入った頃に、ドストエフスキーは生まれた、ということになる。前節でその名をあげたニコライ一世が即位したのは、ドストエフスキーが四歳のときである。

ドストエフスキーの才能は、若いうちから開花した。二十三歳から二十四歳になる年にかけて推敲に推敲を重ねて書き上げた『貧しき人々』は成功し、当時のロシア文学界で——とりわけペテルブルグで——影響力をもっていた批評家や作家に好意的に迎えられた。彼は、兄への手紙で、「僕は今名声の頂にいる、将来とてもこれ以上の光栄は僕を見舞うまい。到る所、信じられぬ程の尊敬を払われ、飽く事を知らぬ好奇の的になっています」と書いているくらいだ。[*1]この文章には、明らかに、誇大妄想気味の誇張があるが、それでも、ドストエフスキーが若くして、ロシアの文壇に存在感を示したことは確かである。こうして彼は、いきなり「人気作家」になった。

しかし、ほどなくして、彼の人生は暗転する。二十七歳のとき、ペトラシェフスキー会の検挙にあたって、連累として逮捕されたのだ。ペトラシェフスキーは社会主義者で、ドストエフスキーは、彼の会に出入りしていた。しかし、彼はほとんど何もしておらず、思想弾圧の厳しい時代だったことを考慮に入れても、この逮捕は、ほとんど冤罪と言ってよいほどのものだった。ドストエフスキーは、一時は死刑を覚悟したが、結局、ニコライの「恩赦」によって、シベリアのオムスクへの流刑となる。刑期は四年だった。だが、その後も、僻地（セミパラチンスク）で兵役に服さなくてはならず、ペテルブルグに戻ることは許されなかった。彼がペテルブルグに帰還できたのは、三十八歳のときだ。足枷を付けられペテルブルグを去ってから、再び同じ街に戻るまで、十年の歳月が過ぎたことになる。

ドストエフスキーがペテルブルグを離れていた間に、皇帝はニコライ一世からアレクサンドル二世へと替わった。兵役の末期には、ドストエフスキーは、「陛下は、善人も悪人も斉しく仰ぎ奉る太陽の如き御方と拝察します」の文言を含む、嘆願書をアレクサンドルに送ってもいる。[*2] 十年の間に、首都の思想状況も大きく転換した。簡単に言えば、知識人の流行の思潮は、社会主義から愛国主義へと変化していた。個人的には、兵役期間中に、ドストエフスキーは、最初の結婚をした。[*3]

ドストエフスキーが、五大長篇を含む主要な小説を書いたのは、ペテルブルグに戻ってから後である。それは、アレクサンドル二世の在位期間と重なっている。[*4] ドストエフスキーは、五十九歳だった一八八一年一月二十八日に急逝した。アレクサンドルが、ポーランド人のテロリストによって暗殺されたのは、その一ヵ月余り後のことだ。

＊

ドストエフスキーには、生涯彼をとらえて離さなかった主題がある。フロイトが、ドストエフスキーの研究者の間ではよく知られている論文の中で、そう論じている。[*5] その主題とは、「父殺し」である。

ドストエフスキーの父のミハイル・アンドレーヴィチは、医者だった。彼はマリア・フョードロヴナと結婚し、次男のフョードル（ドストエフスキー）が生まれる前年までは、病院付きの軍医として、モスクワに暮らしていた。ミハイルは子に対して厳格で、病院の庭で患者と口をきくことさえ許さなかったという。この父は、ドストエフスキーが十七歳のとき、殺害された。このときにはすでに彼は隠居していたが、飲酒癖もあり、常軌を逸した言行が目立っていたという。農奴たちに恨まれていたのだろう。ミハイルは、チェルマシニャーという名の土地にあった自分の領地を訪れたとき、三人の農奴に襲われ、惨殺されたらしい。*6

もちろん、この殺人に、ドストエフスキー自身は、まったく関与してはいない。当時彼は、学業のためにペテルブルグに暮らしており、完全に「アリバイ」がある。にもかかわらず、フロイトによれば、ドストエフスキーは、自分が犯人であるかのような錯覚にとらわれていた。もちろん、ドストエフスキーは自分が犯人でないことを知っていた。にもかかわらず、彼は、自らが父を殺したという幻想から離れられなかったのだ。どのような心理的な機制が働いていたのか。

フロイトによるとこうである。少年フョードルは、一方で、強者である父を賛美し、尊敬しており、父のようでありたいという願望をもっていた。しかし、他方で、自分を支配し、迫害する父を憎んでもいた。その憎しみは抑圧されてはいたのだが……。このとき、まさに、その父が何者かによって殺された。フョードルにとっては、偶然にも、無意識の欲望が現実のものとなってしまったのだ。そのため、フョードルは、自分こそが殺人の首謀者であるという錯覚をもたざるをえなかった。これがフロイトの説明である。

ドストエフスキーが癲癇の発作に苦しんだことは、よく知られている。フロイトの解釈では、この症状も、父親の殺害と結びついている。発作においては、瞬間的に無上の法悦の感覚をともなうエクスタシーを経験する。次いで、激しいけいれんとともに意識を喪失し、その後しばらく鬱の状態が訪れる。最初の一瞬の法悦の体験は、父の死の報告を受けたときにドストエフスキーが感じた誇らかな気持ちと解放感とが固着したものであり、その後の鬱は、喜びの後だけにいっそう重くなってしまった罪の意識、つまり残忍と感ぜられる罰である、というのがフロイトの診断だ。この解釈が妥当なのか、フロイトが推定しているように、癲癇が、父殺しの事件とともに始まったものなのか、判定するのは難しい。ここでは、フロイトの解釈を紹介するだけにとどめておこう。

他のドストエフスキーの特徴的な行動や習慣も、フロイトの分析では、父殺しに対する反応である。たとえば、病的な賭博熱。ドストエフスキーは賭博に取り憑かれており、外国旅行の先で、しばしば、旅費をすべて、ルーレットによって巻き上げられてしまった。そんなときには、知人に必死に頼み込んで、急遽金を送ってもらうのだが、そうやってかろうじて得た借金も、ドストエフスキーは、そのまますぐに賭博につぎ込んでしまい、一夜にして無一文になってしまうのだ。フロイトによれば、一流の作家には似つかわしくない、この愚行は、父を殺した自分に対する自己懲罰である。借金の重荷 Schuldenlast が、罪悪感 Schuldgefühl の代理になっていた、というわけだ。

すぐに理解できるように、フロイトのこうした解釈は、彼の仮説「エディプス・コンプレックス」の、直接の応用である。ということは、これは、ほんとうには説明にはなっていない。なぜなら、われわれとしては、「エディプス・コンプレックス」を、ア・プリオリに成り立つ公理として前提にするわけにはいかないからだ。つまり、エディプス・コンプレックス自体が、説明されなくてはならない。フロイトの分析は、謎を謎によって説明しているだけだ。マルクス風に言い換えれば、それは、答えではなく、別のやり方で提示された謎である。

が、そうだとしても、フロイトの説には啓発的な意義がある。エディプス・コンプレックスの直截的な応用を誘惑するほどに、ドストエフスキーの生涯や作品は、父の死をめぐる主題と深く結びついて見えるからだ。作田啓一は、ドストエフスキーを解釈するにあたって、「フロイトの理論枠組を避けて通る側のほうに、むしろ弁解の義務が課せられる」[*7]と書いている。日本のドストエフスキーの研究者の中で、フロイトを継承しつつ、「父殺し」のテーマを執拗に、多角的に追究しているのは、亀山郁夫である。[*8] われわれもまた、この主題に着眼せざるをえない。というのも、「父」こそは、第三者の審級の原型だからである。

とりあえず、ドストエフスキーが、父の殺害への欲望を、特殊な生活史的な背景からくる個人的な症状だとは考えてはいなかった、ということを指摘しておこう。父殺しは、一般性をもった問題なのだ。『カラマーゾフの兄弟』の次男、イワン・カラマーゾフは、次のように言っている。場所は裁判所で、イワンは証言台に立っており、傍聴席にはたくさんの人がいる。

「(……)親父の死を望まない人間なんてどこにもいるもんですか……」

「あなたは正気で言ってるんですか、それとも?」裁判長は思わず口走った。

「それそれ、正気のほうに決まってますよ……それに、卑怯なくらい正気でしてね、あなた方や、ここにいる……豚さんたちと同じぐらいにね!」イワンはとつぜん傍聴席のほうを振り向いた。「親父を殺しておきながら、びっくりしたふりをしてやがる」はげしい軽蔑をみなぎらせて、彼は歯ぎしりした。「おたがいほっかむりしてるのさ。嘘つきども! みんな、親父が死ぬのを願っているのさ。毒蛇が毒蛇と食いあうのと同じさ……父殺しがないとなりゃ、みんな腹をたて、いらいらしながら帰るんだ……なかなかたいした見せものじゃないか！（……）[*9]」

イワンに言わせれば、誰もが父親を殺したいという欲望をもっている。いや、それどころか、すでに父親を殺している。そして、偽善的に、そんなことはしていない、そんな欲望を微塵ももっていない、というふりをしているのだ。

3　『カラマーゾフの兄弟』

今引用した『カラマーゾフの兄弟』、つまりドストエフスキーの最後の（未完の）大作こそ、「父殺し」を、いかなる粉飾もなく、直接的に扱った作品である。田舎地主のフョードル・カラマーゾフには、三人の息子がいる。長男のドミートリーは、直情的で、喧嘩早い人物だ。次男のイワンは、まったく逆に冷徹な知性の持ち主で、独特な哲学を唱えている。三男のアリョーシャ（アレクセイ）は、敬虔な修道僧で、修道院の長老ゾシマを深く敬愛している。この小説の中で、父フョードルが何者かに殺害される。フョードルも、立派な紳士とはとうてい言えない。むしろ彼は意地汚く、何より好色で、殺されても仕方がないと思わせる人物である。最初、父殺しの犯人として疑われたのは、ドミートリーだ。ドミートリーにとって、フョードルは、官能的な女グルーシェニカをめぐる恋敵だったからだ。そして、目撃証言から、ドミートリーが、犯行時刻に父親の家にいたと推定されたからだ。ドミートリーは、父殺しの容疑者として警察によって逮捕された。

しかし、フョードルを殺害した人物は別にいたことが判明する。それは、フョードルに仕えるカラマーゾフ家の料理人、異様に陰気でシニカルな下男スメルジャコフだった。スメルジャコフの素性はよくわからない。噂では、フョードルが、街を徘徊している「神がかり女」に生ませた私生児である。この噂が正しいとすれば、スメルジャコフは、カラマーゾフの四人目の兄弟だということになる。だが、この噂を裏付けるようなことは、小説のどこにも書かれてはいない。専門家の慎重な推定では、スメルジャコフは、カラマーゾフ家の嫡子でも、庶子でもないらしい。*10

いずれにせよ、スメルジャコフは、次男のイワンを崇拝している。イワンは、スメルジャコフから、フョードルは自分が殺した、と告げられる。それだけではない。スメルジャコフは、自分はイワンの思想を実践に移しただけであり、イワンも殺害に（暗黙のうちに）同意していたはずであって、主犯は、自分をそそのかして、殺人に導いたイワン、あなたである、とまで言うのだ。スメルジャコフは、イワンに、フョードルが隠し持っていた三千ルーブルを手渡す。その後、スメルジャコフは、首を吊って自殺してしまう。

その翌日からドミートリーの裁判が始まる。前節の最後に引用したのは、この裁判でのイワンの証言である。イワンは、スメルジャコフが告白したことを述べたあと、殺したのは「やつ」であり、殺人を教唆した自分こそが兄の代わりに逮捕されるべきだ、と半狂乱になって主張した。しかし、この申し立ては認められず、ドミートリーは有罪とされ、二十年の懲役刑が宣告される。

この小説は、この後が書き継がれるはずだったが、ドストエフスキーの死によって、ここで終わっている。この結末は暫定的なものだとはいえ、『罪と罰』を連想させる。ラスコーリニコフは、裁判で八年の懲役刑を言い渡され、シベリアに流刑になる。ラスコーリニコフは実際に殺人を犯しており、ドミートリーは誰も殺していない、という決定的な違いがある、……ように見える。だが、もし父殺しが、ある意味で、「共犯」と言えるのだとしたらどうだろうか。スメルジャコフが殺していても、イワンが真犯人であると言えるならば、ドミートリーも、さらにアリョーシャさえも、共犯者であると見なすこともできるのではないか。

＊

『カラマーゾフの兄弟』には、ひとつの形而上学的な問いが賭けられている。それは、この小説の中で最も有名な言明、イワンの口から発せられるテーゼにかかわっている。「もし神が存在しないとしたら、そのときにはすべてが許される」と。禁止や命令が妥当であることの根拠は、究極的には神にある。もし神が存在しなければ、禁止や命令は効力をもたず、すべてが許されることになるのではないか。無神論が正しければ、何もかもが、無節操に許されるのではないか。これがイワンの挑発的な問いである。

スメルジャコフが実践したというイワンの思想とは、これである。もし神が存在しないとすれば、最も重い罪（とされていること）、つまり父の殺害や主人の殺害も許されるはずだ。イワンは、そのように言っている。だから、スメルジャコフの主人にしてイワンの父である、フョードルを殺してもよいはずだ。イワンの無神論のテーゼは、具体的には、フョードルの殺害へとスメルジャコフを使嗾していることになる。スメルジャコフは、このように受け取り、殺人を実行した。

さらに、亀山郁夫が述べているように、次のようにも言えるはずだ。殺害の対象になっている父は、神の象徴でもある。あるいは、父を皇帝の隠喩と見ることもできる。つまり、「父＝皇帝＝神」という等価関係を見ることができるのだ。そうだとすると、父殺しは、神の不在のもとで許容される最もスキャンダラスな行為であるというだけではなく、その前提である、神の不在を創り出す操作、無神論を肯定する所作でもある。このようにして、イワン－スメルジャコフは、無神論を措定する。

この二人によって構成される軸に対抗しているのが、三男のアリョーシャとゾシマ長老である。アリョーシャ－ゾシマ長老は、無神論への反措定、神＝キリストの存在をトータルに肯定する軸だ。小説は、明らかに、この二つの軸の対立、つまり「イワン－スメルジャコフ」の軸と「アリョーシャ－ゾシマ長老」の軸の対立を基本的な構造として展開している。では、どちらが主軸なのか。どちらがこの小説における勝者とされているのか。常識的には、つまりドストエフスキーの信念からすれば、「アリョーシャ－ゾシマ長老」の軸でなくてはならないはずだ。が、小説はそのような落ちついた結論に向かうように読むことを許していない。「イワン－スメルジャコフ」の軸の方が雄弁であり、しばしば説得力があるのだ。

たとえば、有名な「大審問官」の寓話のことを思うとよい。これは、イワンが自己の哲学を例解するために創作した物語である。舞台は、一五世紀のセヴィリアに設定されている。厳しい異端審問が行われており、大審問官は、その指導者である。そこにキリストが、突然、出現した。

大審問官は、キリストを「異端」として逮捕し、牢に入れる。そして、彼は、キリストに対して語るのだ。教会はもうお前を必要としてはいない、と。さらに、キリストが人間の本性を見誤っていたこと、キリストの存在はいまや人間にとって有害であること、等をまくしたてる。ここでは、詳しく大審問官の言い分を検討しないが、説明はきわめて論理的であり、相応の説得力をもつ。それに対して、キリストはどう反論するのか。何も、である。キリストは、ただ大審問官にキスをして、去っていく。「禅問答」のように、まともに答えない方が偉い、とでも解釈しない限り、キリスト（アリョーシャ）の側が勝利したと見なすことはできない。むしろ、この論争、このディベートにおいて、相手を圧倒しているのは、大審問官の方である。

そもそも、この小説において、「イワン－スメルジャコフ」の理念を表現するおぞましい殺人が、遂行されてしまっていること、そして実行者たちは、そのことを悔いてはいないということに留意すべきだ。『罪と罰』と比較してみるとよい。ラスコーリニコフは、高利貸しの老婆とその義妹を殺してしまうが、後に、そのことを激しく悔い、罪を自覚する。そのような回心は、イワンにはない。逆に、彼は、親殺しの欲望を否認するものを批判している。

したがって、「アリョーシャ－ゾシマ長老」の軸と「イワン－スメルジャコフ」の軸の対立において、前者が優位に立つ、という誰もが期待するような倫理的な結論には、小説は向かっていない。だが、考えてみよう。バフチン以来、「ポリフォニー」こそ、ドストエフスキーの小説の精髄だとされてきたではないか。ポリフォニーとは、互いに自立した複数の声があって、どの声が主調とも見なしえない、ということである。[*11] ポリフォニーの観念は、ここでも活かされなくてはならない。つまり、二つの軸は、拮抗し、互いに自立したまま、最後まで二元性を維持し続けていると考えなくてはならない。

4　もし神が存在しなければ、そのときには……

実際、ドストエフスキーは、このように意図して書いているに違いない。だが、ことはここで終わらない。確かに、『カラマーゾフの兄弟』では、一方の軸が他方の軸を否定したり、排除したり、という形式の総合は、生じない。だが、単に二元性に止まるだけではなく、作者であるドストエフスキーの意図を超え、そして（作中に内在する視点をとれば）イワンの意図も超え、二つの軸は、独特の形式の総合に向かっているようにも見えるのだ。つまり、それぞれの軸は――相手の軸を否定するのではなく――自らを否定し、結果として相手の軸に類似したものへと変容しようとしている、そのように見ることもできるのである。

おそらくこのような変容は、――繰り返し言うが――、ドストエフスキー自身もあらかじめ計算していたことではなかったのだ。作者が意図していたことは、イワンやアリョーシャの口を通じて、とりわけイワンの語りの中で、明示される。小説の中には、イワンも、アリョーシャも意図したり、予想していなかった、展開が暗示されているのだ。どこに、そのような展開の徴候があるのか。

たとえば、ゾシマ長老のことを考えてみよう。ゾシマもまた、父的形象であると言うことができる。アリョーシャにとって、ゾシマは、血のつながった父（フョードル）以上の真の父である。ゾシマ長老は、しかし、この小説の半ばで、死んでしまう。彼は殺されるわけではないが、

「父の死」の一種と解釈すれば、ゾシマの死は、フョードルの死の先触れである。

ゾシマの死をめぐるエピソードは、この小説の中で、「大審問官」の寓話と並んで、最もよく知られている箇所であろう。ゾシマ長老を知る者たちは――アリョーシャを含む周囲の者たちは――、ゾシマが死ぬときには何か偉大な奇蹟が起きるに違いない、と期待している。彼ほどの人物なのだから、ゾシマが死ぬときには何か偉大な奇蹟が起きるに違いない、と期待している。彼ほどの人物なのだから、普通の人と同じように死ぬはずがない。ついに、その時が来た。ゾシマが死んだ。何が起きるのか。人々は、その遺体を放置し、固唾を飲んで見守っていた。が、何も起きない。というより、遺体からはすぐに、強い腐臭が漂い始めたのだ。ゾシマだからといって、何か特別なことが起きるわけではない。普通の遺体と同様に、腐臭を発するだけだ。アリョーシャたちが何を期待していたか、明らかであろう。キリストの場合と同じような復活である。しかし、復活の奇蹟はなかった。アリョーシャは、信仰が揺らぐのを感じる。だがそれでも……ここが肝心なことだが……アリョーシャの信仰が消え去るわけではない。

このエピソードに含意されていることは、次のことだ。イワンの哲学に従えば、父が死ねば、神がいないのと同じことなのだから、信仰は消え去り、「何でもあり」の無秩序が出現するはずだ。しかし、ゾシマ長老の遺体がひどい悪臭を放ったということは、彼の肉体は完全に滅んでしまったということを意味しているのだが、つまり父的なものは死んだことになるのだが、それでも信仰は死滅しなかった。とすれば、真実はイワンが考えていることとは何か違っているのだ。

ゾシマの遺体が発した「腐臭」は、二つの軸、イワンの軸とアリョーシャの軸との間の短絡を示唆している。どういうことか。イワンのパートナーのスメルジャコフとアリョーシャの軸に入るゾシマ長老とは、この小説の中で最も遠くかけ離れた人物として描かれている。最も下劣で誰からも軽蔑されている人物と最も高貴で皆から尊敬されている人物。ところで、「スメルジャコフ」という名の語源は、動詞「悪臭を放つ（スメルジェーチ）」にある。スメルジャコフの身体は悪臭を発散しているのだ。ゾシマ長老の身体（遺体）も同じだった。下劣な身体と高貴な身体は、直結してしまうのである。

「ゾシマ＝スメルジャコフ」という等式は、二つの軸、「信仰」を代表するとされている軸（アリョーシャ）と「無神論」を代表するとされている軸（イワン）とが、対立しているように見えて、極限で繫がっていることをひそかに示している。どのような論理で、両者は結びつくのか。こうした問いを銘記した上で、ジャック・ラカンが、『カラマーゾフの兄弟』をめぐって、批判的に語っていることを参照してみよう。ラカンは、「もし神が存在しなければ、そのときはすべてが許される」というイワンのテーゼに関して、ちょっと啓蒙されていることを誇っている人間がいかにも考えそうなことだ、と指摘しつつ、次のように続ける。

明らかに素朴な考えだ。というのも、私たち精神分析家は、よくよく知っているのだから。もし神が存在しなければ、そのときには、もはや何ごとも許されないことを。神経症者が日々私たちに対してこのことを証明している。[*12]

ラカンは、イワンと正反対のことを言っている。ラカンが述べているのは、こういうことである。神が存在しないように見える状態、つまり神（父）を殺した状態は、決して真の〈無神論〉ではない。そのときでも、いやそのときにこそ、神の支配はいっそう厳しくなるのだ（何ごとも許されない)。

どうしてなのか。ドストエフスキー自身の小説が、すでに意図せざるかたちで、この逆説的な境地へと向かう通路を開いてはいる。しかし、どうしてこの逆説が生じるのか、その論理はまだ説明されてはいない。この論理を解明しつつ、それが、資本主義をめぐるわれわれの考察にどのような意味をもつのかについては次章に述べることにしよう。

1 小林秀雄『ドストエフスキイの生活』より引用。
2 もっとも、この嘆願書が皇帝に届く前に、ペテルブルグへの帰還の許可が出たのだが(小林、前掲書より)。
3 この結婚は、不幸なものだった。妻となったマリヤ・ドミトリエヴナがドストエフスキーをほんとうに愛したことがあったのか、疑わしい。もともと肺病を患っていマリヤは、結局、ドストエフスキーが心を移し、別の女(たち)を愛するようになってから、息を引き取った。
4 ただし、ドストエフスキーは、かなりの時間を外国で過ごしていた。最も長く継続的な外国滞在は、四十五歳から四十九歳までの四年余りの期間。この間二人目の妻アンナ・グリゴリエヴナとともに。
5 S・フロイト「ドストエフスキーと父親殺し」一九二八年。
6 ドストエフスキーの母親、つまりミハイル・アンドレーヴィチの妻は、その二年前に病死している。
7 作田啓一『ドストエフスキーの世界』筑摩書房、一九八八年、三三〇頁。
8 このテーマにふれた亀山郁夫の著作はたくさんある。正面から論じたものとしては、『ドストエフスキー 父殺しの文学』上・下、NHKブックス、二〇〇四年。
9 『カラマーゾフの兄弟』亀山郁夫訳、光文社古典新訳文庫、二〇〇六~二〇〇七年。
10 江川卓も亀山郁夫もそのように結論している。
11 ミハイル・バフチン『ドストエフスキーの詩学』望月哲男・鈴木淳一訳、ちくま学芸文庫、一九九五年(原著一九二九年)。

12 Jacques Lacan, *Le moi dans la théorie de Freud et dans la technique de la psychanalyse*, Paris: Éditions du Seuil, 1978, p.179.

第2章　墓場の生ける死者たち

1　地下室と屋根裏部屋

流刑地からペテルブルグにもどってすぐに、ドストエフスキーは、旺盛な執筆活動によって文壇に復帰した。復帰後の五年間の作品には共通の特徴がある。主な作品はすべて、主人公の「手記」の形式をとっているのである。作品は、一種の告白、自伝的な性格をもつ告白というスタイルで書かれているのだ。告白的な手記は、閉じられた個室のような空間で書かれている。監獄や小さな借家で、そして何より地下室で。こうした点を念頭に置いて、ロシアの研究者バチーニンは、流刑後のドストエフスキーの小説は、社会的な繭と形而上的な繭から展開したと論じているという。[*1]「社会的な繭」として念頭に置かれているのは、シベリアの監獄生活と囚人たちについての人間観察を綴った『死の家の記録』（一八六〇年初出掲載）であり、「形而上的な繭」とは、元下級官吏の功利主義的合理主義批判や彼の娼婦との失敗した恋の記録からなる『地下室の手記』（一八六四年）である。これに、（挫折した）博愛主義の繭とでも見なすべき、『虐げられた人々』（一八六一年）を加えることができるだろう。ちなみに、最後にあげた『虐げられた人々』には、「父殺しの欲望」という主題が含まれているので、[*2]われわれの探究にとっては無視するわけにはいかない作品だ。

ここではとりあえず、ひとつのことを確認しておきたい。地下室のような個室で記された手記は、小説の源泉になっていた、あの「告白」という実践を連想させないか。〈内面〉と〈近代的主体〉を産出した言語行為としての「告白」を、である（『〈主体〉』第17章）。そうした類比を念頭に置くと、「地下室」（に類する個室）は、パノプティコンの独房に比することもできる。もっとも——後に述べるが——ドストエフスキーの小説の中核的な特徴は、告白を内側から破壊してしまう点にあるのだが、先走らないことにしよう。

地下室が屋根裏部屋に置き換わり、『罪と罰』（一八六六年）が生まれた。ラスコーリニコフは、「戸棚」や「棺」に喩えられる狭い屋根裏部屋に下宿していた。そこから彼は斧をもって出かけ、金貸しの老婆を殺害した。地下室と屋根裏部屋は同じなのか。この問いに、亀山郁夫は、「違う」と答える。自分をナポレオンのような世界史的天才の一人と見なすラスコーリニコフの精神の隠喩になるためには、部屋は、地下ではなく建物の頂点になくてはならないからだ。*3 実際、主人公を屋根裏部屋の住人にしたときには、一人称の告白というスタイルは放棄され、主人公は三人称で指示されるようにもなった。

とはいえ、屋根裏部屋の原点は地下室であって、後者が前者へと変容したこともうひとつの真実である。亀山が述べているように、部屋の外へと出たいという意志の結晶が犯罪であるとするならば、主人公を積極的に犯罪へと向かわせるためには、その拠点を、「地下室」から、より外向的な「屋根裏部屋」へと変換する必要があっただろう。ということは、言い換えれば、地下室は屋根裏部屋のための助走として必要だったに違いない。

ラスコーリニコフは、娼婦ソーニャに、自分の犯罪を密かに告白する。彼女の部屋で、である。が、その告白は、たまたま隣の部屋を借りていた、スヴィドリガイロフに盗み聞きされてしまう。スヴィドリガイロフは、ラスコーリニコフの妹ドゥーニャがかつて家庭教師をしていた先の屋敷の主人である。彼はドゥーニャに思いを寄せ、妻で地主のマルファの死後、ドゥーニャをストーカー的に追いかけ、ペテルブルグに来ていたのだ。ソーニャの部屋は、ラスコーリニコフの屋根裏部屋の変形だと考えてみよう。パノプティコンの場合のように、自らは見られることなく、そこを監視していた者がいた、ということになる。あるいは、スヴィドリガイロフを、告白を聴聞する牧人司祭に喩えてもよいかもしれない。

このスヴィドリガイロフは、ラスコーリニコフにとって、一種の父（の代理人）ではないか。*4『カラマーゾフの兄弟』（一八七九年連載開始）の方から、遡及的に見返すと、そのように解釈することができる。どうして？　スヴィドリガイロフには、妻殺しの嫌疑がかかっている。これは嫌疑だけだが、この男がかつて少女を凌辱し、自殺に追い込んだことは、どうやら間違いないらしい。そして、彼は、たまたま知ったラスコーリニコフの秘密を種にして、ドゥーニャに関係を迫る（が結局、思いを遂げられずピストル自殺する）。こうした行状を考えれば、彼が、フョードル・カラマーゾフの前身に見えてくるだろう。スヴィドリガイロフが後に、息子たちの殺意の対象になった父、あの粗暴な淫蕩漢フョードルに変身するのである。

2　ボボーク、ボボーク、ボボーク！

父殺しという主題に回帰したところで、本来の問いを思い起こそう。資本主義と連動する二つの言説——近代科学と近代小説——が増殖する中で、第三者の審級はどのような変貌をとげているのか。このことを問うために、われわれはドストエフスキーを論材として招喚したのであった。前節で、「地下室」の告白者と「屋根裏部屋」の告白者を概観したのは、ドストエフスキーの文学が、近代小説の原点にある状態を反復していたということを示しておきたかったからである。

さて、ドストエフスキーの諸作品にわれわれが見出すのは、父を殺したいとする息子の欲望であった。この欲望が端的に表現されているのは、『カラマーゾフの兄弟』である。前章で述べたように——そしてよく知られているように——この小説は、神が存在しないとするならば、いかなる規範も失効し、すべてが許されるはずだ、という命題の証明に賭けている。イワンの教唆に基づくスメルジャコフによる「父殺し」は、何もかもが許されていることの実証であり、同時に、神に比せられる父の不在をもたらす行為である。だが、前章でわれわれが示唆したことは、ドストエフスキーの意図に反して、『カラマーゾフの兄弟』は、この命題をストレートには証明できてはいない、ということであった。無神論に結びつく「イワン−スメルジャコフ」の軸と信仰を代表する「アリョーシャ−ゾシマ長老」の軸とが、短絡的に結びついているように見えるのだ。

ここで問題の輪郭をより明瞭に示すために、つまりドストエフスキーのどの点に誤算があったのかをはっきりさせるための手がかりを得るために、彼の奇妙な短篇小説「ボボーク」を参照してみよう。ドストエフスキーは、五十一歳のときから死ぬまでに『作家の日記』と題する文章を連載した（最初は週刊雑誌『市民』に、後に月刊個人誌『作家の日記』に）。ひとつずつの文章はさして長くはなく、内容もスタイルもさまざまだ。時評であったり、エッセイであったり、小説であったりする。「ボボーク」は、この連載の中のひとつの文章で、発表年は、『カラマーゾフの兄弟』の六年前にあたる一八七三年だ。「ボボーク」の評価は高く、中でもミハイル・バフチンは、これを文学史上最高のメニッペアのひとつとして激賞している。[*5] メニッペア（メニッポスの風刺）とは、詩や対話や哲学的な議論、ときには民衆的な法螺話などを含みながら、荒唐無稽な展開をたどるテクスト一般を含む文学ジャンルである。[*6] バフチンは、メニッペアとしての「ボボーク」に、彼がドストエフスキー文学の精髄と見なしたカーニバル性が凝縮されて表現されていると見たのだ。

「ボボーク」は、イワン・イワーヌイッチという名のアルコール中毒者と思しき文学者を語り手としている。彼は最近、頭痛とともに訪れる、奇妙な幻聴・幻視に悩まされていた。誰かがすぐそばで「ボボーク、ボボーク、ボボーク！」とささやいているように感じるのだ。[*7] ある日、遠縁の男の葬式に出た後、イワンが墓地にいると、突然、死者たちの不可解な会話が聞こえてくる。死者たちの会話から判断すると、人間は死んでからも、肉体が完全に滅びるまでの二〜三ヵ月の間は、純粋な意識としてだけ生き続けるらしい。

彼らのバカらしい会話を聞いていると、もはやこれといってなすべき仕事が彼らにあるわけではないが、生前の関係性がこの幽霊たちの間にも維持されていることがわかる。たとえば将軍は偉そうに語り、彼に仕えていた下級官吏はへつらうように語る。すると、一人の死者が、こうした状態に抗うように提案する。

「いやもうたくさんです。その先を聞いても、どうせみんな愚にもつかない話にちがいないと思いますからね。肝心なのは、二ヵ月か三ヵ月か生命が残されているにしても、結局は――ボボークとつぶやくぐらいが関の山だということです。そこでぼくはこの二ヵ月をできるだけ楽しく暮らすようにすること、そしてそのためにみんなが別の基盤に立脚することをみなさんに提案します。諸君！　ぼくは気がねすることはぜんぜんやめにしようと提案します！」*8

この提案に、墓場に集まっている多くの死者たちが賛成する。最初に提案した同じ死者は、こうも言う。「ぼくは、嘘をつかずにすませたい」と。この死者によれば、「地上では嘘をつかずに生きることはまず不可能」であり、「人生と虚偽とは同義語」であった。だが、墓場でならば、嘘をついたりして変わったことがあっても罰せられることもあるまい、として、彼は自ら、自分が淫蕩な人物だったと告白し、他の死者たちにも「裸になってなにもかもさらけ出そうじゃないですか！」と呼びかける。*9 幽霊たちはほとんど全員、これに熱狂的に賛同する。ただひとり、あの将軍だけが、少し抵抗して見せるが、つまり生前の名誉ある地位への執着心を見せるが、結局、平民幽霊たちの凶暴な怒号にはまったくかなわない。この場面は、バフチンが好んで用いる語で表現すると、「奪冠」として記述できるだろう。奪冠とは、「戴冠」の反対であり、一種の王殺しだ。したがって、これもまた、父殺しの変種だと考えてよかろう。

いよいよこれら生ける死者たちが、裸になってあらいざらいほんとうのことを告白することになるだろう……というちょうどそのタイミングで、「わたし」つまりイワンは、急にくしゃみをした。すると、死者たちの声はたちまち消え、墓場は完全な静寂にもどってしまった。イワンは、自分の存在に気づいたからといって、彼らが急に恥じ入るとは考え難い、との思いがあり、しばらく待ってはみたが、声がもどってくる様子はない。最後にイワンは、死者たちは生きている人間にはわからない秘密のようなものをもっており、生きている者に対してはその秘密を念入りに隠そうとしているのに違いないと結論を出して、墓場を去った。

以上が「ボボーク」の筋である。この短篇小説は難解だとされているが、『カラマーゾフの兄弟』で提起されているあの命題を背景にして読めば、意図されていることは明瞭ではないだろうか。バフチンによる解釈をそのまま踏襲しよう。簡単に言えば、この短篇は、神が存在しないがゆえにすべてが許されているような状態を、この死者たちの世界として描こうとしているのである。もう少していねいに言えば、こうなる。ドストエフスキーには、カント的な仮定がある。道徳法則が効力をもつためには、カントが超越論的仮象と呼ぶものが必要だ。つまり、霊魂の不滅と、それを保証する神の存在が必要だ。しかし、今や、この生ける死者たち、つまり幽霊たちは、ほどなくしてほんとうに死滅してしまうのだ。とすれば、道徳法則が働くための前提は、つまり不滅の霊魂や神は失われている。かくして、すべての規範、すべての責任が無意味なものと化し、誰もが見栄も外聞もなく恥をさらしあう乱痴気騒ぎのような世界が出現するだろう。

*

だが、もう少し目を凝らしてこの小説を見直せば、そこには、今見たような素直な解釈を裏切る側面があることに気づく。つまり、ドストエフスキーの本来の意図から逸脱する要素がこの小説にはあるのだ。

まず、死者である幽霊たちの「秘密」は、結局、生きている人間であるイワンには告げられてはいない。秘密、つまり死者たちの破廉恥な真実は、開示されることはなく、それが打ち明けられるべき瞬間の直前に、死者たちは沈黙してしまう。スラヴォイ・ジジェクは、ラカンの読み方を教えるテクストの中で、ドストエフスキーのこの短篇をとりあげ、これを、カフカの『審判』に出てくる「法の門」の寓話と類比的に解釈するべきだという興味深いことを提案している。*10

「法の門」では、田舎から来た男は、開け放された門の前にまで到着しているのだが、いつまでも門の中に入れてもらえず、ついに臨終のときを迎えるのだが、意識を失う直前に、門番から、門はただその男ひとりのためにのみあったということを告げられる。法の門の向こう側には、法の秘密があるのだろう。その秘密が何であるかは、最初から暗示されている。門の向こうには何もなく、法は内容的には空虚だということ、これが秘密である。では、法の効力は消滅しているのかと言えば、そうではない。逆である。田舎から来た男が、律儀に「門の中に入るな」という禁止に従い続けたことが示しているように、法は内容のない形式のままに、厳格にその効力を発揮し、男を捉え続けた。どうしてなのかということは、法の門が、彼のためだけのものだ、ということから解くことができる。形式だけの空虚な法は、男の欲望を投射しうるスクリーンとなっていたのだ。法を求める男の欲望を、である。

　同じことは、「ボボーク」にも言えるのではないか。この生ける死者たちの秘密とは、きっと「神は存在しない」である。だが、「法は空虚である」という秘密が事実上はあからさまになっているまさにそのとき、法が厳格に支配したのと同じように、「神が存在しない」という条件が示されているそのときに、なお神が事実上存在しているのと同じ効果が現れるということがあるのではないか。つまり、法の内容を消去してもなお法が形式として支配しえたように、神を殺したつもりでも、なお神が存在し続けるということがあるのではないか。法の門が、田舎から来た男のためだけにあったとするならば、墓場での死者たちの会話は、イワン・イワーヌイッチのためだけに上演された芝居のようなものだ。観劇しているイワン（＝ドストエフスキー）は、きわめて宗教性の強い人物だということを考慮しなくてはならない。法の門に、男の法への欲望が投射されるように、墓場での芝居には、イワンの宗教性が投射されている。

　よく見れば、墓場の死者たちの世界が、何でもありの放埒な社会とはほど遠いことがわかる。彼らは、ほんとうのことを語ることを、生者よりも強く求められている。しかも、そうすることに快楽を覚えるようでなくてはならない。イヤイヤではなく、心底から喜んで告白しなくてはならないのだ。「すべてが許されている」どころではない。

　とすれば、神は、何らかの意味でまだ存在している、と考えるべきだ。法の内容が還元されてしまった後で、法が、形式だけになってますます効果を発揮したのと同じように、である。考えてみれば、墓場の死者たちは、自身の肉体的な死を超えて生きているではないか。だからこそ、彼らは、好きなことを語ることができるのだ。彼らが死後を生きることができるのは、神がそれを可能にしてくれているからだ。彼らの存在は、神の不在の証どころか、最もシンプルな神の存在証明である。

3　美女の死体

これほどあからさまではないにせよ、神＝父の死や殺害が、逆に、神の存在へと反転するという構成は、ドストエフスキーの多くの作品に共通して見られる。『カラマーゾフの兄弟』については、すでにこの点をごく簡単に確認しているし、この作品は言わば「本丸」なので、後で立ち返ることにして、ここでは、別の作品を先に一瞥しておこう。別の作品とは――「一瞥」にはあまりにも長大ではあるが――『白痴』（一八六八年）である。

この長篇小説を暴力的に単純化するならば、そのストーリーの骨格は、ムイシキン公爵とパルフェン・ロゴージン、そして美しきナスターシャ・フィリッポヴナ・バラシコーワの三角関係に集約させることができる。ムイシキンは、清らかな心の青年で、ときどき襲う癲癇の発作に苦しんできた。彼は癲癇の治療を終えて、スイスからペテルブルグに戻る列車で、精悍な顔つきの若者と出会った。その若者がロゴージンで、多額の遺産を相続したことがペテルブルグの社交界で話題になった人物である。ナスターシャは、幼くして孤児になり、富裕な実業家トーツキーに養育された女性だ。彼女は恐ろしいまでに美しく成長したのだが、どうやらトーツキーの慰みものになっていたらしい。ムイシキンは、遠縁にあたるエパンチン将軍の家で、（まずは写真の中の）ナスターシャと出会う。ムイシキンとロゴージンは、ナスターシャをめぐる恋のライバルとなる。

紆余曲折を——後に振り返ることになるのでここではとりあえず——すべて省くが、ムイシキン公爵はナスターシャとの結婚の一歩手前のところまでこぎつける。しかし、結婚式の朝、ナスターシャは、ロゴージンのもとへと逃げて行ってしまう。翌日、ムイシキンは、ロゴージンの自宅に行った。いったんは居留守を使ったロゴージンだが、一転ムイシキンを人ごみの中に見つけ出し、自宅に連れて行った。ナスターシャはどうなっていたのか。彼女は、遺体となって、白い布に覆われ、寝台に横たわっていた。彼女はロゴージンにナイフで刺され、殺されたのである。ムイシキンとロゴージンは同じ女を愛した者として共感しあいながら、その女の死体とともにいるところに、人々が入ってきた。このときロゴージンは熱病に臥しており、ムイシキンはその傍に寄り添って、愛撫しなだめるかのようにロゴージンの頭や頬を撫でていた。ムイシキンは、もはや周囲の人を見定め、判別することもできないような精神状態に陥っている。このムイシキンを、彼の主治医だったら「白痴」と呼ぶだろう。最後に、ロゴージンには十五年のシベリア懲役が科され、ムイシキン公爵は療養のためスイスに送られた。

＊

『白痴』の最大の謎は、どうしてナスターシャは殺されなくてはならなかったのか、にある。

冨岡道子によれば、『白痴』の人物関係は、ラファエロの絵画を解読格子とすると理解することができる。[*11] ドストエフスキーはラファエロの「サン・シストの聖母」をとりわけ気に入っていたことが知られている。『白痴』の最後の場面、つまりナスターシャの遺体が置かれた部屋は、緑色の絹のカーテンで間仕切りされて書斎部分から隔てられている。富岡によれば、ドストエフスキーは、ここで空間を、まさに「サン・シストの聖母」に見立てて演劇的に構成している。この絵で、聖母マリアは、緑色の幕を背景にして、幼児のキリストを抱いて立っている。ここからわれわれは、ナスターシャが聖母マリアとして、「キリスト公爵ムイシキン」を胸に抱いて甦る、というメッセージを読み取ることができる。作家は、このマリアのように、ナスターシャを立ち上がらせたかったのだ。

あるいは、ラファエロの「まひわの聖母」は、——冨岡に従えば——『白痴』の三角関係の図解である。この絵は、聖母マリアが、幼児の洗礼者ヨハネとキリストとをあやす姿が描かれている。聖母の右手側にヨハネが、左手側にキリストが、裸の幼児として立っている。ヨハネの両掌に抱かれたまひわの頭を、キリストも片手で撫でている。まひわは、死と受難のシンボルである。この絵の聖母に対応するのは、もちろん、ナスターシャである。そして、イエスとヨハネは、それぞれムイシキンとロゴージンに見立てることができる。

ラファエロの絵画を通したこのような解釈は説得的ではあるが、しかし、これだけでは、ナスターシャが殺される理由は説明できない。作家がナスターシャの復活を望んでいたとして、それではそもそもなぜ、ナスターシャはまず殺されなくてはならなかったのか。亀山郁夫の解釈が、この問いに対して回答を与えてくれる。寝台に横たわるナスターシャの死体の記述を精査した上で、亀山は結論する。彼女の死体は、ゴルゴタで磔になって死んだキリストの身体に重ね合わされている、と。[*12] ナスターシャの死体の左胸の真下にはナイフによって突き刺された傷があり、そこからは小匙半分くらいのわずかな血が滴り出た痕跡がある。この傷は、十字架のキリストの脇腹に刻まれた聖痕を連想させる。聖痕からも血が出ているが、たいていの絵で、それはわずかである。

キリストであれば、殺害されなくてはならない。本来はムイシキンがキリストに喩えられていたのだから、ロゴージンの殺害対象はムイシキンでなくてはならないのに、実際に彼に殺されたのはナスターシャだった。どうしてか。小説の最後の場面では、ナスターシャがキリストに比せられているからだ。つまり、ナスターシャは聖母であり、キリストでもあるという二役を担っているのである。こう解釈することで、ナスターシャの殺害には重要な寓意があったことが明らかになる。この対応関係の中では、殺人者のロゴージンは、キリストを裏切ったユダであったことになるだろう。

＊

こうした解釈には、牽強付会な強引さを感じる人もいるかもしれない。しかし、亀山が留意を求める、小説の重要な細部に目を向ければ、ナスターシャをキリストとして受け取るこうした解釈は、まったく自然なものであることがわかってくる。

ロゴージンの家の最も陰気な広間のドアの上には、ある絵がかけられていた。ハンス・ホルバインの「死せるキリスト」（図２－１）である。イッポリートという少年が、肺病で死のうとしているとき、ロゴージンに見せられたこの絵のことを思い起こす。「その絵には、たった今十字架から下ろされたキリストが描かれていた」、と。十字架から下ろされたキリストを描いた絵はたくさんあるが、その場合、画家は、キリストの顔に異常な美しさのニュアンスを加えるのが一

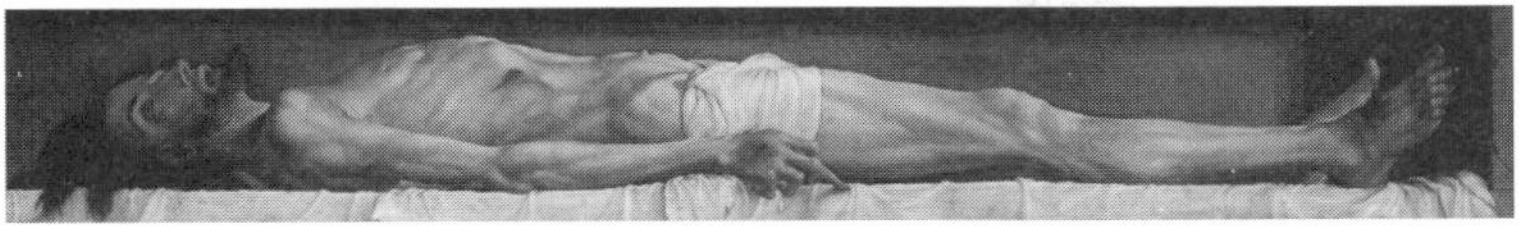

図2−1　ハンス・ホルバイン「死せるキリスト」
（1520-22年／バーゼル美術館蔵）

般的だが、「ロゴージンの家にある絵には、美しさなどこれっぽっちもない」。それは、まぎれもない端的な人間の死体――拷問に耐え、十字架を背にして歩き、六時間も十字架の上で苦しんだあとに息絶えた人間の死体だ。この絵で、キリストの苦しみは比喩的なものではなく、現実的・肉体的なものである。イッポリート少年は、「こんな死体を目のあたりにしながら、どうしてこの受難者が復活するなどと、信じることができたろうか？」（以上、亀山郁夫訳）と自問する。

ホルバインの「死せるキリスト」は、白いシーツを敷いた寝台の上によこたわる死んだキリストの身体を、真横から捉えた絵である。キリストは痩せこけており、口を開け、目を見開いている。きわめてリアルな死体、動物としての人間の死体の図である。ホルバインがどこにキリストの聖痕を描いたかに注意しておこう。脇腹にあるとされるその傷を、ホルバインは、普通よりかなり上方に、胸の下に描いている。ナスターシャの刺し傷があったのも、胸の下だった。ナスターシャと同様に、ホルバインの絵のキリストの死体からも、血はほんのわずかしか出ていない。

小説の中には、ロゴージンの家にあるとされるこの「死せるキリスト」への対立項となる画像がある。ナスターシャの肖像写真である。小説の最初の方で、それは登場する。ムイシキン公爵は、エパンチン将軍の家の書斎で、まだ知らぬ女性の写真を見つけ、その異様なまでの美しさに衝撃を受ける。

そして、この女性の名を教えられる。ホルバインの絵が、十字架の上でのキリストの死に対応しているとするならば、ナスターシャの肖像写真は、復活のキリストに対応していると解すべきであろう。

だが、このように結論的な構図に飛びつく前に、もう少していねいにこの小説の趣旨を見ておく必要がある。まず強調されていることは、ホルバインが描くキリストの死が、あまりにも端的な死、あまりにも直接的に人間の死体だということである。これほど無残に死んでしまった身体は、復活するとは思えない、とドストエフスキーは登場人物のひとりに語らせているのだった。ここにまず、われわれは、「父殺し」への衝動と同じ方向の力が作用しているのを看てとることができる。父＝神＝キリストは、はっきりと死んでしまっていて、復活への希望を打ち砕いている……ように見える。

そうだとすると、キリストの死体に対して、ナスターシャの美しい身体を外的に対立させているだけでは不十分である。復活を信じうるものにするためには、前者を後者へと変容させること、前者が後者に置き換えられることを示さなくてはならない。それこそが、『白痴』のあの場面、（エピローグ的な後日談を別にすると）最後の場面である。こうしてキリストに見たてられたナスターシャは、ホルバインの絵の変貌した姿である。キリストの復活にあらためて確証が与えられた。『白痴』の中で最もよく知られている台詞、ムイシキンがナスターシャに向けて語ったこの言葉を、文脈を外してあえてここで引用してみよう。

「ぼくはどういう人間ではありません。でも、あなたは苦しみながらも、ああした地獄から清らかなまま出ていらっしゃったのです。それはたいへんなことです。いったい何が恥ずかしくて、ロゴージンと一緒に行こうとなさるんです」（亀山郁夫訳）

ムイシキンは、ナスターシャは地獄から「清らかなまま」出てくる、と語る。地獄の状態を、ホルバインの絵が即物的に表現しているような、キリストの肉体的な苦難やその死に対応させてみたらどうだろうか。ナスターシャは純潔を維持したままそこから脱出するはずだ、とムイシキンは語る。とすれば、この台詞は、キリストの復活の隠喩として読むことができる。

＊

それゆえ、われわれはここでまた、同じ形式の逆説に出会っているのだ。一方で、父・神の死や殺害が呼び起こされ、その容赦ない性質が強調される。他方で、父・神の死がそのまま、父・神の存在や復活を含意する契機へと反転する。最終的に、父＝神の存在が肯定されるのであれば、どうして、父＝神の殺害を媒介にする必要があるのだろうか。ここで、前章で考察の俎上に載せたゾシマ長老のこともあらためて思い起こしておこう。ホルバインが描いたキリストの死体は、『カラマーゾフの兄弟』では、ゾシマ長老の死体になっているのだ。長老の死体は、他の凡庸な人間たちの死体と同様に、死後間もなく、腐臭を発しはじめた。この事実において、肉体の死の即物的な性質が、いかなる粉飾もなく露呈する。奇蹟とか神とかに通ずるものはここにはないように思える。いやそれどころか、リアルな腐臭は、それら超越的なものを積極的に否定しているようにさえ思えるのだ。だが、それでも、ゾシマ長老は、イワン＝スメルジャコフと対決する信仰の軸を代表しているのである。

これに加えて、もう一度、「ボボーク」の墓場の死者たちのことを思おう。彼らは、すでにいったん死んでいるのに、死後の生を享受している。フロイトが記録した夢の中に、死んだ父がまだ生きている、という有名な夢がある。その父は、自分が死んだことをまだ知らないのだ。夢の中に父を見ながら、「お父さんは死んだことを知らずに生きている」と思うのである。「ボボーク」の幽霊たちもこれに似ている。彼らは、一度は死んだはずなのに、まだ生きているからだ。しかも、彼らは、フロイトの夢の父よりも、生きる力が強い、と言ってよいだろう。なぜなら、彼らは、自分が死んでいることを自覚しているのに、生き続けているからである。

4 「全知の語り手」への嫌悪

このような逆説は、つまり父＝神の存在がその死に媒介されているという逆説は、いかなるメカニズムによって可能になっているのだろうか。とりあえず、問うべきは、父の殺害への欲望がどこから来るのかである。だが、この疑問を解くにあたって、われわれは注意しなくてはならない。われわれはここで、時代の精神の運動を一般的に代表する実例として、ドストエフスキーに注目しているのであった。たとえば、伝記的な事実の中に、ドストエフスキーが父に憎悪と敬意の両義的な感情を抱くことになった原因を探りあてることもできるだろうが、それはわれわれが求める答えではない。また、個々の作品に内在すれば、登場人物が、たとえばイワン・カラマーゾフやドミートリー・カラマーゾフが、その父フョードル・カラマーゾフに殺意をもつ事情や心理的経緯を抽出することもできるはずだが、これもまたわれわれの探究にとっては本質的ではない。こうした個別の心理を規定している一般的で無意識の過程に属する原因を見出さなくてはならない。そのためにはどうしたらよいのか。

小説の内容や物語に注目している限りは、正解にたどり着くことはない。内容は、登場人物たちの個別の事情を明かしているだけだからだ。われわれは、小説の形式、そのスタイルの中に手がかりを求めなくてはならない。父＝神の殺害と対応する意義をもつ現象を、小説の形式のレベルに認めることができるだろうか。できる。それは何か。

一九世紀小説がなしとげたスタイル上の革新は、——以前に述べたように——「全知の語り手」である。全知の語り手は、ひとつの小説の世界に対して、神として機能する。彼は、その小説の世界の中で起きることを知っており、すべての登場人物の心理を見通している。作者が「全知の語り手」として書くのが、典型的な一九世紀小説である。ところが、ドストエフスキーは、全知の語り手を嫌悪し、排除した。三人称で書いているときでも、作者は、全知の語り手ではない。個々の作品に対して「神」として君臨する全知の語り手の拒否こそ、小説の形式のレベルにおける神＝父殺しではあるまいか。言い換えれば、小説の内容のレベルで父殺しの物語をもたらすのと同じ衝動が、形式のレベルでは、「全知の語り手の排除」を促しているのである。

ドストエフスキーの小説において、全知の語り手がどのように拒否されているのか。代わりにどのような語りの形式が導入されているのか。こうしたことをまず見ておこう。処女作『貧しき人々』が、すでにこの拒否の姿勢を自覚的に表明している。この小説の主人公、小役人のマカール・ジェーヴシキンは、ゴーゴリの『外套』を読んで、これに強い嫌悪感を覚える。ジェーヴシキンは、ゴーゴリの小説がつまらないとか、筋にリアリティがないとか、といった理由で、これを拒否したわけではない。彼は、ゴーゴリの作品を読んで、自分が個人的に侮辱されているのを感じたのである。どういうことか。ジェーヴシキンは、『外套』の主人公アカーキー・アカーキェヴィチに、まさに自分自身の姿を認めた。とすると、普通は、『外套』の主人公と同一化し、むしろ、その作品を好きになるはずではないか。だが、ジェーヴシキンの場合は違った。彼は何が気に食わなかったのか。『外套』の作者が、彼の貧しい生活の全体を盗み見ていること、これがジェーヴシキンの不快の原因である。ジェーヴシキンは、『外套』の作者によって、自分が何者であるかということがまるごと定義されてしまうことに、怒りを覚えたのだ。ここで登場人物の方が、語り手に抗議し、注文をつけているのだ。

この「全知の語り手」がとるような態度、つまり他者の心理や生活は全部見通しているかのような態度への嫌悪は、ドストエフスキーの小説の至るところに記されている。たとえば、『カラマーゾフの兄弟』で、アリョーシャに、リーズという娘が否定的に反応する。アリョーシャは、貧しいスネギリョーフ大尉が必ず金を受け取るはずだ、ということを予言するのだが、リーズは言う。

「(中略)でも、ねえ、アレクセイさん、あたしたちの考えかたに……つまり、あなたのよ……いや、やっぱりあたしたちのかな……あたしたちの考え方に、あの、かわいそうな人にたいする軽蔑のようなものってまじってないかしら……あたしたち、さっきあの人の心のなかをあれこれ穿鑿《せんさく》したでしょう、一段高いところから見下ろすみたいに、ねえ? あの人は

お金を受けとるって、はっきり決めつけたでしょう、ねえ？」（亀山郁夫訳）

一段高いところからすべてを見通しているかのように語る態度とは、全知の語り手が、小説の登場人物に対してとっている方法そのものであろう。ドストエフスキーはリーズの口を借りて、一九世紀の典型的な小説のスタイルを批判しているのだ。『悪霊』では、スタヴローギンが、「スパイとか心理学者とかという連中が嫌いです」と語る。物語に内在すれば、これは、テロリストとしての心得に関係したことだが、一般的な文脈に移してみれば、これもまた全知の語り手に対する批判として読むことができる。

ならば、ドストエフスキーの作品においては、作者と登場人物たちの間の関係はどうなっているのか。作者は、超越的な立場から、主人公をはじめとする登場人物たちを客体として性格づけたり、彼らの内面を見通したりすることはない。作者自身が、主人公たちと同じ水準に立ち、主人公たちと互いに応答しあったり、誘惑しあったりしているのである。要するに、作者が、主人公と対面し、対話しながら物語が展開しているのだ。

こうしたスタイルを規定している、ドストエフスキーの文学の基本的な性質は何か。それこそ、ミハイル・バフチンが指摘したあの名高い特徴、ポリフォニー性ということである。*13 ドストエフスキーの小説は、ポリフォニー音楽を連想させるようなかたちで、複数の視点から構成されている。複数の視点は対等に対話を交わしながら、物語を前に進めているのだ。ポリフォニー小説では、作者のモノフォニー的な視点も拒否される。作者もまた、ポリフォニックな平面へと引きずり下ろされているのだ。これは、一種の父殺しであろう。

すると、われわれは考察のための方針を得たことになる。ポリフォニー性を生みだしている要因は何か。文学に内在している要因、そして社会的な要因、両方を探り当てなくてはならない。[*14]それらの要因が、父殺しをめぐる逆説を説明するだろう。

1　亀山郁夫、『ドストエフスキー　父殺しの文学』上、NHKブックス、二〇〇四年、一七六頁。
2　語り手のイワンは、ネルリという娘と知り合いになる。彼女は、実父であり、彼女の母親を捨てたワルコフスキー公爵を赦せず、彼に殺意を抱いている。
3　亀山、前掲書、上、二一〇―二一一頁。
4　同書、上、二三六頁。
5　ミハイル・バフチン『ドストエフスキーの詩学』望月哲男・鈴木淳一訳、ちくま学芸文庫、一九九五年（原著一九二九年）、二七四―三二〇頁。
6　このジャンルの名前は、古代ギリシアのガダラのメニッポス（紀元前三世紀）に由来する。彼が、この伝統の創始者だとされているからである。
7　「ボボーク」という語に意味はない。「ぶつぶつ」とか「ぶくぶく」とかといった擬声語の一種である。
8　ドストエフスキー『作家の日記1』小沼文彦訳、ちくま学芸文庫、一九九七年、一五二頁。
9　同書、一五四頁。
10　Slavoj Žižek, *How to Read Lacan*, Granta Books: London, 2006, Chap.6.
11　冨岡道子『緑色のカーテン――ドストエフスキイの『白痴』とラファエッロ』未來社、二〇〇一年。
12　亀山、前掲書、下、五一―五三頁。
13　バフチン、前掲書。直前に紹介したドストエフスキーの小説の登場人物たちによる「全知の語り手」批判も、バフチンが紹介しているものである（同書、一一九―一二五頁）。

14　われわれは小木郁夫による次の出色のドストエフスキー論の助けを借りることになるだろう。「地獄のカーニバルからの反転――反ドストエフスキー的状況としての」（未発表）。

第3章　分離派の倫理と資本主義の精神

1 イコン

ホルバインが描いた無残なキリストの死体と絶世の美女ナスターシャの死体。両者を結びつけ、そして同一視することを通じて、キリストの死を復活へと転換する。これがドストエフスキーの『白痴』の基本的な構図であった。前者（ホルバインの「死せるキリスト」）は、『カラマーゾフの兄弟』の、死臭を発するゾシマ長老の遺体へと、さらにスメルジャコフ（悪臭を放つ者）へと繋がっている。

しかし、『白痴』が提起しているこの構図は、ただちにひとつの疑問を誘発する。復活のキリストを暗示する上で、どうして、ホルバインの絵を媒介とする必要があったのか。ホルバインが描いたキリストの死体はあまりにも生々しく、醜悪でさえあるので、これがやがて復活するとはとうてい思えない。『白痴』の中で、一人の登場人物がはっきりとそのような感想を述べているのであった。とすれば、ホルバインの絵は、復活のキリストへの通路を妨げる要因であるはずだ。どうして、ナスターシャの美しい身体とホルバインが描いた醜い死体との間のつながりが示唆されているのだろうか。

この疑問は、正教の教義、とりわけその中核にあるイコン（像）をめぐる教義を補助線とすると、解きやすいものになる。超越的な神は、経験的な世界に内在する一対象として知覚されることはない。要するに、神は不可視である。その不可視の神と知覚的に現認される表象との間にはどのような関係があるのか。つまり、神的な超越性と内在的な経験世界との間の関係はどうなっているのか。両者の間のギャップを埋める要素が、正教では、イコンである。

＊

イコンの意味は次のように説明される。まず、言うまでもないことだが、神の受肉の事実は、キリスト教の大前提である。神は、イエス・キリストという形式で肉体をもったのだ。そうである以上は、神の子を「人間」のかたちで描くことが可能でなくてはならない。人間の肉体を帯びたキリストは、それ自体、神のイコン（像）である。たとえば、新約聖書「コロサイ人への手紙（一章一五節）」にも、「御子は見えない神の姿」とある。そうだとすると、神の受肉の事実は旧約聖書の規定に重大な変更を加えたことになる。神の受肉によって、神の像を作ってはならないという禁止規定が無効になったのだ。それだけではない。キリストが神の像であるにとどまらず、人間自体が、神の似姿として創造されていたことを思い起こさなくてはならない。この点を考慮に入れれば、人間もまた、イコンとして、言わば生きているイコン（神の像）として解釈することができる。かくして、人間のように神を描くことが可能だ、ということになる。正教は、このような論理によって、イコンの活用を正当化する。

だが、ここで慎重にならなくてはいけない。キリスト教の観点からは、絶対に回避しなくてはならない問題があるのだ。偶像崇拝である。偶像崇拝とは、超越的な神を、経験的世界に内在する一対象として相対化してしまうことである。それは、一神教にとっては最大の罪である。イコンを活用してもよいが、それが、偶像崇拝の誹りを受けるものに堕してはならない。そこで、正教の神学者は、人が像を崇めているとき、その尊崇の意志が差し向けられているのは、物質的な実体としてのイコンではなく、描かれている人格そのものである、ということを繰り返し強調している。たとえば、人は、カエサルの石像を指差して、「これはカエサルだ」と言うが、このとき、その石自体がカエサルなのではなく、「カエサル」という名前は、石を通り抜け、原物のカエサルに帰せられるということを十分に承知している。イコンにも、これと同じように対さなくてはならない。[*1] イコンに祈っているとき、その祈りの真の目標は、物質としてのイコンではない、というわけだ。

　イコンとして、キリストや聖母、あるいは聖書の中の有名な挿話などが描かれるわけだが、それらはほとんどすべて非常に平面的であり、立体的な像や深彫の像はめったにない。その理由は、偶像崇拝への警戒にある。感覚的な刺激の強い三次元の像は、注意を、そこに描かれている人間の肉体としての側面に惹きつけ、精神の神的性質から逸らすことになるだろう。正教の公式の見解によれば、至高のイコンは、人間の手によって創られたものではない。それは——人間の画家が描いたのではなく——そこに描かれている対象自体の神秘的な力能によって表面に浮上してきているのだ。

＊

ここまでは、イコンをめぐる正教の教えである。これを踏まえて、ドストエフスキーを見直してみよう。今述べたことをもう一度確認すれば、信者の注意が、イコンに直接に具現されている人間の肉体の感覚的な質を通り抜け、その先の神的な超越性に到達するように、イコンとして描かれた像を平面的で刺激に乏しいものにするのだった。だが、そうだとすると直ちに問いたくなる。それならば、そもそも、どうしてイコンを用いるのか。物質としてのイコンがなければ、尊崇という形式をとる信者の志向性は、イコンの物質性に躓くことなく、一挙に、神に到達するはずではないか。にもかかわらず、イコンが活用され続けたということは、一見、真の信仰にとって阻害要因に見えるイコンの物質としての側面は——あるいはそこに直接に表現されている人間の肉体は——、超越性に到達するためにむしろ有効だということを意味している。

こんな喩えがわかりやすいだろう。あなたが、スピードスケートの選手だったとする。あなたはできるだけ速く氷上を滑らなくてはならないのだが、氷が抵抗する。氷の抵抗が小さければ、もっと速く滑ることができるのに、とあなたは思うだろう。ついに、氷とスケートのブレードの間の摩擦がゼロになれば、最高の速度に到達するに違いない。と、このように思いたくなるが、摩擦がまったくなければ、そもそも、あなたは氷上を（自力で）滑ることができなくなる。摩擦がゼロになれば、氷をけっても、推進力を得ることができないからだ。氷の抵抗は、スケートという技術にとって絶対に欠かすことができない条件である。前進することを妨害しているように見える同じ要因が、前進するための力の源泉でもある。

同じことが、イコンと信仰の関係についても言えるのではないか。物質化されたイコンは、超越的なものへと向かう信仰をじゃましているようでいて、むしろ、信仰にとって必要だったのだ。すると次のように考えざるをえない。人間の肉体性を彷彿させるイコンという物質への知覚には、その物質の現認ということに回収され尽くさない過剰が宿っているのだ、と。その過剰が、イコンそのものを超えて、神の超越性へと人の関心を導いているのではないか。

このように推論してくれば、『白痴』の「死せるキリスト」（ホルバイン画）の役割が説明可能なものになる。イコンによって具体化されている人間の肉体性を、つまり見る者の感覚を刺激する肉体の生々しさをあえて誇張したらどうなるだろうか。そのとき得られる像こそ、（たとえば）ホルバインの絵画であろう。通常のイコンは、肉体性を具体的に連想させる要素を極小化しようとする。それは、肉体への連想が、信仰が超越的なものへと向かうのを阻害すると考えられていたからだった。しかし、イコンに課せられているこうした抑制を完全に外し、肉体の現実を、即物的に表現してしまえば、ホルバインの「死せるキリスト」のような絵画になるはずだ。このような絵画は、神の超越性へと向かおうとする志向性を挫折させるのか。必ずしもそうではあるまい。なぜなら、今述べたように、イコンに描かれている物質＝肉体への知覚のうちに孕まれる過剰こそが、神の不可視の超越性へと変容していたと考えられるからである。このような変容をもたらす何らかのメカニズムがあるのだ。ホルバインの絵画を媒介にして、「キリストの復活（超越性）」が肯定されるのは、こうした原理が働いているからであろう。

もっとも、今概説した論理の中には、まだ説明されていないことが含まれている。イコンを対象とする知覚が孕む過剰とは何か。なぜそのような過剰が宿るのか。どうして、それが神的な超越性へと変容するのか。

2 ロシア版宗教改革

とりあえずこうした問題には後で答えることにして、少しだけ、正教をめぐる歴史的背景の細部に立ち入っておこう。ドストエフスキー研究の専門家たちは、そうした背景も重視しているからである。[*2]

前節の議論がすでに前提にしているように、ロシアは正教の国である。しかし、一七世紀の中頃、ロシア正教の中心部で、大きな変革の運動が起きる。それは、直接の現象としては、「十字を切るときには二本の指ではなく三本の指を使う」「礼拝ではひざまずかず、腰までの礼にとどめる」等々の、典礼についての瑣末な改革である。しかし、重要なのは、どうしてこんな細々とした改革の必要が唱えられたのか、その狙いとするところは何だったのか、である。改革の目標は、ロシア正教のカトリック化にあった。それまでは、ロシア正教にはキリスト教以前の土着宗教が混じり、残存していた……と、少なくとも宗教エリートの目には見えた。カトリック化は、正教からこうした土着的要素を洗い落とそうとしているわけだが、わかりやすく端的に言えば、ニーコン総主教に主導された一七世紀の正教の改革は、「遅れている正教」を世界標準に合わせることであった。ロシア正教をカトリック風にすることで、先進国の「洗練されたやり方」に適合させようとしたのである。

しかし、このような正教の世界化（カトリック化）は、強い抵抗を呼び寄せた。本来の正教を保守しようとする人々が現れたのだ。改革指向の主流派と対立し、教会分裂を導いたこれらの人々は「分離派」「旧教徒」「古儀式派」等と呼ばれる。「分離派」という名は、分派や亜流を連想させるが、今簡単に解説した経緯からすぐにわかるように、もともとの「正教らしさ」を守り、かつ徹底させたのは、こちら分離派の方である。

教会から離反したグループはやがて、教会を容認する穏健な有僧派と、ラディカルで教会の否定までも唱える無僧派に分かれた。さらに時の経過とともに、分離派は、数多の宗派《セクト》へと分解していった。中でも規模が大きかったセクトは鞭身派で、一八二〇年代の信者数は百万人にもなったと言われている。このセクトは、「ラジェーニエ」と呼ばれる儀式——信者たちが賛美歌を歌いそして踊ったり跳躍したりする——で特に知られている。とりわけ、記念すべき集会では、信者たちはタオルを巻いたもので互いを打ち合い、「われは鞭打つ《フルイシシュー》、われは鞭打つ《フルイシシュー》、キリストを探す《フリスター・イシュー》」と唱えながら、聖水盤の周りを回るという。セクトの名前はこの儀式に由来する。鞭身の集会では、「フルイスト（鞭）」と「フリストス（キリスト）」という声が混じり合い、信者たちは法悦の境地に入る。そして最後には性的な乱交に至るのだという。ということは、鞭身派は、性的に放縦な傾向があるのかと言えば、まったく逆である。鞭身派は原則的には結婚を禁止しており、結婚の結果生まれた子は「罪人」と見なされた。既婚者に対しても、夫婦間の性交を禁じた。儀式で、男に「聖霊の妻」が与えられたり、乱交が許容されたりしたのは、日常における性的な禁欲の反面であり、両側面の間には強い相関関係があることは容易に推測できる。彼らはサンクトペテルブルグで「最後の審判」が執り行われると信じていた。

鞭身派が胚胎させていた傾向をより徹底させたのが、去勢派である。儀式や教義の内容に関して言えば、去勢派と鞭身派の差は小さい。（空間的には）遍在し、（時間的には）反復的に顕現するキリストという見方も、また人間の救済は――個人レベルの神秘体験としてではなく――集団レベルで生ずるという考えも、両者で共通している。ただ、神の国の到来に備えた禁欲が、身体そのものの改造のレベルにまで達していたところに、去勢派の徹底ぶりが現れている。セクトの名前も、その点に由来している。

＊

ドストエフスキーは、鞭身派や去勢派などの分離派に関心をもっていた。彼の小説の登場人物に関して、誰が鞭身派である、いや実は去勢派だ、といった研究がなされている。たとえば、『罪と罰』の主人公、ラスコーリニコフ。この名は「分離《ラスコール》」を含んでおり、分離派を暗示しているということは、かねてより指摘されてきた。彼が分離派だとして、どのセクトに属していたのか。彼の出身地とされている地域は鞭身派が多かったとか、彼の世界観からすると去勢派ではないかとか、といった推測が可能だ。少なくとも、ラスコーリニコフの代わりに、罪を告白してしまう塗装屋のミコールカに関しては、分離派の中の「逃亡派」と呼ばれるセクトに属しているということが、作中で明示的に語られる。

ここまでの議論の中でほとんど言及してこなかったこの長篇の――われわれの主題にとっての――意義を、このコンテクストで述べておこう。ラスコーリニコフによる金貸し老婆殺害が、彼のナポレオン主義によって正当化されていたことを考慮に入れると、この殺人は、政治的なテロとしての様相を帯びることになる。どのような政治的含意をもつのか。ロシアの研究者ベローフは、「ロジオン・ロマーノヴィチ・ラスコーリニコフ」の名前・父称・姓のすべてがロシア語の頭文字の「p」をもつことから、つまりラスコーリニコフのフルネームが「ppp」となることをもとに、それが「ロマノフ王朝の祖国を叩き割ること」を暗示していると読み解いている。[3]　この解釈が成り立つとすれば、ラスコーリニコフの犯罪は、同時に、帝政ロシアへの、そしてその象徴たる皇帝《ツァーリ》への反逆であり、一種の父殺しであると解釈することができる。

　ドストエフスキーの文学と分離派という話題に戻ろう。分離派のセクトとの関係で興味深いドストエフスキーの登場人物を、もうひとり挙げるとすれば、『カラマーゾフの兄弟』のスメルジャコフであろう。スメルジャコフは去勢派の一員であるということは、多くの研究を通じて明らかにされており、すでに定説だと言ってよいだろう。[4]　だが、そうだとすると、不可解でもある。分離派は、中でも去勢派は、敬虔なクリスチャンで、現世的な欲望に対しては徹底的に否定的である。ところが、その去勢派に属するスメルジャコフこそ、父殺しの犯人であった。フョードル・カラマーゾフを直接殺したのは、スメルジャコフである。彼は、「神がいなければすべてが許される」というイワン・カラマーゾフの思想を実行に移したのだった。すると最も熱心な信者が、「神の不在」を前提にした行動を取っていることになる。

　ドストエフスキーは、だから、ここにある逆説を見ていることになる。分離派に代表されるような神への純粋で徹底した信仰が、無神論へと反転してしまう、という逆説を、である。この逆説は、われわれがここまでドストエフスキーを読みつつ見出してきた逆説とは、反対の方向を向いている。われわれがここまで主題として提起してきたことは、たとえば短篇「ボボーク」が示しているのは、あるいは『カラマーゾフの兄弟』の全体の構造が暗示しているのは、神の不在を前提にしたとき――神＝父を殺害したとき――、「すべてが許される」のとは正反対の状況が、つまりまるで神がますます存在し、神の命令がよりいっそう厳格に通用しているかのような状況が出現する、という逆説だった。『白痴』もまた、「キリストの復活」（ナスターシャ）の前提として、「死せるキリスト」（ホルバイン）を置いており、同じ逆説を具体化している。さらに付け加えれば、スメルジャコフも、フョードルを殺害した後に――無実の罪を着せられようとしているドミートリーの裁判の前日に――首を吊って自殺してしまうのだから、神の不在の前提が神の存在へと反転していくという逆説をも具現している。というのも、江川卓によれば、自殺（自己滅身）は、分離派の文脈では懺悔の意味をもち、とりわけ縊死は、ユダの自殺のやり方だったとされており、傲慢の罪に対する罰であったからだ。[*5] スメルジャコフは、神の不在を前提に犯罪を実行しながら、いやおそらくそのように実行したがゆえにますます、神の存在に拘束されているかのように見えるのである。

しかし、その前にもう一つの逆説、反対方向の逆説があるのだ。それは、神を熱心に信仰する者が、無神論へと変貌してしまうという逆説である。したがって、ドストエフスキーの文学には、「神の存在／不在」をめぐる二種類の逆説が作用している。第一に、神の存在を強く信じている者が、無神論へと転換してしまうという逆説。第二に、神が存在しないという前提のもとで、逆に、神に帰せられるような規範的な命令が（ますます強力に）機能するという逆説。神の存在が不在へと転化する前者の逆説については、ドストエフスキーははっきりと意識しており、作品の設定の中にこれを組み込んだ。しかし、神の不在が存在へと反転する後者の逆説については、ドストエフスキーは意識はしていない。むしろ、彼が登場人物の口を通じて提示している思想は、この逆説を否定する内容、「神が存在しなければすべてが許される」という内容である。だが、ドストエフスキーの作品が結果として示していること、つまり作家が無意識のうちに――自身の意図的な制御を超えるようなかたちで――書いたことは、この思想を裏切る逆説であった。*6

*

このように、ドストエフスキーの小説の登場人物のポジションを分離派のセクトによって定める作業をいくらでも続けることができる。しかし、ここでは、そうした研究の成果をこれ以上、サーヴェイはしない。われわれの探究にとっては、それほど重要ではないからだ。ここでは、分離派の全般に関わる、概括的なこととして、二つのことだけを確認しておきたい。

第一に、分離派は正教の本来的な性格を誇張した上で保持している。正教の正教たる所以は、カトリックを模倣しようとしたロシア正教の主流派よりも、これに反旗を翻した分離派によってこそ継承された、と先に述べた。分離派の諸セクトは、単に正教らしさを保守しただけではなく、正教のある側面を、より純化し、強化した上で継承しているのだ。ここで、前節で述べたことを思い起こしてほしい。前節では、イコンをめぐる正教の教えをもとにして、『白痴』の二つのシーン(「ナスターシャの死」と「死せるキリスト」)を関連づける論理を提示した。イコンが活用されるときには抑制的に働いていた機制《メカニズム》が、その抑制を外して作動すれば、ホルバインの絵画に具現されている生々しい肉体を、復活のキリストの神的な超越性へと接続するルートが開かれる、と。

鞭身派や去勢派において生じたことを理解するには、正教の標準的なイコンと『白痴』のホルバインの絵画との関係についてのこうした説明を思い起こすとよい。分離派は、堕落した正教の主流派に反抗し、より高い精神性を求めている。彼らの生活は現世否定的で、とりわけ性に関しては禁欲的だ。しかし、そうした精神性のレベルに到達するために、分離派の諸セクトは、他方で、性的な肉体性を肯定し、猥褻な欲望を解放しなくてはならなかった。鞭身派が、乱交を組み込んだ儀式をもつのはそのためである。鞭身派のこうした儀式さえも、いかがわしいものとして否定し、排除した去勢派も、マゾヒスティックとも見なしうる身体改造を通じて、肉体性を強調せざるをえない。分離派の乱交を含む儀式や去勢派の去勢は、『白痴』におけるホルバインの絵と同じ、論理的な位置価をもっている。

第二に、正教に対する分離派の関係は、カトリックに対するプロテスタント諸派の関係と類比的である。一七世紀に、ロシア正教の内部で改革運動が始まり、それへの抵抗として分離派が出てくるのであった。そのおよそ一世紀前に、西ヨーロッパでは宗教改革があった。カトリック化を目指している正教の主流に対する抗議《プロテスト》として、分離派が登場する。分離派の目指したことは、キリスト教の原点への回帰である。この点で、西ヨーロッパのプロテスタントたちも同じだ。プロテスタントと分離派は、それ自体として比較すれば、似てはいない。しかし、メインストリーム（カトリックや正教主流）との関係に関しては、両者はよく似た立場に置かれ、よく似た機能を果たした。カトリックは単一の教会であり、セクトへと分化することはないが、プロテスタントはいくつものセクトへと分化していく。同じように、分離派もいくつものセクトへと分化した。西ヨーロッパのプロテスタントもロシアの分離派もともに、宗教的な伝統を純化することを通じて、社会の総体としての近代化に貢献した。分離派の登場と波及は、ロシアにおける一種の宗教改革である。

ドストエフスキーの文学は、このロシア版の宗教改革に始まるムーヴメントに棹さすものだった。いや、それは、宗教改革以上の宗教改革であった。(ロシア版)宗教改革においては萌芽的なままにとどまっていたポテンシャルを徹底して顕在化させたのが、ドストエフスキーの文学だったと言ってよいのではないか。

3 ポリフォニーとしての資本主義

ところで、われわれはかつて、マックス・ヴェーバーのあまりにも有名な研究を解釈——あるいはむしろ改釈——することを通じて、プロテスタンティズムの——とりわけカルヴァン派において最も顕著に現れる予定説の——エートスと資本主義の精神の間の繋がりについて論じた(『〈主体〉』第11章)。分離派をプロテスタントに見立てることができるのだとすれば、そしてドストエフスキーの文学が、ロシアの宗教改革の延長線上に現れているのだとすれば、「資本主義の精神」に関しても、類比が成り立つのではないか。実際、成り立つのだ。バフチンがオットー・カウスの『ドストエフスキーとその運命』(ベルリン、一九二三年)を批判しつつ述べていることを引きながら小木郁夫が論じているように、「ドストエフスキーの世界は、資本主義の精神の純粋で完璧な表現である」[*7]。どのような意味において、であろうか。バフチンがカウスの説明を要約して述べていることに基づいて、この点に答えておこう[*8]。

ドストエフスキーの作品の圧倒的な特徴は、その中で、複数の世界が、つまり多数の社会的・

文化的・イデオロギー的な複数の次元が衝突しあっていることである。これら複数の世界、複数の次元は、従来は個々に自足し、それぞれ閉ざされた構造や内在的な意味をもっていた。それらの世界が接触しあったり、相互に浸透しあうような現実的・物質的な基盤が存在していなかったからだ。ドストエフスキーの創作が可能になるためには、これら自足し、独立していた世界が互いに対立しあう現実の基盤が必要である。たとえば、『白痴』が可能であるためには、貴族の血をひく身分の者（ムイシキン）と成り上がりの商人（ロゴージン）とが対等に一人の女性を争いあうことにリアリティがなくてはならないし、『カラマーゾフの兄弟』が成り立つためには、領主の息子が使用人と哲学的な会話ができなくてはならない。『地下室の手記』や『罪と罰』は、それぞれ元役人や有能な元大学生が、娼婦との交流で深く心動かされるほどでなくては、リアリティをもたない。こうしたことを可能にしたものが資本主義である。資本主義は、もともと互いに自立していた諸世界の孤立状態を解消し、閉鎖性を打破し、各世界に内在していた社会層のイデオロギー的な自足性を解体した。

マルクスも述べているように、資本（主義）には、強力な平準化の作用がある。階級の区別、つまりプロレタリアートと資本家の区別を除くと、どんな区別も残さないのが資本主義である。しかも、身分の差別とは違って、階級の区別は絶対的なものではない。人は、階級の区別を横断することができる。*9 階級以外の区別に執着したとき、資本は、剰余価値を得る機会をその分、失うことになる。だから、平準化への傾向は、資本の本性である。こうして資本主義は、以前にはそれぞれ孤立していた諸世界を衝突させ、混ぜあわせていく。この形成途上の資本主義の世界の精神を完全に表現しているのがドストエフスキーだった、というのがカウスの結論である。「ドストエフスキーは、資本主義時代の人間のきわめて断固とした、不撓《ふとう》不屈の歌い手」であり、「彼の創作は挽歌ではなく、資本主義の炎のような息吹から生まれた、現代世界の揺籃《ゆりかご》の歌[*10]」だというわけだ。

バフチンは、カウスのこのような説明は、多くの点において正しいと認める。カウスの説明とバフチンの議論とを合わせれば、次のように言うことができる。前章でも述べたように、そして広く知られているように、バフチンによれば、ドストエフスキーの創作の本質は、ポリフォニーに喩えられる小説にある。バフチンが、カウスに同意しつつ述べていることは、結局、ポリフォニー小説は、資本主義の時代においてのみ存在が可能だった、ということである。

ポリフォニー小説とは何か。「ポリフォニー」は、厳密には、ドストエフスキーの文学を分析するための概念とは言えない。それは、イメージを喚起するために音楽から借用したアナロジーに過ぎないということを、バフチン自身も認めている。この点をよくよく自覚した上で、あらためて、バフチンが、「定義」に近いかたちで述べていることを引いておこう。

それぞれに独立して互いに融け合うことのないあまたの声と意識、それぞれがれっきとした価値を持つ声たちによる真のポリフォニーこそが、ドストエフスキーの小説の本質的な特徴なのである。彼の作品の中で起こっていることは、複数の個性や運命が単一の作者の意識の光に照らされた単一の客観的な世界の中で展開されてゆくといったことではない。そうではなくて、ここではまさに、それぞれの世界を持った複数の対等な意識が、各自の独立性を保ったまま、何らかの事件というまとまりの中に織り込まれてゆくのである。[*11]

ポリフォニーに比せられるこのような状態、つまり「それぞれの世界を持った複数の対等な意識が、各自の独立性を保ったまま」に織り込まれているような状態は、今しがたカウスに従って略述したような社会、つまり資本主義の実現をまたなくては不可能だ。バフチンは、カウスの議論をさらに前に進めて、こうも言う。ポリフォニー小説に最も適合した土壌は、ロシアだったのだ、と。というのも、西ヨーロッパとは違って、ロシアでは資本主義は破局的に、一挙に到来したからだ。西ヨーロッパでは、資本主義は、段階を踏んで徐々に浸透した。それゆえ、社会集団や身分の崩壊の過程も漸進的だった。しかし、ロシアでは、前資本主義的な閉鎖的な集団や身分がそのまま残存しているところで、一挙に資本主義化が進行した。そのため、モノフォニー的な意識と形成期の資本主義が許容するポリフォニー的な意識の間の矛盾が先鋭なかたちで表出される必然性があった、というわけである。一九世紀のロシアに関する、バフチンのこのような総括は、われわれの認識、つまり資本主義化の前提となる「絶対王政」的な社会がロシアでは遅れて到来し、そこからきわめて短期間に資本主義化が進行したというわれわれの認識とも合致する（第1章第1節）。要するに、資本主義こそが「ポリフォニー小説の本質的な多次元性と多声性のための客観的前提」だったのである。

われわれは前章の最後に、ポリフォニー性をもたらす社会的な要因は何か、と問うた。その暫定的な答えは「資本主義」だということになる。ならば、ドストエフスキーの作品は、資本主義の現実の反映である、と説明すればよいのか。もちろん、そんな説明ではまったく不十分だ。資本主義は、ドストエフスキーの創作が可能であるための外的な必要条件に過ぎない。「資本主義の精神」がポリフォニー性と関連づけられているとすれば、それは、すでに文学上の概念である。そうであるとすれば、ポリフォニー性は、文学に内在するかたちで説明されなくてはならない。そこから得られた洞察は、資本主義の方に送り返すことができるだろう。言い換えれば、ポリフォニー性がいかにしてもたらされているのかをドストエフスキーの文学に内在するかたちで説明することができれば、われわれは、資本主義を経済現象として捉えたときには見出すことができなかった、資本主義を駆動する内的なメカニズムをも同時に解明できるだろう。それは、繰り返せば、ポリフォニー性が「資本主義の精神」と強い親和性をもつからである。

4　同意における分裂

だから、われわれとしては、ドストエフスキーの作品のポリフォニー性を単に記述するだけではなく、それを可能にしたメカニズムを説明しなくてはならない。何がポリフォニー性を駆り立てているのか。

ここで、山城むつみのドストエフスキー－バフチン論が、すこぶる重要でまことに繊細な洞察を、われわれの探究にもたらしてくれる。普通、ポリフォニー的な状況の典型は、「論争」であると考えられている。複数の意見が対立している論争こそが、ポリフォニー性が極大化した現象である、と。しかし、山城によれば、「ポリフォニー」という比喩にふさわしい、最も深刻な闘争と分裂（差異と複数性）が現れるのは、「論争」においてではなく、「同意」においてである。複数の異なる声が同じひとつの言葉に重なり合う瞬間においてこそ、闘争と分裂が極大化するというわけだ。[*12]

これは意表をついた——というより一見理解しがたい——主張である。同意は、ポリフォニーが自らを否定し、モノローグへと没する瞬間であるように見えるからだ。しかし、山城によれば、同意はポリフォニー性を抹消するどころか、純粋にそれを保持している。山城の誘いに応じて、誰もが体験している次のような状況を想像すれば、この論点の理解への最初の一歩を踏み出すことができる。たとえば、「私は愚かだ」と心底から思っていて、他人にもいつもそのように言っている、とても謙虚な人がいたとする。そういう人でも、他人から「あなたは愚かだ」と言われるとカチンとくる。意見が違うからではない。「私が愚かである」という判断において、その謙虚な人と彼にその点を指摘した人とは、完全に同意している。その同意していることについて、他人の口から発せられたときに、強い違和を感じてしまう。同意そのものに内在する分裂は、ここにすでに隠れている。

こうした同意に内在する分裂が、きわめて鮮やかに現れているシーンを、山城は『カラマーゾフの兄弟』から引用している。この部分は、バフチンによっても分析されているのだが、山城は、これを咀嚼し、そのデリケートな部分をピンポイントに摘出している。それは、次の場面である。まず、父を殺したのはミーチャ（ドミートリー）ではないか、とイワンが主張したのに対して、アリョーシャが「ありえない」と不同意を表明する。その直後だ。以下は、山城むつみの訳である。

イワンは突然足を止めた。

——じゃ誰が殺《や》ったと言うんだい、キミの考えでは。——彼はどこかしら冷ややかに見えるようにそう尋ねた。その問いには、どこか高慢な音色すら響いていた。

——それが誰かは兄さんが自分で知っているでしょう。——静かに染み透るようにアリョーシャが言った。

——誰のことなのさ。あの気の触れた白痴《ばか》野郎、あの癲癇病みのことか、スメルジャコフの。

アリョーシャは不意に、全身が震えているのを感じた。

——それが誰かは兄さんが自分で知っているでしょう。——言葉が力なくもれた。息が切れそうだった。

——じゃ誰だい、誰なんだよ。——イワンはもはやほとんど強暴なまでに声を荒らげた。抑制が突然、断ち切られたのである。

——僕にわかるのはたったひとつのことだけです。——アリョーシャは依然としてほとんど囁くように続けた。——兄さんは父さんを殺していない、あ、な、た、じゃないんです。

——《あなたじゃない》だと。あなたじゃないとは一体どういうことだ。——イワンは唖然として言った。

——父さんを殺したのはあなたじゃないんです、あなたじゃ。——アリョーシャは、断固として繰り返した。

三十秒ばかり沈黙が続いた。

——そりゃそうさ、俺じゃないってことは自分でもわかってるさ、何をたわけたことを言ってるんだい。――蒼白い歪んだ笑みを浮かべてイワンが言った。彼は食い入るようにアリョーシャを見つめた。二人は街灯のところで再び立ち止まっていたのである。

イワンは、ほんとうは自分が父を殺したことになるのではないか、という不安を抱いている。しかし、彼は、自分がそのときモスクワにいて、直接には殺っていないこともはっきりとわかっている。つまり、イワンは自分ではないということはわかっており、自分で自分に言い聞かせてもいる。だから、アリョーシャに「あなたじゃない」と言われたとき、イワンは反対の見解を聞かされているわけではない。「イワンが父フョードルを殺したわけではない」という点に関して、二人は完全に同意している。それなのに、イワンは、自分がすでに受け入れているその判断を、アリョーシャの口から聞いたとき、異様な衝撃を受けている。どうしてなのか。

これはまことにふしぎな現象である。山城は、自分の心の奥底に秘めた言葉が他者の口から明示的に発せられたときに斥力が生じている、と解説している。その斥力の正体は何なのか。同意において差異が――しかも極大の差異が――現出するのはどうしてなのか。この同意における差異こそが、ポリフォニー性の原点である。先に予告めいたことを述べておけば、本章の最初の節で積み残した問い、イコンの知覚において生じる「過剰」がどこから来るのか、という疑問に対しても、同意が差異を孕む理由を解明する中で解答が与えられるはずである。

1　これは、最も有名なギリシア教父の一人、カイサリアのバシレイオス（四世紀）が用いた論法である。

2　以下、ロシア正教の改革とそれへの抵抗勢力としての分離派に関しては、以下を参照している。亀山郁夫『ドストエフスキー　父殺しの文学』上、NHKブックス、二〇〇四年、一〇〇―一〇四頁。中村喜和『増補　聖なるロシアを求めて――旧教徒のユートピア伝説』平凡社ライブラリー、二〇〇三年。

3　セルゲイ・ウラジーミロヴィチ・ベローフ『『罪と罰』注解』糸川紘一訳・江川卓監修、群像社、一九九〇年、八二頁。「ロマノフ王朝」も「祖国」も「叩き割る」もすべて、ロシア語ではpで始まる。また江川卓は、同じラスコーリニコフの「PPP」を、黙示録の悪魔の数「666」を意味していると読み解いている（『謎とき『罪と罰』』新潮選書、一九八六年、四八―四九頁）。

4　たとえば次の件。「父」であるフョードル・カラマーゾフは、少年スメルジャコフが潔癖性で、食物の清潔さに異様に拘るのを知って、彼をモスクワに料理の勉強に行かせた。数年後に戻ってきたスメルジャコフは、異様に老け込んでおり、年齢不相応に皺が増え、顔も黄ばんでいた。つまり彼は「去勢派宗徒みたいな感じになっていた」（亀山郁夫訳）。こうした記述から、ドストエフスキーがスメルジャコフを去勢派として設定していることがわかる。

5　江川卓『謎とき『カラマーゾフの兄弟』』新潮選書、一九九一年、一七八頁、一八一頁。

6　作家は、あらかじめある思想を自覚的に保持し、それを表現するために小説を書くわけではない。小説が客観的に提示している思想と、作家がそこに表現しようと意図していた思想との間には、ギャップがある。

7　小木郁夫「地獄のカーニバルからの反転――反ドストエフスキー的状況としての」（未発表）。ミハイル・バフチン『ドストエフスキーの詩学』望月哲男・鈴木淳一訳、ちくま学芸文庫、一九九五年（原著一九二九年）、三九頁。この部分で、バフチンは、自説の意義を明らかにするための前提として、カウスの論を批判している。しかし、よく読むと、バフチンは、カウスの説が誤っているとしてこれを斥けているのではない。むしろ、カウスが論じていることがそれ自体としてはおおむね妥当なものだとして受け入れつつ、そこにはまだ最も重要なこと（言わば芸術的な次元）が抜けているとしているのである。もちろん、その最も重要なことにあたるのが、バフチン自身の議論だということになる。このようにバフチンのカウスへの批判はまったく外在的なものである。批判の対象になっているがために無視されがちなカウス－バフチンの議論に興味深い含意があることを見出したのが、小木の評論である。
8　バフチン、前掲書、四〇—四二頁。
9　階級概念については、『〈主体〉』第9章参照。そこでも示唆したように、厳密には、階級としての階級はブルジョワジーだけである（それゆえ、階級においては一旦すべての社会的な区別が撤廃される）。プロレタリアートは、階級そのものの否定を含む階級だからだ。
10　バフチン、前掲書、四一頁。
11　同書、一五頁。
12　山城むつみ『ドストエフスキー』講談社、二〇一〇年、序章「ラズノグラーシエ——二葉亭四迷とバフチン」。

第4章　一者は一者ならず

1 同一性と差異性の短絡

ドストエフスキーの小説は、ポリフォニー（多声音楽）のアナロジーによって記述できる創作技法を本質的な特徴とする。これはバフチンが提起した名高いテーゼである。われわれは前章で、バフチン自身に依拠しながら、さらにこう述べた。ポリフォニー小説を可能なものにする必要条件は、資本主義である、と。資本主義は、ポリフォニー小説のための社会的文脈を用意している。つまり、ドストエフスキーの小説は、資本主義の浸透という現実に鋭敏に反応しているのである。われわれはもともと、資本主義に特徴的な言説をもたらした精神の変容を抽出することを目的として、ドストエフスキーを導入したわけだが（第1章）、ポリフォニー小説と資本主義の間のこうした親和性は、われわれが設定した探究の筋を正当化するものでもある。

ところで、ポリフォニー性が誰にでもわかるようなかたちで、明白に現れるのは、「論争」のような場面である。二つ以上の見解が対立しているとき、ポリフォニーを簡単に聞き取ることができる。だが、論争に着眼することはミスリーディングでもある。このとき、われわれはポリフォニーと「意見の多数性」とを同一視してしまうからだ。ポリフォニーに喩えられる分裂は、会話している者の間で意見が一致しているときにも現れる。いやむしろ、当事者がより深い分裂を感じているのは、「同意」においてである。われわれは山城むつみのドストエフスキー論に導かれて、この事実に注目した。このことは、実際の経験に照らしてもよくわかる（自分と同じ意見であっても、他人の口を介して聞いたとき、人はしばしば違和感を覚えたり、反発を感じたりする）。また、ドストエフスキーの小説にも、このことを示す場面がいくつもある。イワンとアリョーシャの会話の中で、後者から発せられる「あなたじゃない」に対する前者の反応は、その最も劇的で緊張感あふれる事例である。要するに、ポリフォニーとして記述される分裂や差異は、意見の複数性とは別のものである。

しかし、だとすれば、それはほんとうのところ何なのか。自分と同一の意見であっても、他者を媒介にして表出されたとき、われわれがそれにショックを受けたり、反発を感じたりすることがあるのは、どうしてなのか。同意においても、自他の間に斥力が生ずるのはなぜなのか。まずは、この疑問を手掛かりにしながら、探究を進めてみよう。

ここで問題になっていることは、同一性と差異性の交錯、あるいはむしろ両極の間の短絡である。とするならば、『カラマーゾフの兄弟』の脇筋にある、ジューチカという名の犬をめぐるエピソードが、考察の手掛かりを与えてくれるように思われる。それは、ふしぎな、そしてたいへん印象的な話である。このエピソードの中心にいるのは、イリューシャという名の少年だ。ジューチカは一旦、イリューシャの前から去っていく。ジューチカは死んだかもしれない、と思うべき理由がある。だが後で、ジューチカは復活し（?）、イリューシャのもとに帰ってくる。ただし、ペレズヴォンとして、である。ペレズヴォンは、ほんとうにジューチカなのか？　戻ってきた犬が、まさにあの他ならぬジューチカでなくては何の意味もない。しかし、この犬はペレズヴォンである。ジューチカはペレズヴォンである、という判断において、同一性の極と差異性の極とが合致する。この不可能な合致はいかにして可能なのか。

このエピソードについても、山城むつみが『ドストエフスキー』でまことに深く徹底して考え抜いている。[*1] 山城の解釈に助けを得ながら、われわれも考察してみよう。

2　ある犬の「復活」

ジューチカをめぐるエピソードの背景を解説しておかなくてはならない。イリューシャは、非常に貧しい家の息子である。父は、退役二等大尉のスネギリョーフで、カラマーゾフ家の長男ドミートリーからひどい侮辱を受けたことがある。居酒屋で、ドミートリーにあごひげを摑まれ、引き回されたのだ。スネギリョーフの家族とカラマーゾフ家とは、階級的には対照的な位置にある。カラマーゾフは領主で階級的には上層に属するが、スネギリョーフは最下層に属している。今や、イリューシャは死のうとしている。結核を患い、もはや快復の見込みはないのだ。

「スネギリョーフ－イリューシャ」という父子の組は、「フョードル－カラマーゾフの兄弟」という父子関係の陰画のようなものになっている。後者においては、息子たちは父を憎み、そして結局、父は殺される。それに対して、前者においては、父子は深く愛し合っていて、死ぬのは子の方である。二つの家族――スネギリョーフの一家とカラマーゾフ家――をつないでいるのは、イリューシャたちと親しくしているアリョーシャである。二つの家族、二組の父子関係の対照を考慮にいれると、イリューシャの物語は、『カラマーゾフの兄弟』の本筋とは独立のように見えて、実際には、小説の中心的な主題と深く共振していると考えられる。そのことを示すように、『カラマーゾフの兄弟』の結末は、イリューシャの葬式である。この小説は、後篇が構想されていたので、実際に書かれているこの結末は、前半の終わりということになる。この終わり方が暗示しているのは、葬式に出ているアリョーシャとイリューシャの友である子どもたちが、後篇の中心的な登場人物になっただろう、ということである。この予想に関して、ドストエフスキーの専門家たちの見解はおおむね一致している。

さて、結核の床にあるイリューシャには、ひとつの深い悩みがある。その苦しみは、ジューチカという名の番犬を虐待したことからくる。虐待をそそのかしたのは、あのスメルジャコフである。柔らかいパン切れを用意して、それに針を刺せ、そのパンを腹を空かした犬に食べさせてやるんだ、それでどうなるか見物するとおもしろいぞ。こんなことを言われてイリューシャは、針入りのパンをこしらえ、それを、食べ物をろくに与えられず空腹でいつも吠えていたある家の飼い犬ジューチカに投げ与えた。犬は飛びつき、それをひと飲みにすると、きゃんきゃんと悲鳴をあげて悶絶し、どこかへ駆け去ってしまった。それを見物したイリューシャの胸には「何か黒いもの」（山城むつみ訳）が染みつき、取れなくなってしまったのだ。

イリューシャは、仲がよい先輩のコーリャ・クラソートキンにおいおい泣きながら、この悪事を告白した。「きゃんきゃん鳴きながら走ってるんだ、きゃんきゃん鳴きながら走ってるんだ」（山城訳）と。革命家気取りの早熟の少年コーリャの目には、イリューシャの涙は、「良心の呵責」からくる感傷に見える。コーリャは、イリューシャを鍛えなければならないと考え、わざと怒ったふりをして、イリューシャに、しばらくつきあいを断つと宣言した。

しかし、山城の解釈では、イリューシャは、良心の呵責のような倫理的な意味での感傷にひたっていたわけではない。イリューシャを苦しめているのは、倫理の問題ではなく、存在の問題である。山城より前に森有正がこう述べていたという。問題の所在は、「駆けながら鳴いている犬」そのものであって、イリューシャは、まさにそのようなジューチカを見たのだ、と。「かわいそうであるとか、『良心の呵責』であるとかいうのは、それの後からつけた主観的な反映にすぎない」[*2]。これを承けて、山城の説明はもっと明快である。要するに、イリューシャが繰り返し問いながら、答えもなく苦しんでいる問いは、自分が「殺した」のはほかならぬジューチカであって、ほかの犬でなかったのはどうしてなのか、である。

もともと、イリューシャにとって針入りパンの犠牲になるのはどの犬でもよかった。死ぬのはどの犬でもよかったのだ。しかし、駆けながら悲鳴を上げていなくなったのを「見物」した後には、犠牲になったのがジューチカであるのはなぜなのかという問いが彼の胸から去らないのだ。こんな問いには《たまたま》としか答えようがない。天がジューチカと決めたからだと答えても彼はそれでもなお問うだろう。《ぼくが「殺した」あのジューチカがそのジューチカであるのはなぜなのか》と。[*3]

要するに、ジューチカはどうしてこのジューチカなのか、ジューチカがジューチカとして存在しているのはなぜなのか。これには答えはない。

＊

しばらくつきあいを断っていたコーリャがイリューシャのもとに訪ねてきた。スネギリョーフの部屋には、病床のイリューシャを囲んで、少年たちがいる。そこに、突然、コーリャが入って来たのだ。ひとしきりの会話のあと、コーリャは、今自分はペレズヴォンという名の犬を飼っていて、その犬は外で待っているのだと言う。ドアを開けさせ、コーリャが呼子を吹くと、一匹の大きな犬が駆け込んできた。その犬は、ジューチカと同じく、片目が潰れ左耳が裂けている。コーリャはこの犬を「ペレズヴォン」と呼んで、仕込んだ芸を披露してみせた。このときイリューシャはどう反応したか。イリューシャは急に力が出て、体ごと前に乗り出すと、その犬の方にかがみこみ、息をのむようにして犬を眺めやった。そして幸福と苦痛の両方で潰れたような声で叫んだ。「これ……ジューチカだ！」。コーリャはこれに「じゃ、きみはどいつだと思ったんだい」（山城訳）と大声で幸せそうに応ずると、得意そうに、ジューチカ＝ペレズヴォンを見つけた経緯を語った。しかし、イリューシャはおそらく聞いてはいない。

「ペレズヴォン」と呼ばれているこの犬はほんとうにジューチカだったのだろうか。山城が紹介するところによると、研究者の見解は分かれている。別の犬であると解釈すべき証拠もある（たとえば、ジューチカは雌犬の名で、ペレズヴォンは雄犬に付ける名である）。しかし、ジューチカは一度俗界で死に、聖なる領域で象徴的に——ペレズヴォンとして——復活したと解釈することができる、と主張する研究者もいる。*4 実際のところは、死んだ犬が復活したというわけではあるまい。ジューチカは命をとりとめ、コーリャはジューチカを見つけ出すことにほんとうに成功したのか、もっとありそうなことは、コーリャが、ジューチカと外見がよく似た野良犬を捕まえて、ペレズヴォンと名付け、芸を仕込んだということだ。しかし、山城が述べているように、単純な経験的な事実として、この犬が本当にジューチカなのかどうかということを確定することにたいした意味はない。

確実なことは、イリューシャにとっては、この犬「ペレズヴォン」はまぎれもなくジューチカだということである。だが、そうだとすると、いささか奇妙な細部がある。イリューシャは、これ以降、この犬を二度と「ジューチカ」と呼ばないのだ。この犬をイリューシャは「ペレズヴォン」と呼ぶ。どうしてかと言えば、もちろん、コーリャがそう呼ぶからなのだが、ならばどうしてコーリャは、犬に「ペレズヴォン」という名を与えたのか。彼にとって、この犬がジューチカならば――ジューチカでなくてはならないとすれば――、どうして、「ジューチカ」と呼ばないのか。だから、正しい問いは、「その犬がジ、ュ、ー、チ、カ、であ、っ、て、もペレズヴォンと呼ぶのはなぜなのか」[*5]である。ここで働いているのは、次のような奇妙な原理である。ジューチカは、まさに同一律が崩壊し、ペレズヴォンであるということ。ジューチカはジューチカであればこそ、ペレズヴォンなのだ。

神秘に頼るのでないとすれば、このようなことがいかなる意味において可能なのか？ このあからさまな「矛盾」を許すのはどのような論理なのか？ こうした「矛盾」にリアリティを与える体験上のベースは何なのか？

＊

こうした主題をめぐって考察を進めなくてはならないのだが、もう少し山城の議論に頼って準備をしておこう。犬をめぐる以上のエピソードは、イリューシャ自身の不幸をめぐる実存的な問題と相関していることは明らかである。医者が父親に対し自分の余命がほとんどないと告知したことを知ったイリューシャは、父親のスネギリョーフに言う。「ぼくが死んだら、いい子をもらってよ、ほかの子を……あの子たちの中からいちばんいい子を自分で選んで、イリューシャと呼んでさ、ぼくのかわりに愛してあげてよ……」（山城訳）。たとえば、他の犬を選んで、「ジューチカ」と名付けたら、ジューチカは復活したことになるのか、と言えば、もちろんそうはいかない。他の名（ペレズヴォン）で呼ばれているそのほかの犬が、まさにジューチカでなくてはならない。

だから、別のいい子を「イリューシャ」と名付けてかわいがって欲しいというイリューシャの願いに対するスネギリョーフの答えはこうなる。「いい子なんか欲しくない！　ほかの子なんか欲しくない！」（山城訳）。イリューシャ自身も、ほかの子を自分の代わりにかわいがって欲しいと述べたすぐ後に、こうも言っているのだ。「でも、パパ、ぼくを、ぼくのこと、ぜったいに忘れないでね」「ぼくのお墓にお参りするんだよ……それと、パパ、ぼくらがいっしょに散歩した、あの大きな石のそばにぼくを埋めてね。夕方になったらクラソートキンとあそこにお参りにくるんだよ……ペレズヴォンもそう……あそこで、ぼく、みんなを待ってるから」（亀山郁夫訳）。

このように視野を広げてみると、ジューチカとペレズヴォンの（非）同一性という問題は、山城が述べているように、ヨブ記の問いと重なっていることがわかる。どうして善良で、まったく罪も犯していないヨブ（イリューシャ）に、かくもひどい災厄がふりかかるのか？　これほどの不幸や災厄を被るのが、ほかならぬ義人のヨブ（イリューシャ）であるのはどうしてなのか？

ここで注意しなくてはならない。ヨブやイリューシャがどんな性質の人物だったのかということを記述する述語、「善良な」とか「罪のない子」とかといった述語や、あるいは彼らを襲う経験の性質や種類——過酷さや苦しみ——の方に目を奪われてしまうと、問題の焦点がぼけてしまう。つまり、問題は、倫理的なこと、「詩的正義（勧善懲悪）」にあるように思ってしまう。しかし、問題の核心はそこにあるわけではない。ヨブやイリューシャがいやな奴であったならば——たとえばフョードル・カラマーゾフのような人物だったら——、謎はなかったのかと言えば、そんなことはない。彼らが経験したことが不幸ではなく幸福だったなら、謎がないのかと言えば、それも違う。ヨブの性質がどうであったとしても、またヨブが経験したことがどのような種類のものであったとしても、原理的には謎は消えない。だから謎を煎じ詰めるとこうなってしまう。どうして、それは——そういうことを経験しているのは——他ならぬヨブなのか？　なぜヨブはヨブなのか？　ヨブを義人にしたり、経験していることを苦難と設定するのは、われわれの自然な応報感情や互酬感覚を逆なでして、謎があるということを鮮明に浮かび上がらせているのだが、その代わり、問いの中心がずらされてしまう。ほんとうの問題は、先にも述べたように、倫理のレベルにではなく、存在（論）のレベルにある。[*6]

問題の核心は、それゆえ、経験する出来事の偶然性ということである。どうしてヨブは、あるいは私は、こんなことを経験したのか。ほかの人でも、あるいはほかのことでもよかったように見えるのに、どうして私が、ヨブが？　針入りのパンを食べたのはどうして私だったのか？[*7]

このように考えを進めてくると、この主題が、本書で論じてきたことと交わることがわかる。どの地点で？　われわれは小説の機能について次のように論じた。小説は人生の偶然性という謎に直面しており、それを馴致する機能をもっている、と。まったくの確率的な偶然性しかない世界は神に見捨てられているように見える。小説は、神に類するもの――全知の書き手（あるいは一般的には第三者の審級）――を媒介にして、そのような世界を救済する（『〈主体〉』第20章、第21章）。

ドストエフスキーの作品においては、しかし、その偶然性がまったく緩和されることなく、荒々しい本性を剝き出しにしている。そうしたことが顕著に表れているのがたとえば、ジューチカやイリューシャのエピソードである。偶然性を馴致する働きをもつ「神に類するもの」が機能障害に陥っているように見えるのだ。すると、ここにもまた、潜在的に、ドストエフスキーのテーマ、神に比定される父の殺害というテーマが響いていることがわかる。イリューシャの父は生きているが、しかし、父的なものの死という問題は、ここにもある。

3　他者の発話の侵入

さて、あらためて問おう。ジューチカは、いかなる意味において、まさにジューチカであることでペレズヴォンなのか？「ジューチカはペレズヴォンである」という命題に説得力を与える、人間の体験のベースは何なのか？　これは、同意においても、いやとりわけ同意において、会話する自他の間に斥力が働くのはどうしてなのか、という疑問を解こうとする中で現れてきた問題である。

ここでまた、バフチンが論じていることを参照してみよう。バフチンは、ポリフォニー小説として十分な成熟を見ないごく初期の段階から、ドストエフスキーの小説の語り手や登場人物の発話には、ある顕著な特徴があり、それがポリフォニー性へと発展する種子のようなものになっている、ということを指摘している。[*8] その特徴とは、語り手や主人公の意識に、他者の意識が侵入してきてしまうということ、である。言い換えれば、発話が、まるで不可抗な力に導かれるかのようにして、他者の発話を先取りし、取り込んでしまうのである。そのため、二つの応答、つまりひとつの言葉と、それとは異なりときに反論さえするもうひとつの言葉が、同じひとつの口から発声されるひとつの言表の中で縒り合わされ、融合することになる。

バフチンは、ドストエフスキーの最初の作品『貧しき人々』(一八四六年)の中のごく平凡な発話を引用して、そのようなスタイルの例証としている。この小説は、小役人のマカール・ジェーヴシキンと身寄りがない娘ワルワーラとの間の往復書簡という形式をとっている。すでに初老と言えるマカールは、バフチンが例として使った箇所で、要約すれば、次のような趣旨のことを書いている。市民としての美徳の第一は、お金を儲け、誰にも厄介をかけないことであり、自分は実際、誰にも負担をかけてはいない。自分は清書屋を生業としており、それがたいした仕事ではないことを知ってはいるが、この職業に十分な誇りをもっている。……結論的にはこれだけのことなのだが、バフチンによれば、そこに縒り合わさっている二本の発話の糸をほどくと、この部分はマカール・ジェーヴシキンと他者との間の、つぎのような対話にパラフレーズすることができる。

他者「金をしこたま儲ける腕が必要なのさ。そうすれば誰の厄介にもならなくてすむんだ。ところが、お前はみんなの厄介になっている。」

マカール「小生は誰の厄介にもなってはいない。小生のところにある一切れのパンは自分のものだ。」

他者「へん、いったいどんなパンだというんだ！　今日はあっても、明日にはないってやつだろう。しかも、その一切れだってこちこちのやつに違いない！」

マカール「確かに何の変哲もない一切れのパンで、時にはこちこちの場合さえあるが、それでもあることはあるんだ。それは汗水たらして手に入れた、堂々と誰に非難されることなく食べることのできる代物なんだ。」

他者「いったいどんな汗水をたらしたんだか！　やっていることはといえば、清書だけじゃないか。それ以外のことは何にもできやしないんだ。」

マカール「それでどうしろというんだ！　小生だって、清書が大した仕事じゃないくらいのことは、自分でもちゃんと心得ているが、それでも小生はこの仕事を誇りに思っているんだ！」

他者「誇れる何があるというんだ！　清書かい！　いやはや何とも恥知らずなこった！」

マカール「清書をしているからといって、それが実際どうしたというんだ！」……等々[*9]。

先に述べたように、マカールの発話は書簡の一部で、ワルワーラという薄幸の娘を宛先としている。だが、ここでいう他者はワルワーラではない。不定の他者である。いずれにせよ、マカールの自己表白の声の中に、こうした応答が重なり合い、融合している、ということが重要だ。

＊

どうして、自分の発話の中に他者の発話がどんどん侵入してきてしまうのだろうか。このとき、マカールは、他人が自分について、自分の見解についてどのように考えるのか、類推した結果として、このような発話に至っているわけではない。また第三者の観点に立って、自分の見解と他者の見解とを比較したり、対照させたりしているわけでもない。では何が起きているのか。語り手であるマカールの立場から考えてみなくてはならない。まず、まぎれもなく私に帰属する発話がある。告白のような発話が、である。たとえば「私は清書屋である」と。すると、まさにそう発話したり意識したりしたことに正確に相関して、私ならざるもの、私には原理的には届かない疎遠な場所に帰属する発話が聞こえてきてしまうのだ。「そうだ、お前は清書屋だ」等と。その発話は、たとえ内容的には私の発話の反復であっても、〈他なる場所〉に、つまり〈他者〉に帰属する、そのことにおいて、異なる含意をもってしまうだろう。そのために、私は応答し、反論せざるをえない。「私だって清書がつまらない仕事だとわかっているさ」と。すると、これに対応して、〈他者〉の声が聞こえてくる。「清書とはつまらない仕事だ」と。私は、必ずしも反対されたわけでもないのに、反論せざるをえなくなる。「清書が実際どうだというのだ。清書のどこかに罪悪があるのか」等と。〈他者〉の声は言うだろう。「そう、清書は罪悪ではあるまい」

と。私は叫ばないわけにはいかない。「私は清書の仕事に誇りをもっているんだ！」等々。

発話にこのような分裂をもたらしているのは、体験のどのような構成であろうか。いま略述したような内的な会話が示していることは、〈私〉という主体に、それ自身を構成する不可欠の契機として、分割線が走っている、という事実である。どのような分割か。それは、〈私〉という一者を、その一者の否定と区別する分割である。つまり、〈私〉自身の内に、「〈私〉」と「〈私〉の否定」との区別を孕んでいるのだ。〈私〉の否定とは、もちろん、〈私〉からは原理的に到達できない場所、つまり〈他者〉である。

〈私〉が、まさに〈私〉が主体であることの証明であるような発話を行う。すると、これと厳密に対応して、〈他者〉に帰属する発話が活性化されている。その〈他者〉は、〈私〉が〈私〉であることを示す発話に随伴している以上は、〈私〉の内的な契機であり、〈私〉の内なる分割の産物だ。が、しかし、同時に、それは、絶対に〈私〉からは到達できない。つまり、〈私〉の主体性のうちに包摂しえない自律性として、〈他者〉はあるほかない。

このことは、〈私〉という主体を「個人」として規定することが不適切であることを含意している。しばしば指摘されているように、「個人 individual」とは、「分割しえぬもの（in-dividual）」という意味だからだ。それに対して、今述べてきたように、〈私〉は、本源的に分割されている。別の言い方をすれば、〈私〉は開かれている。どこへ？　〈私〉からは到達できない、本質的に脱中心化している〈他なる場所〉へ、である。〈私〉から到達できないということは、〈私〉に帰属する心の作用（志向作用）の対象とはなりえない、という意味である。言わば、その〈他なる場所〉は、〈私〉にとっては、永遠の盲点である。

今ここで述べていること、つまり〈私〉の発話に巻きつくように随伴する〈他者〉の発話についての考察は、さらに原初的な体験にまで遡れば、われわれがかつて、任意の志向作用を本質的に特徴づける二重性として述べたこと、つまり〈求心化／遠心化作用〉を見出すことになるはずだ（『古代篇』第6章、『中世篇』第9章）。〈求心化作用〉とは、志向作用において、対象と世界がこの〈私〉に中心化した相で、「〈私〉に対する」という形式で立ち現れるということである。〈求心化作用〉は、必然的に、〈遠心化作用〉——立ち現れの原点となる「中心」を他へと移転する作用——を陰画のように伴っている。触れることが触れられることでもあるように、である。ここでドストエフスキーの発話に即して述べていることは、〈求心化〉と〈遠心化〉の間の双対性の言表行為への応用である。

〈私〉がまさに〈私〉であることの根拠は、〈私〉に属する志向作用の全体、あるいは〈私〉を主体とする言表行為の総体にある。ところで、今述べてきたように、もし〈私〉の主体性の発動が、自らの反面として常にそのたびに、その否定であるような契機、つまり〈他者〉という場所を指し示しているとしたらどうであろうか。〈私〉という一者を定義する条件と、そのトータルな否定（〈他者〉）を定義する条件とが、厳密に同値だということになるのではあるまいか。「一者」が「一者の否定」と等しくなってしまうのだ。この「一者」の位置に、つまり〈私〉の位置に、「ジューチカ」を代入したらどうなるか。

ジューチカはジューチカならざるものである。

ジューチカならざるものは、未規定的であって、必ずしもペレズヴォンではない。しかし、ペレズヴォンでもありうる。こうして、「ジューチカはジューチカであるからこそペレズヴォンである（ありうる）」という命題が導かれることになる。

4　コミュニケーションの（不）可能性の条件

以上に述べてきたことは、コミュニケーションの条件についての素朴な、しかし永遠の謎に対して、解答の手がかりを与えてくれる。コミュニケーションはいかにして可能なのか。心を独我論的なものとして描くとして、それならば、コミュニケーションはどうして可能なのか。これは誰しもがすぐに思いつく疑問である。そして、答えが得られないままに、不問に付せられる謎である。

独我論的な前提においては、個人は自己完結的である。このとき、次のようなイメージが描かれている。〈私〉は〈私〉自身に対しては透明である。というか、意識にとって透明であるような範囲こそが、〈私〉の定義である。ところで、コミュニケーションは、〈他者〉がその透明性の範囲の中に入るということである。そんなことは絶対に不可能なことに思える。せいぜい、コミュニケーションは、独我論的な世界の中での幻想としてのみ可能だ、という結論にならざるをえないわけだが、その場合でも、どうしてそんな幻想をもつのか、もつことができるのか、という疑問があらたに生じてしまう。

しかし、コミュニケーションの不可能性を導くときの独我論的な前提に根本的な誤りがあるということを、われわれは示してきたはずだ。〈私〉は自己完結的ではなく、本質的に開かれている。ということは、言い換えれば、〈私〉が〈私〉にとって透明であるという前提は成り立たないということである。不透明な壁は、〈他者〉のところにあるのではなく、〈私〉の側にある。〈私〉であることにおいて、すでに、〈他者〉が入るべき場所は用意されているのである。そうであればこそ、コミュニケーションは可能なのだ。あえて逆説を誇張したレトリカルな表現を用いるならば、次のようになるだろう。コミュニケーションの不可能性は、〈私〉の自己自身に対する関係にこそある。そして、この〈私〉におけるコミュニケーションの不可能性が、一般の（〈他者〉との）コミュニケーションの可能性の条件になっているのだ。[*10]

さて、同意においても、いや同意においてこそとりわけ、自己と他者の間の分裂が強調され、両者の間に斥力が作用するのはなぜなのか？　この問いに対する答えは、〈私〉がすでに〈他者〉だからだ、というものになるだろう。前節で述べたことを少しだけ慎重に言い換えながら説明しよう。

〈私〉は〈他者〉に開かれている、と述べた。ただし、このとき、〈他者〉はまずは、消極的・未規定的に現れる。言い換えれば、このときの〈他者〉は、〈私〉の意識が覆っている領域に対して、これが「すべてではない」という形式で与えられる。〈私〉の意識が及ぶ範囲を「すべてではない」ものとして性格づけるところの「それ」（〈他者〉）が何であるかは、積極的に規定はされていない。

現実の〈他者〉の発話は、未規定だった「それ」を具体化する。これによって、言わば、空白のマスが埋められるのだ。だから、〈私〉は衝撃を受けるのである。〈私〉は、〈私〉自身の存在に関して、自らがすべてを知り尽くしていない、ということを知っている。〈私〉は、自分自身の存在の真理に関して、確信をもてずにいる。〈私〉は、〈他者〉の発話から、その真理を受け取るのだ。〈私〉が、ほんとうは何を欲していたのか、ほんとうは何を信じていたのか、何を信じたいと欲していたのか。そうしたことは、〈他者〉の語りを通してでなくては、明示されない。しかし、〈他者〉の口から明示されたとき、〈私〉はしばしば、反発を感じる。〈私〉は、自分自身についての真理を受け止めることができないからだ。イワンもアリョーシャの「あなたじゃない」を全面的に受け入れられずにいる。

*

「〈私〉が〈他者〉である」という論点と、第2節で論じた、経験の馴致されない偶然性という問題とは、どのように関係しているのか。あらためて説明しておこう。針入りのパンを食べ、死んでしまったのがジューチカである、ということは偶然である。偶然性を馴致するということは、その偶然の出来事を、超越的な意志に裏打ちされた選択に帰属させるということである。そうできれば、偶然に見えたその出来事は理由をもち、〈他であった可能性〉は抑圧され、排除される。

しかし、繰り返せば、あの針を食べたのはジューチカだったということは、どうしようもなく偶然である。そうであるとすれば、それをまさに偶然的（偶有的）なものとして性格づけている〈他なる可能性〉が、たとえばジューチカが（針入りパンで死ぬことはなかった）ペレズヴォンであったかもしれないという可能性が、現に起きたこと――「ジューチカがあのパンを食べて死んだ」――と同等のアクチュアリティを帯びている、ということである。だからこそ、われわれは苦しむわけだ。あれはジューチカでなくてもよかったのに、どうしてジューチカだったのか、と。しかし、この苦しみは、逆方向への展開をも許容している。潜在的な〈他なる可能性〉が排除されていないということは、実際、ジューチカがペレズヴォンであるということが、空虚な願望や妄想ではないということでもあるからだ。ジューチカがペレズヴォンであっても、そのような意味でジューチカが復活したとしても、それはまったく不合理なことではないのだ。〈私〉が、〈私〉の否定であるところの〈他者〉と同一化されるということと、純粋な偶然性（偶有性）という主題とは、同じ論理の構造をもっている。実際に生起した現実性を、〈私〉の位置に、そして偶有性を成り立たせる〈他でもありえたこと〉を、〈他者〉の位置に、それぞれ代入すればよい。

われわれは本章で、ドストエフスキーの小説を論材にして「一者の一者自身との不一致」という主題について、考えてきた。この構造は、一者を二者へと展開させる。ジューチカがジューチカならざるものと合致するとき、それは「ジューチカとペレズヴォン」へと転換する。「一者↓二者」という運動を再帰的に反復適用すれば、ポリフォニー的な多数性へと至るだろう。ドストエフスキーの小説のポリフォニックな構造の基底には、ここに述べたように、一者そのものの内的な緊張、一者が自己自身の否定を内在させていることからくる緊張がある。こうして、われわれは、ポリフォニー構造と資本主義という問題に戻ることができる。

1　山城むつみ『ドストエフスキー』講談社、二〇一〇年、四八六―五二六頁。
2　森有正『ドストエーフスキー覚書』ちくま学芸文庫、二〇一二年、一七一頁。
3　山城、前掲書、四九二頁。
4　同書、四九六―四九八頁。
5　同書、四九九頁。
6　キルケゴールならば、問題は、倫理の水準を超えた宗教の水準にある、と述べるところだ。
7　ジョルジョ・アガンベンは、『アウシュヴィッツの残りのもの』（上村忠男・廣石正和訳、月曜社、二〇〇一年）で、ロベール・アンテルムの『人類』（宇京頼三訳、未來社、一九九三年）に記されている、ふしぎな出来事を紹介している。ナチスのSSは、ラーゲリでしばしば、被収容者の中から「ロシア式ルーレット」の方式によって任意の人間を選び出し、銃殺していた。あるとき、このやり方で選ばれた大学生が、まさに選ばれた瞬間に、恥ずかしさに顔を赤く染めた。山城がこの話題に言及する論脈があまりにも見事なので、われわれとしては、これを紹介したいという誘惑に抗することはできない（山城、前掲書、五〇八頁）。なぜ、この大学生は恥じ入ったのか。倫理的な意味では、彼が恥じなくてはならないことは何もない。つまり、彼は悪いことは何もしていない。この場面で、倫理的な恥や罪を感ずべき人がいるとすれば、まちがいなく、SSの隊員の方だ。では、大学生は何に恥辱を感じたのか。殺される人を選ぶ籤に当たったのがたまたま自分だった、ということにである。彼は、自分の運命の偶然性を恥じているのだ。この偶然性を偶然以外のものに変換すること、つまり理由を与えて偶然ではないものとして見ることは難しい――いや不可能だ。このような決して還元できない純粋な偶然性は、倫理的な罪ではなく、存在論的な恥辱をもたらすのである。
8　ミハイル・バフチン『ドストエフスキーの詩学』望月哲男・鈴木淳一訳、ちくま学芸文庫、一九九五年（原著一九二九年）、四二〇―四二八頁。
9　同書、四二六―四二七頁。ごくわずかだけ訳語を変更。
10　コミュニケーションの可能性の条件を確定するためのもっとはるかに厳密な議論は、以下を参照されたい。大澤真幸『コミュニケーション』弘文堂、二〇一九年。特にその第1章。

第5章　貨幣を殺す

1　私たち二人のほかに第三の男が……

カラマーゾフの次男イワンは、「もし神が存在しなければ、そのときにはすべてが許される」という趣旨のことを示唆するわけだが、ドストエフスキーの小説が実際に——作家の意図を超えて客観的に——示していることは、この命題への反証である。神が存在しないとき——というよりむしろ神の存在を積極的に斥けたとき、神に由来する禁止はますます厳格に作用する。ということは、神が死んだと思っている者も、あるいは神を殺したつもりの者も、無意識のうちに神を信じており、彼らにとっても神は存在する——いや、ますます存在すると言ってよいだろう。神は不在へと一旦追いやられることを媒介にして、なおいっそう確実に存在し始めているようにすら見えるのだ。どうして、このような逆説が働くのか？　いずれにせよ、ドストエフスキーの小説が、ほとんどそのすべてを通じて、この逆説を提示している。この点を、われわれはすでに論じてきているが、ごく簡単に再確認しておこう。

短篇「ボボーク」は、イワンの命題の端的な例示として構想されたものと思われるが、第2章で述べたように、逆に、神の存在をこそ示している。カフカの「法の門」が、法が内容的には空虚であることを示すことで、なお法という形式が人を捉え続けることを語っているのと類比的だ。ここでは、「神が存在しなければ」の観念に最も深く関係している、『カラマーゾフの兄弟』について、まずは見ておこう。

　この命題を唱えているイワンは、スメルジャコフを——婉曲的な暗示によって——使嗾して、父フョードルを殺させる。つまり、彼は、実質的には父殺しの共犯者である。この行為自体が、神（＝父）殺しである。また、殺人の中でも最も罪深い犯罪をなしうるとすれば、そのことが「すべてが許されている」ことの証明にもなる。そして、イワンは、神から解放されたか。彼は神の不在を生きたのか。もちろん、そうではない。フョードルの死後、イワンは、彼のもとに訪れる悪魔の幻覚に苦しむ。イワンは、悪魔が彼の行為を責めていると感じる。悪魔は、神の使者、神の代弁者であることは間違いあるまい。

　あるいは、イワンは、スメルジャコフから、あることを指摘されて狼狽する。事件後、三回目の——そして結果的には最後の——イワンとスメルジャコフの対面のときのことだ。イワンは、スメルジャコフに対して、お前が夢か幻のように感じられると述べた（つまり、イワンの目には、スメルジャコフがあの幻覚の悪魔と同種のものに感じられている）。これに対して、スメルジャコフが言う。「ぼくたち二人のほか、ここには幻なんてものはおりません。それともう一人、第三の男をのぞいてね。そいつはまちがいなく、今ここにおりますよ。その第三の男は、ぼくたち二人のあいだに……」。イワンは慌てて、それは誰なのかと問いつつ、周囲を、部屋の四隅を捜し始める。スメルジャコフは、言わずもがなの回答をする。第三の男とは、ほかでもない、神のことだ、と[*1]。

イワンと同じことが、たとえば『罪と罰』のラスコーリニコフや『悪霊』のスタヴローギンにも言える。彼らに関しては、解釈の上で難しいことはまったくなく、あまりにも明白だが、あえて確認しておこう。ラスコーリニコフの英雄思想、選ばれた非凡人は、その目的を完遂するために社会道徳を蹂躙することも許される——たとえば人々を苦しめている高利貸を殺すことも許される——という思想は、まさに神を冒瀆するもの、神の存在を無視するものだが、彼は、犯行後、重い良心の呵責に苦しみ、娼婦のソーニャに促されて、罪を告白するに至る。誰もが知るストーリーだ。

スタヴローギンは、ドストエフスキーの長篇小説の登場人物の中で、最も無神論に近いところにおり、徹底したニヒリストである。キリーロフからは、スタヴローギンは、何ごとも信じておらず、自分が（何も）信じていないということすらも信じていない、と言われるほどだ。では、スタヴローギンは、すべてが許されているかのように振る舞っているだろうか。実際、スタヴローギンの行動には、それに近い冷酷さがあり、そのために発する彼のカリスマ性がピョートルに利用されてもいるのだが、しかし、スタヴローギンも、すべてが許された、罪から自由な者として自分を貫き通すことができたわけではない。まったく逆である。スタヴローギンは、修道院のチホン僧正に、かつて少女を凌辱し自殺へと追い込んだという罪を告白し、最後に、自分も首を吊って果てる。『カラマーゾフ』では、スメルジャコフが、イワンに代わって——いやイワンの分までも背負って自殺するのだが、『悪霊』のスタヴローギンは自分で罪をすべて担って死んだことになる。

繊細な部分にも注意を向けておこう。ドストエフスキーの小説から読み取ることができるのは、神を殺そうとする試みにもかかわらず、神が生き延びている、ということではない。神を殺害したこと、そのことが逆にかえって、神をより力強いものとして復活させているように見えるのだ。神の存在の否認が、神の存在をより確実なものとして回帰させている。この点を最もはっきりと示しているのが、『白痴』である。

＊

『白痴』については、第2章で、ごく簡単に論じておいた。この小説では、ハンス・ホルバインの絵「死せるキリスト」と凄まじいまでに美しい「ナスターシャの肖像写真」とが対になっているのだった。ムイシキン公爵とロゴージンは、ロゴージンの家に飾ってあったホルバインの絵の複製を前にして、信仰について話し合う。ロゴージンが突然、「レフ、以前から聞きたいと思っていたんだが、あんたは神を信じているのか、どうなんだ」と質問してきた。ムイシキンがこれに、ずいぶん変なことを聞くね、とまともに回答せずにいると、ロゴージンは、質問のことを忘れたように、「実はあの絵［「死せるキリスト」］を見るのがすきでね」とつぶやいた。ムイシキンが、「あの絵を見て、信仰を失くしてしまう人だっているかもしれないよ！」と叫ぶと、ロゴージンもこれに同意した。ホルバインの絵が、人の信仰を奪ってしまうように感じられるのは、そこに描かれているキリストの死体があまりにもリアルで、復活するようにはとうてい見えないからだ。

小説の結末で、ナスターシャは、「死せるキリスト」に見立てられるようなかたちで殺害されるのだった。つまり、ナスターシャは、キリストのように、あるいはキリストとして、（死んで）

復活する、という寓意がここにはある。ナスターシャがキリスト＝神として存在するためには、いかに信仰にダメージを与えるように感じられようとも、ホルバインの絵のような死を媒介にする必要があったのだ。

ムイシキンが最初、肖像写真のナスターシャに出会い、その美しさに打たれる。最初に出会ったのが、現実のナスターシャではなく写真だったことが、きわめて重要だと、山城むつみは述べている。[*2] 写真撮影が導入されたばかりの頃には、写真は命を吸い取るなどという迷信があったが、人は写真を撮られるとき、見つめてもまなざしを返すことがないという点では銃口と似ているカメラの眼の前に立つのだから、死体のような対象と化しており、迷信にも一抹の真実が含まれている。こうした点に言及しつつ、また、写真は被写体となった現実のものを過去へと押しやる――《それは＝かつて＝あった》――ことを通じて、それがすでに死んでしまっていることを暗示しているという、ロラン・バルトの言明を引きながら、[*3] 山城は、写真が印画紙に写し撮るのは、「死体として生きている」（バルト）何ものかだ、と言う。ということは、ナスターシャの肖像写真には、（キリストの）死が最初から組み込まれているのであり、小説の結末は、この潜在的なものを実演してみせていることになる。

それにしても、どうして、神は殺害されることを通じてなお、いや殺害を経由していっそう生きるのであろうか。この逆説をどう説明すればよいのか。

2 賭博者

だが、回答を出す前に、この問いの社会学的な広がりを見ておきたい。ドストエフスキーについてのよく知られた、しかし小説の読解に際してはあまり参照されることのない、伝記的事実をまずは手がかりにしてみよう。ドストエフスキーには、病的なレベルの、賭博への嗜癖《アディクション》があった。癲癇の発作と並んで、賭博へののめり込みが、ドストエフスキーと彼の家族の生活に支障をもたらした。とりわけ、国外に出たとき、彼は、お金をルーレットにつぎ込んでしまい、しばしば旅費や滞在費が底をついた。

たとえば四十五歳で（一八六七年）、彼の口述の速記者だったアンナ・グリゴーリエヴナと再婚してから二ヵ月後に、この新婦を伴って国外旅行に出たときも、ドストエフスキーは、早速、何とか工面して捻出した旅費を――とりわけ新妻が自分の家財を売却してまで作った旅費を――、賭博ですぐに失ってしまった。[*4] ドレスデンに滞在していたとき、ドストエフスキーは、生活費の不足分を稼がなくてはならないなどという口実で、単身ハンブルグに向かい、賭博に挑戦したのだ。四日で戻ってくる約束が十日に延び、ドストエフスキーは「賭博は終った、一刻も早く帰りたい」と妻に帰りの旅費を要求したが、その旅費も賭博に使い、結局、再度の送金でやっとドレスデンに戻ることができた。帰ってきたドストエフスキーは、手ぶらだっただけでない。それ以下だったのだ。時計を質屋に残したままの帰還だったからである。アンナは、日記に、「時計はハンブルグにあるから、何時だかわからない」と同じことを三日も続けて書いて、鬱憤を晴らしているという。[*5] このケースでは、ドストエフスキーは、妻から離れたところで賭博に興じたわけだが、妻と一緒にいても、賭博癖が直るわけではなかった。夫婦はその後も繰り返し、ドストエフスキーの賭博による失敗に苦しめられた。

癲癇の発作は、ドストエフスキーの文学にはっきりとした刻印を残している。主要登場人物にしばしば、癲癇の持病があるのだ。その最も重要な例が、『白痴』のムイシキン公爵である。『カラマーゾフ』のスメルジャコフにも同じ病がある。では、賭博はどうだろうか。もちろん、賭博も、ドストエフスキーの文学にはっきりと目に見える影響を残している。

まず、端的に『賭博者』（一八六六年）という小説がある。これは、ルーレテンブルグ（ルーレットの町）というふざけた名前のドイツの都市で仕事をしていた家庭教師アレクセイを主人公＝語り手とする作品である。彼は「将軍」と呼ばれているロシア人に雇われており、将軍の義理の娘ポリーナを熱烈に愛していた。将軍は、ポリーナが思いを寄せている（つまりアレクセイにとっては恋のライバルにあたる）フランス人侯爵デ・グリューに多額の借金があったが、ロシアに住む高齢の伯母からの遺産が遠からず入るはずだとあてにしていた。ところが、ある日、その伯母がルーレテンブルグにやって来て、将軍に「お前に金を譲るつもりはない」と告げ、わざと――まるでネイティヴアメリカンのポトラッチのようにこれ見よがしに――ルーレットに打ち込み、莫大な金額を浪費してしまう。遺産相続の希望を失った将軍の家族は、困ったことになる（将軍の資産はすべて、デ・グリュー侯爵からの借金の抵当になっていた）。事情を知ったアレクセイは、賭博に挑戦し、これに幸運な大勝利を収め、ポリーナを経済的な苦境から救おうとした。しかし、結局、アレクセイが渡そうとした札束は、ポリーナから突き返されてしまう。絶望したアレクセイは、ルーレテンブルグを去ることになった。その後、さまざまな経緯の果てに、アレクセイは、放浪の賭博者となって、各地のルーレット場を渡り歩くようになる。が、ある日、知人から、ポリーナが自分を愛していることを告げ知らされた。アレクセイは、生まれ変わって、自分がまだ人間たりうることをポリーナに知ってもらおう、と心の中で誓うところで小説は終わる。要するに、賭博者に堕した人物が、恋人からの愛を自覚することをきっかけにして、賭博から足を洗おうと決意するというわけだ。が、実際に詳しく語られるのは、賭博者になるまでの経緯で、ここからどう立ち直ったか、そもそも立ち直ることができたのかは描かれない。*6

ドストエフスキーの作品でも、これほど直截に賭博の現実を反映している例は多くはない。しかし、振り返ってみると、彼の小説には、「お金」というテーマが実に露骨なかたちで頻出する。これほど、お金のことばかりを話題にしている近代小説はめずらしい。とりわけ、『罪と罰』『白痴』『カラマーゾフの兄弟』という三つの代表的な長篇では、「お金」のテーマが前面に出ている。『罪と罰』では、貧しい元大学生が、金銭を目的として高利貸を惨殺する。「お金」が問題になるのは、必ずしも、主人公が貧しい場合だけではない。裕福な階層に属する人物たちも、お金のことで苦労している。『カラマーゾフの兄弟』では、長男のドミートリー（ミーチャ）が、元婚約者のカチェリーナに借金を返済するために、三千ルーブルを工面する話が、物語の展開の主軸になっている。ドミートリーが、父殺しの犯人として逮捕され、結局、裁判で有罪とされてしまうのも、つまり冤罪で懲役二十年の刑を宣告されるのも、彼が、父親から金を奪おうとしたと疑われたからである。*7

最も極端なのは『白痴』である。最初から最後までお金の話の連続だと言いたくなるくらい、この小説には、いくつものお金の話題が絡まり合って登場する。二百五十万ルーブルだとか、百五十万ルーブルだとかの莫大な額の遺産が入ってきたという話もあれば、二十五ルーブルという少額を借りる話が出てきたり、四百ルーブルが入った財布が盗まれた（らしい）ということが議論されたりもする。『白痴』は、まさにお金に関するエピソードの集積である。たとえば、前半の有名なシーン（ナスターシャの二十五歳の誕生日のパーティが開かれている）で、ナスターシャは、ロゴージンが彼女のために用意した十万ルーブルを、暖炉の火の中に投げ入れ、金目当てで彼女と結婚しようとしていたガーニャ・イヴォルギンにこれを拾い出すように命じる。十万ルーブルは、現在の日本円の感覚で表現すれば、一億円から三億円におおむね相当するという。[*8]

こうしたお金についての話題は、「神の存在」といったようないかにも本質的で重要な主題、形而上学的であったり宗教的であったりする問題を導き出すための「ネタ」に過ぎないのだろうか。それにしては、登場人物たちはあまりにもお金にこだわっている。「お金」は、他の話題に置き換えることができるようなネタではない。これも小説の根幹を構成する問題である。だが、それは、難しげな哲学的なことを考える前に、まずは生計を立てること、食べていくことが大事だ、という趣旨ではない。「神がいなかったら……」といったような形而上学的な問いもまた、ある意味では、お金の問題である。「神」についての問いが本質的なことで、「お金」は枝葉末節の、プラクティカルな問題だというわけではない。むしろ逆である。「神」こそが、広義のお金の問題に包摂されているのである。別の言い方をすれば、「お金」も形而上学的な問題である。

どういう意味なのか。この点を理解するための第一歩として、もう一度、「賭博」ということを見直しておこう。マルクスが案出した流通の公式を使えば、賭博は、G－G'となる。Gは、貨幣のことだった。[*9]賭博の目的は、貨幣Ｇを投ずることで、より多くの貨幣Ｇ’（＝Ｇ＋ΔＧ）を得ることにある。Ｇ－Ｇ’は、循環を通じて増殖する貨幣である。とすれば、これは、「資本」のミニマムな描写であろう。神の問題とお金の問題との関係は、「資本」を鍵概念として活用することで説明することができる。ただ、そのためには、ドストエフスキーの小説への理解を深めるだけでは足りない。そもそも「資本とは何か」についての理解を深めなくてはならない。

３　「どんなにいやな臭いがしようとも……」

資本については、われわれはもう基本的なことはわかっているつもりになっている。ドストエフスキーの小説に関してならば、自分がまだ理解できていないということを理解することは容易だが、資本に関しては事情は違う。最も肝心な点を理解できていないということに気づくことが難しい。この場合、われわれの助けになるのは、やはりマルクスである。

流通の基本的で原初的な形式は、もちろん、Ｗ（商品）－Ｇ－Ｗ’（別の商品）である。この過程には、終局的な目的がある。無論、それはＷ’（を得ること）である。人は、Ｗ’を得るために、手持ちの商品Ｗを売る（Ｗ－Ｇ）。獲得した貨幣ＧでＷ’を買ったところで、過程はひとまず終わる。

マルクスによれば、貨幣から資本への転化は、Ｗ－Ｇ－Ｗ’からＧ－Ｗ－Ｇ’への転回を意味している。流通の基準が、Ｇ－Ｗ－Ｇ’として現れているとき、資本の自律性が獲得されている、と解釈できるのだ。だが、これは詭弁に聞こえる。Ｗ－Ｇ－Ｗ’とＧ－Ｗ－Ｇ’は同じことの二側面であり、一方の当事者にとってW－G－W'として現れることが、他方の当事者にはG－W－G'となるに過ぎないからだ。しかし、このように理解したら、資本という現象の本質を逸することになる。市場に参入する人が、W－G－W'とG－W－G'のどちらを準拠にして行動しているかによって、事態は大きく変化する。どう変わるのか。この点についてはすでに、われわれは基本的なことを論じてある（『〈主体〉』第15章）。今の考察にとって重要なことだけをあらためて述べておこう。市場での人々の行動基準がW－G－W'からG－W－G'へと転回したとき、資本の循環は完全に終わりのないものになる。つまり循環は永続化するのだ。今しがた述べたように、W－G－W'には終わりがある。始点（W）と終点（W'）とが質的に異なっているからである。しかし、G－W－G'は違う。G'は完全な終極にはなりえない。始点（G）と終点（G'）とは量的にしか違わないため、G'はただちに、次のG－W－G'に投入されるからである。マルクスはこう書いている。「これ〔W－G－W'〕に反して、資本としての貨幣の流通〔G－W－G'〕は自己目的である。というのは、価値の増殖は、ただこの絶えず更新される運動のなかだけに存在するのだからである。それだから、資本の運動には限度がないのである」[*10]。さらに、資本の循環の中間部分を省略し、重要な部分だけを残すことが可能ならば、G－G'となるだろう。

ところで、マルクスの『資本論』は、キリスト教と資本とを類比させる論述に満ちている。「貨幣の資本への転化」を論じている部分は、特にキリスト教への暗示が多い。キリスト教を連想させるように書くということは、――マルクスの場合――ヘーゲル的な概念に訴えるということ、ヘーゲル的な用語によって記述するということに、ほぼ等しい。ヘーゲルとは、結局のところ、キリスト教の哲学化だからである。[*11] 前にも示唆したことだが、マルクスのキリスト教やヘーゲルへの言及を、ことがらの本質とは関係がない衒学的な修辞と解してはならない。

実際のところ、ただの修辞として受け取られることには、マルクス自身にも責任がある。マルクスが、キリスト教的でヘーゲル的な隠喩を特に用いるのは、資本の循環について論じる部分である。だが、マルクスは、労働価値説に基づき、資本や剰余価値の究極の源泉、それらの真の原因は、生産の現場に、つまり労働の搾取にあると見なしている。すると、流通の現場で見えていることは、本質ではなく仮象だということになる。そうであるとすれば、キリスト教的な隠喩やヘーゲル的な用語は、仮象を記述するための気取った工夫ではないか、と考えたくなる。だが、われわれは、マルクスのこうした論じ方を、逆の観点から解釈すべきではないか。もし、本質が、生産の局面にあるのなら、どうしてマルクスは直接、労働者の搾取について論じなかったのか。どうして、わざわざ資本の循環を意味づけ理解する際に人が援用する仮象を、長々と記述しなくてはならなかったのか。この点についてわれわれは、次のように答えるべきである。この仮象が、決して（労働に対して）二次的な現象ではないからだ、と。この仮象が、キリスト教的・ヘーゲル的な語彙によって記述されているとすれば、これには、そうしなくてはならない必然性があったのだ。こう解釈したとき、神や信仰についてのドストエフスキーの徹底した思考を、資本や資本主義という主題に、直接的に接続することが可能になる。[*12]

＊

さて、貨幣の資本への転化、あるいは前資本主義的な態度から資本主義的な態度への転換に関して、鍵を握っているのは「守銭奴（貨幣蓄蔵者）」である。守銭奴は、この転換の境目の位置にあり、資本家の前史である。守銭奴と資本家の間の連続と断絶に注目するマルクスの論点は、このシリーズの中ですでに何度か参照してきた(『イスラーム篇』第10章第4節、『〈主体〉』第8章第1節)。これまでの箇所では、どちらかと言えば、両者の間の連続性の方に、われわれは注目してきた。だが、ここでは断絶の方が重要だ。守銭奴と資本家の違いはどこにあるのか。

守銭奴に関して――厳密には守銭奴と資本家の共通点として――「絶対的な至富衝動」「熱情的な価値追求」を指摘するとき、マルクスはここに宗教的なものを、そう、プロテスタントのエートスを見ている。このときマルクスの論点は、ヴェーバーに非常に近い。[*13] その上で、マルクスはこう言っているのであった。守銭奴は愚かな資本家であり、資本家は合理的な守銭奴である、と。

このように表現すると、しかし、守銭奴は、資本主義というシステムにとって極端に逸脱的で変則的なあり方である、という印象が与えられる。しかし、そうではない。守銭奴の態度は資本主義の論理の根幹に忠実である。見ようによっては、合理的であるはずの資本家よりも守銭奴は、資本主義に深く内在しており、それに適応している。このことは、恐慌のときに何が起きるのかを見るとわかる。恐慌のときには、貨幣の価値が失われ、商品だけが――実質的な価値をもつはずの物が――生き延びる……と思いたくなるが、逆である。恐慌のときに先に価値を失うのは、商品の方である。誰もそれらを買う人がいないからだ。マルクスは、恐慌の状況を次のように記述している。

貨幣恐慌が起きるのは、ただ、諸支払の連鎖と諸支払の決済の人工的な組織とが十分に発達している場合だけのことである。この機構の比較的一般的な攪乱が起きれば、それがどこから生じようとも、貨幣は、突然、媒介なしに、計算貨幣というただ単に観念的な姿から堅い貨幣〔硬貨〕に一変する。それは、卑俗な商品では代わることができないものになる。商品の使用価値は無価値となり、商品の価値はそれ自身の価値形態の前に影を失う。たったいままで、ブルジョワは、繁栄に酔い開花を自負して、貨幣などは空虚な妄想だと断言していた。商品こそ貨幣だ、と。いまや世界市場には、ただ貨幣だけが商品だ！　という声が響きわたる。鹿が清水を求めて鳴くように、彼の魂は、唯一の富〔である貨幣〕を求めて叫ぶ。*14

このような状況になれば、勝利者は守銭奴の方である。が、この記述の中で注目したいことは、その点ではない。資本がその循環の中でとる二つの姿態、貨幣と商品の対比である。経済が順調なときには、ブルジョワは、貨幣をバカにしているつもりだが、ほんとうは貨幣に拝跪していたのだ。そのことが恐慌のときにあからさまになる。この点で、資本家は、普段から明示的に貨幣を崇拝している守銭奴と異ならない。信仰が意識的な者（守銭奴）と無意識であった者（資本家）という違いがあるのみである。貨幣は、だから神である。それに対して、商品は、卑俗な被造物に対応する。

ここで、もう一度、資本がまさに資本として自律するのは、G－W－G'という循環だった、ということを思い起こそう。G（貨幣）を、一旦、W（商品）へと転換すること、これが守銭奴がよくなしえなかったことである。しかし、GをG'＝G＋ΔGへと増殖させるためには、どうしても、Wを経過しなければならない。この点をよく理解していないがために、守銭奴は、資本家に比べて愚かであるとか、不合理であるとかと言われてしまうわけだ。しかし、今しがたの引用においても描写されているような恐慌もありうるので、つまりWが売れてG'へと転化する保証はないので、資本家と守銭奴のどちらが愚かなのか、どちらが合理的なのかは決しがたい。いずれにせよ、資本家は一旦、Gを放棄し、これをWへと変える。

ということは、次のことを意味するのではないか。G－Wの過程において、資本家は、Gという神を殺害し、卑俗な商品に転化していることになる。貨幣としての神は、一旦、殺されている。そのことが、貨幣＝神が、剰余価値をともなうより強力な神G'として復活するために（W－G'）どうしても必要な条件である。この運動は、われわれが見てきた、ドストエフスキーの小説の基本的な構図とまったく同型的である。まず、神が殺される。あるいは神は不在へと押しやられる。そのことを通じて、神は——より強力なものとして——復活している。ドストエフスキーの小説のモチーフを、これ以上ないほどに単純化し、無駄を削ぎ落とせば、そこに得られるのは、資本を資本たらしめる循環の公式G－W－G'である。

資本の循環についてのマルクスの次のような説明は、とりわけヘーゲル的である。

諸商品の価値が単純な流通のなかでとる独立の形態、貨幣形態は、ただ商品交換を媒介するだけで、運動の最後の結果では消えてしまっている。これに反して、流通G－W－Gでは、両方とも、商品も貨幣も、ただ価値そのものの別々の存在様式として、すなわち貨幣はその一般的な、商品はその特殊的な、いわばただ仮装しただけの存在様式として、機能するだけである。価値は、この運動のなかで消えてしまわないで絶えず一方の形態から他方の形態に移って行き、そのようにして、一つの自動的な主体に転化する。自分を増殖する価値がその生活の循環のなかで交互にとってゆく特殊な現象形態を固定してみれば、そこに得られるのは、資本は貨幣である、資本は商品である、という説明である。しかし、実際には、価値はここでは一つの過程の主体になるのであって、この過程のなかで絶えず貨幣と商品とに形態を変化しながらその大きささそのものを変え、原価値としての自分自身から剰余価値としての自分を突き放し、自分自身を増殖するのである。〔中略〕価値は、それが価値だから価値を生む、という神秘的な性質を受け取った。それは、生きている仔を生むか、または少なくとも金の卵を生むのである。*15

ここでマルクスは、ヘーゲルの「実体から主体へ」という論理を使っていることは明らかである。その論理の妥当性についてここではまだ問わないことにしよう。いずれにせよ、資本の循環の運動を停止させて静止画像を撮れば、「資本は貨幣である」「資本は商品である」という言明が成り立つような瞬間がある。資本が、貨幣（神）として復活するためには、殺害された神、つまり商品を経由しなくてはならない。

このマルクスの説明から、資本主義を成り立たせている最も重要な対立は、各商品に内在する「使用価値／交換価値」という区別であることがわかる。商品は、貨幣によって買われることによって、自分の交換価値が示され、同時に使用価値としても生きていたことが証明される。逆に、貨幣への転換に失敗すれば、先の恐慌のようなケースでは、商品は使用価値としても死んでおり、その存在価値はない。マルクスは、この「交換価値／使用価値」という二重態としての商品について、こんなふうに言っている。「資本家は、すべての商品が、たとえそれがどんなにみすぼらしく見えようと、どんなにいやな臭いがしようとも、内心と真実とにおいて貨幣であり、内的に割礼を受けたユダヤ人であり、しかも貨幣をより多くの貨幣にするための奇跡を行う手段であるということを知っているのである」[*16]。「内的に割礼を受けたユダヤ人」とはパウロの表現であり、要するに、クリスチャンのことである。資本家は、このみすぼらしい商品、いやな臭いを発している商品が、真実においては貨幣であることを信じている。同様に、ドストエフスキーの登場人物は、いやな臭いを発している死体――ナスターシャの／キリストの／ゾシマ長老の死体――が、神であることを信じている。

守銭奴と資本家という区別を使えば、こうなるだろう。このいやな臭いを発する死体を前にして、信仰を失ってしまう者、とても神として復活するとは思えない者は、守銭奴である。では、ここに賭博者を入れたらどうなるか。ドストエフスキー自身がそうであるような賭博者は、「守銭奴／資本家」という区別との関係で、どこに位置づけられるだろうか。一見、賭博者は、守銭奴よりも愚かで、不合理性の程度において守銭奴を超えている、と考えたくなる。だが、今、ここで述べてきたことの延長線上で考えれば、賭博者は、一般の資本家以上の資本家である。一般の資本家は、貨幣という神を完全には殺害しきれない。彼は、いかにも売れそうな――あまり臭くはない――商品を購入する。だが、貨幣という神をほんとうに殺してしまえばどうなるか。つまり、貨幣を、一旦完全な空虚に置き換えたらどうなるか。それが賭博者である。もっとも、賭博者は、資本家以上の資本家であるなどという主張は、今日の発達した金融資本を見ているわれわれからすれば、別段、驚くようなことでもあるまい。

それよりも、先に引用した箇所の最後で、マルクスが、資本に関して、それは価値を生む価値であり、「生きている仔」を生む、と述べていたことにあらためて留意を求めておきたい。このとき、マルクスは、キリスト教の最も中心的な教義を念頭に置いていることは明らかだ。それは、「父なる神」と「子なるキリスト」の関係である。父なる神は、直接的に——つまり女との結婚を介さずに——子を、ひとり子キリストを生む。ここで剰余価値は、キリストに喩えられている。

4　二つの三角関係

ドストエフスキーの小説が示している神をめぐる逆説——神はまさに殺害されることによってより強力なものとして復活するという逆説——は、資本の運動と同じ形式をもっている。そうであるとすれば、この逆説がいかにして可能だったのかを説明することは、資本なるものの可能性の条件を、一般的に——経済という枠組みを超えた実践と思想の一般的な領域の中で——解明することにつながるのではないか。さらに、ドストエフスキーがこの逆説を極限にまでつきつめ、破綻にまで導いているのだとすれば、ドストエフスキーから資本の論理を内側から突破するための手がかりを得ることもできるのではないか。こんな見通しを立てることができる。

とりあえず、本章では、もう一度、ドストエフスキーの小説に立ち戻り、そこに、資本の循環の運動を連想させる原理が働いていることを確認しておこう。とりあげるのは、先に述べたように、お金の話が最もたくさん詰まっている『白痴』である。この長篇は、あまりにも複雑で、また多くのエピソードを組み込んでおり、プロットを要約することは著しく難しい。だが、骨格にある人物関係については、すでに述べてある。それは、ムイシキン－ナスターシャ－ロゴージンの三角関係である。

物語の展開としてふしぎなのは、次のことである。ムイシキン公爵とナスターシャは明らかに、互いに深く愛し合っている。それなのに、どうしても両者は結ばれない。ほとんど結婚が成り立ちかけるところまで行くのに、その度に、ナスターシャは、ロゴージンの方へと去っていく。ではナスターシャは、ロゴージンをも愛しているのかと言えば、そんなことはない。ロゴージンの方はナスターシャに夢中だが、ナスターシャはロゴージンを嫌っている。ムイシキンは、ロゴージンを憎んではおらず、むしろ友情を感じているが、ただ、ナスターシャがロゴージンと一緒では不幸なことになるという直感があり、彼女をロゴージンのもとから救い出そうとしている。いずれにせよ、繰り返せば、ムイシキンとナスターシャは結ばれそうになっては、その度にナスターシャが（ロゴージンの方へと）逃げていく、ということの反復である。ロゴージンは、ナスターシャが逃げていく先としてのみ、その存在の価値をもつ。結末については、すでに解説した（第2章）。ムイシキンとナスターシャがいよいよ結婚というときになって、すでに式が始まっているような状況の中で、ナスターシャはまたしてもロゴージンの方へと逃亡し、最後にロゴージンに殺されてしまう。

この展開を、人間の心理として理解しようとすると難しい。だが、これを、G－W－Gの循環を枠組みにおいて解釈したらどうだろうか。Gは、ナスターシャである。ナスターシャは、ムイシキン（資本家）のもとに繰り返し戻ってくる。しかし、その度に、また投資され、離れていく。この循環は終わらない。

この小説の物語を構成している、もう一つの三角関係を考慮に入れれば、さらに繊細な解釈を得ることができる。もう一つの三角関係とは、アグラーヤ－ムイシキン－ナスターシャの三角関係だ。アグラーヤは、エパンチン家の末娘である。ムイシキンは、癲癇の治療を終えてスイスからペテルブルグに戻ると、すぐにエパンチン将軍の家を訪問する。ムイシキンと、エパンチン家とは遠い親戚の関係らしい。このとき、ムイシキンは、ナスターシャの肖像写真に出会うのだが、そのあと、彼は、エパンチン将軍の妻と、彼の三人の娘と食事をともにする。年頃の三姉妹の中でも、末のアグラーヤはとりわけ美しい。さまざまな会話の後、「顔」ということが話題になる。ムイシキンは、エパンチン将軍夫人と三人の娘の「顔」の鑑定のようなことをするのだ。ムイシキンは、アグラーヤの顔について独特なことを言い、一同を驚かせる。まず、彼女が、「超」が付く美人であることをムイシキンは認める。その上で、彼は言う。顔の作りは全然違うのに、ナスターシャさんを彷彿とさせる、と。この段階で、ナスターシャとアグラーヤの間の関係、端的に言えば、アグラーヤがナスターシャの代理になりうるということが、暗示されている。

アグラーヤは、ムイシキン公爵に魅了され、彼を愛するようになる。ムイシキンの方も、アグラーヤに好意をもっている。ナスターシャもムイシキンを愛しているので、三角関係になるわけだが、この三角関係は、先の三角関係よりもいっそう不可解である。ナスターシャは、アグラーヤをムイシキンと結びつけようと画策するのだ。彼女は、普通の恋愛と同じように、アグラーヤに嫉妬もしている。しかし、同時に、恋敵とムイシキンとを結婚させようともしている。第一の三角関係における、「ムイシキン：ロゴージン」の関係と、第二の三角関係における、「ナスターシャ：アグラーヤ」の関係は対応しているのだが、そこで働いている力の方向が正反対である。ムイシキンは、ナスターシャをロゴージンから引き離そうとしているが、ナスターシャは、ムイシキンをアグラーヤと結合させようとしているからだ。

結局、この第二の三角関係はどうなるのか。アグラーヤとムイシキンの間にも、実に複雑な紆余曲折があるのだが、とにかく、ついに婚約を披露する、というところまで来る。しかし、結局、破局に至る。どうして。（きわめて悲惨な結果に終わった）婚約披露のパーティの翌日の夜、ナスターシャとアグラーヤの間の話し合いがもたれた。この場には、ムイシキン公爵もロゴージンも立ち会っている。つまり、二組の三角関係を構成する全メンバーが、一堂に会しているのだ。結局、この話し合いは、ナスターシャとアグラーヤの間のひどい罵り合いになり、アグラーヤが部屋から飛び出してしまう。このとき、ムイシキンは、アグラーヤを追わず、ナスターシャを助けた。こうして、アグラーヤは、この小説の本筋から完全に姿を消す。

こんな疑問をもたざるをえない。ムイシキンとナスターシャの間の関係を中心においたこの小説に、どうして、もう一組の恋愛関係が入っているのか。この小説は、間違いなく、ムイシキンとナスターシャの関係を軸にしている。ロゴージンは、この軸の一部に組み込まれている。この軸とは独立の、しかしよく似た構成の三角関係が、この小説の中にある必然性は、どこにあるのか。こんなふうに考えてみたらどうだろうか。また、あの資本の循環公式をベースにしてみるのだ。G－W－G’。G’に至るためには、Gから始めなくてはならない。こう考えると、仕掛けははっきりしてくる。G’がナスターシャであるとすれば、アグラーヤはGである。

『白痴』という小説では、作者であるドストエフスキー自身がまったく意識することなく、資本の循環の論理が、複雑な展開の背後で貫かれているのである。

1　このやりとりの直前に、「ああ、イワンは都《ピーテル》に行きました」で始まる俗謡の冒頭の二行がイワンの念頭に浮かぶ（彼は、スメルジャコフのもとへやってくる途中で、農民がこの歌を口ずさんでいるのを聞いて、なぜかこの農民に異様な憎しみを感じた）。この場面で、スメルジャコフは、イワンを父殺しの共犯者だとするのに対して、イワンは、事件のときにモスクワに行っていたのだから自分は無関係だと思っている。しかしほんとうは密かに、イワンは自分も殺害者の一人だと認めざるをえないのではないか、とも感じている。この瞬間に、イワンが都に行っていた、という歌が出てくる。だが、行き先が、モスクワではなく、「ピーテル」、つまり「ペテルブルグ」では辻褄が合わないではないか。そうではない。ドストエフスキーの実際の父親ミハイル・アンドレーヴィチがチェルマシニャーで農奴によって殺されたとき、（十七歳だった）ドストエフスキーはどこにいたのか。ペテルブルグに——中央工兵学校の学生としてペテルブルグにいた。亀山郁夫によれば、『カラマーゾフの兄弟』のこの部分でドストエフスキーは自分自身のことを「告白」しているのである（『ドストエフスキー　父殺しの文学』下、二六五頁）。もしモスクワにいたイワンが免罪されないならば、ペテルブルグにいた自分も免罪されないことになる。その場合、ドストエフスキー自身もまた父殺しの共犯者である。イワンが都に行ってしまったという趣旨の恋歌を通じて、イワンとドストエフスキー本人が直接に重ね合わされているのだ。もし密かに父の死を望んでいたとすれば、直接に父を殺した者が誰であったとしても、私も父殺しの共犯者ではないか、という論理がここでは働いている。しかも、父殺しが、イワンやドストエフスキーの個人的な問題ではなく、時代の一般的な欲望だったとしたらどうだろうか（第1章第2節参照）。

2　山城むつみ『ドストエフスキー』講談社、二〇一〇年、第四章。

3　ロラン・バルト『明るい部屋』花輪光訳、みすず書房、一九八五年（原著一九八〇年）。

4　このまま、夫婦は四年余りを外国で過ごすことになる。
5　小林秀雄『ドストエフスキイの生活』新潮文庫、一九六四年、一七六頁。
6　アレクセイは、きっと賭博者から脱することはできないだろう。ドストエフスキー本人も――いかに妻の愛を自覚しようと――できなかったのだから。
7　ドミートリーに容疑がかけられやすい背景がいくつもあった。もともと三人の兄弟の中でドミートリーが父親フョードルと最も折り合いが悪かった。その上、彼ら二人は親子でありながら、一人の官能的な女グルーシェニカをめぐる恋のライバルでもあった。そして、殺害現場となった寝室からは、フョードルがグルーシェニカに渡そうとしていた三千ルーブルが消えていた（ほんとうはスメルジャコフが奪った）。しかも、事件後、ドミートリーは突然、大金をもっているかのように振る舞い始めた（その理由は、後にドミートリーの弁護人から説明されるが、陪審員には信じてもらえない）。
8　亀山郁夫によれば、一ルーブルは、われわれの千円から三千円におおむね相当する。とはいえ、こうした数字は、大雑把な目安に過ぎない。厳密にこだわることには意味がない。
9　この公式については、第14章、第15章を参照。
10　マルクス『資本論』岡崎次郎訳、大月書店、国民文庫、第一分冊二六六頁。
11　カントがそれをやろうとした。その試みを完成させたのがヘーゲルである。
12　宗教（キリスト教）への言及が、マルクスよりもずっと明示的で自覚的であった、マックス・ヴェーバーの議論を、ここで論じていることと関連づけておこう。ヴェーバーは、『プロテスタンティズムの倫理と資本主義の精神』の最初の方で、一六世紀ドイツの大商人ヤーコプ・フッガーと一八世紀のアメリカ人であるベンジャミン・フランクリンを比較し、後者の方がより「資本主義の精神」に近い、という趣旨のことを述べている（『〈主体〉』第5章第1節参照）。ここでマルクスを引きながら述べたことに対応づけて、ヴェーバーの議論を解釈すれば、次のように言ってよいのではないか。フッガーの生活態度には、まだW－G－W'の残滓があり、フランクリンのそれは、G－W－G'に純化しているのだ、と。フッガーは、あなたはすでに十分に儲けたのだから、そろそろ隠退したらどうか、と勧められたときに、これを拒否するような人だから、G－W－G'の論理で行動しているように見えるかもしれない。しかし、冒険の興奮を好む商人フッガーの人生は、いくつもの終極W'で区切られており、W－G－W'の反復だったと見なすべきである。それに対して、「時は金なり」と唱えるフランクリンにとっては、時間が貨幣に匹敵する均質性をもっている。フランクリンから見れば、時間は、自己目的化した貨幣の増殖の過程、G－(W)－G'に他ならない。ゆえに、彼のもうひとつの教訓は、マルクスの循環公式の通り、「金は金を生む」である。

13　マルクス、前掲書、二六八頁。前注もあらためて参照されたい。
14　マルクス、前掲書、二四二頁。
15　同書、二六九―二七〇頁。
16　同書、二七二頁。

第6章　ヘーゲルを通じてドストエフスキーを読む

1　ナスターシャの剰余価値

ドストエフスキーの『白痴』は、資本の循環の隠喩として読むことができる。念のために述べておけば、これは、ドストエフスキーが意図的に資本の寓意として『白痴』を書いたということではない。まったく意図することなく、著者の文学的な衝動の中で書かれたことが、無意識のうちに資本の循環と同じ形式の論理をたどっているということである。

資本の流通は、G－W－Gという公式によって記述される。この公式との対応関係は、この作品の基軸となっている三角関係、ムイシキン－ナスターシャ－ロゴージンの三角関係に即してみた場合にはきわめて明瞭である。ムイシキンと結びつくかと思われるそのたびに、ロゴージンの方へと去り、またムイシキンのもとに戻ってくる、そしてまたムイシキンから離れていく……ということを繰り返すナスターシャは、循環するGに比せられる。前章の最後の節で、このように指摘しておいた。

この対応関係は、さしあたって、登場人物（ナスターシャ）の行動の外形にだけ着眼して打ち立てられている。しかし、もちろん、こうした行動には、人間学的な意味がある。つまり、登場人物の気持ちや内面に根拠をもつ——したがって物語の筋を規定している——理由がある。この点は、バフチンに従って、「(複数の)声」と関連付けて説明するとわかりやすい。[*1] ナスターシャには、二つの(他者の)声が聞こえている。第一に、養育者だったトーツキーに陵辱されていた彼女を、汚れた女、罪ある女、堕落した女と非難する声。第二に、彼女を受け入れ、正当化し、さらに彼女に敬意を示す声。ナスターシャは、二つの声の間に分裂しており、物語を通じて、どちらか一方が完全に優勢になったり、勝利を収めたりすることはない。周囲の現実の他者の態度によって、どちらかの声が強められたり、抑圧されたりするのだ。

ナスターシャがムイシキン公爵とロゴージンとの間を揺れ動く理由は、これら二つの声との関連で説明することもできる。もっとも、二人の男がそれぞれの声を代表している、というような単純なことではない。ムイシキンもロゴージンも、ナスターシャを愛し、賛美しているのだから、彼らが第一の声——ナスターシャの罪を責める声——の担い手であるはずはない。まず、ロゴージンの位置づけは簡単である。ロゴージンは最初から、第二の声を具現している。ナスターシャはロゴージンのもとに走っていくとき、そして「だって私はロゴージンの女なんだから」という趣旨のことを繰り返し言うとき、彼女は第二の声を通じて自らが承認されているという現実をわがものとする。

ではムイシキンの方はどうなのか。こちらの位置づけの方がやや複雑だ。ムイシキン公爵がナスターシャにとって何であるかは、バフチンも引いている、彼女の次の言葉から判断することができる。この言葉は、ナスターシャの誕生日を祝う夜会の終盤で言われる。この少し前、ナスターシャは、ガーニャとの婚約を破棄し、ムイシキンとの結婚に一旦同意する。が、結局、彼女は、すぐにその約束も反故にし、今度はロゴージンとともに去ろうとしている。ナスターシャは、ムイシキンに「気持ちよく別れましょう」と言い、さらに続ける。

「わたしだって、こう見えて夢多き女ですから、なんの得にもなりゃしないから！　わたしがあんたのこと、夢に見なかったと思う？　あんたの言ったとおり。もうずっと夢に見ていたんだから、まだあの人の村で、五年間ひとりぼっちで過ごしていたときからよ。考えて、考えて、夢に見て、夢に見て。そうしてずっと、あんたみたいな人を空想していたの。優しくて、誠実で、いい人で、あんたみたいなちょっとしたおばかさんが、いきなりこんなことを言い出すの。『ナスターシヤさん、あなたは悪くない。わたしはあなたを崇めている』って。そう、そんな夢をさんざん見てきたの。ほんとうにおかしくなるほど……」（『白痴』第一部第16章、亀山郁夫訳）

ナスターシャの過去の回想の中で先取りされているこの他者の呼びかけこそが、現実に、このときの夜会で、彼女がムイシキンの声として受け取ったものである。実際、これに先立つ場面で、ムイシキンは、まさにこの通りの趣旨のことを、ナスターシャに語っており、そのため、ナスターシャはムイシキンとの結婚を決断する（が今しがた述べたように、すぐに翻意してしまうのだが）。ロゴージンとムイシキンとは、どう違うのか。ムイシキンの場合には、第二の声を発するにあたって、第一の声が視野に入れられている。「あなたに罪があると言われていることは知っている。しかしあなたは悪くはない」と。言い換えれば、ナスターシャの立場からすると、ムイシキンにおいて具現されている声はまずは、未来に実現されるべきこととして、期待の中で先取りされる。今は、私は罪深い女とされているが、いずれ、その罪を払拭し、私を正当化する声が現れるはずだ、と。

このように、二つの声との関連で、ナスターシャをめぐる三角関係——ロゴージンとムイシキン——を位置づけると、資本との類比に実質的な内容を付与することができる。ムイシキンの視点を経由させたとき、ナスターシャに、言わば「剰余価値」が発生しているのである。ナスターシャの価値は、最初は低い——彼女は堕落した女と見なされている。しかし、彼女は、そのマイナスの価値を返上し、のみならず圧倒的な剰余価値を伴って、ムイシキンのもとにやってくる。だが、ロゴージンを基準にしたときには、剰余価値はそれとして現れない。ロゴージンは、ナスターシャの過去の「罪」や「苦難」とは無関係に、当初から、彼女を「高値」で取り引きするからである。ロゴージンの行為を記述するこの「取り引き」という表現は、比喩ではない。ロゴージンは文字通り、ナスターシャを高く買っているのだ。

ムイシキンとの結婚は、ナスターシャにおいて剰余価値が実現している状態に等しい。だが、そうだとすると、ナスターシャが、物語の最後を飾ってもよさそうなムイシキンとの結婚式の直前に、もう一度、ロゴージンのもとへと走り去るのはどうしてなのか。そのあとナスターシャは、なぜ殺されなければならなかったのか。こうしたことの必然性を説明する論理を抽出するためには、『白痴』が描く、もうひとつの三角関係を考察の範囲に含める必要がある。

2　ポリフォニックな狂騒

『白痴』の人物の配置は、二組の三角関係を軸としている。そのうちのひとつは、今検討してきた三角関係であり、もうひとつは、アグラーヤ－ムイシキン－ナスターシャの三角関係だ。エパンチン将軍の末娘アグラーヤとナスターシャは、ムイシキン公爵をめぐってライバルの関係にある。二組の三角関係のうちで、小説の筋にとってより重要なのは、前者である。この小説は、前者のために、前者の悲劇的な結末――ラファエロの「サン・シストの聖母」に見立てられる結末――を導くためにある、と言ってもよいくらいだ。だが、そうだとすると、後者の三角関係、アグラーヤを参入させた三角関係は必然性を欠いた夾雑物に見えてくる。どうして、性別だけが反転した、似たような三角関係がふたつ、この小説の中に登場するのだろうか。二組の三角関係の間のつながりもまた、いやそれこそとりわけ、資本の循環公式を用いて理解すべきではないか、と前章の最後に示唆しておいた。G－W－G'の循環は、G'に到達するためにはGの投資が必要なことを示している。G'がナスターシャ・フィリッポヴナであり、Gがアグラーヤ・エパンチナである、と。

　この仮説に実質を与えるためには、まずは、ふたつの三角関係が交錯する場面に着眼しなくてはならない。「アグラーヤ－ムイシキン－ナスターシャ」の三角関係が、「ムイシキン－ナスターシャ（－ロゴージン）」の関係に完全に置き換わるシーンに、である。それは、この小説の終盤近くにやってくる――前章でも言及した――場面である。三角関係を構成する四人が、一つの部屋に集まっている。アグラーヤの勝利はほぼ決まりかけている。前日に、アグラーヤとムイシキンとの婚約を披露するパーティを終えているからだ。このパーティで、ムイシキンは醜態を演じ、参加者の顰蹙を買うが、アグラーヤの結婚への意志は揺るがない。アグラーヤは自らの勝利を決定づけるために、ナスターシャに会っている。

だが、この場面で結果的に勝利者になるのは、ナスターシャの方である。もともとナスターシャは、ムイシキンをアグラーヤに譲ってもよい、と思っていた。彼女はムイシキンを愛しているが、しかし、先にも述べたように、自らを汚れた罪人で、ムイシキンにふさわしくないと思っていたからである。しかし、アグラーヤとナスターシャの対話——というより激しい口論は、どちらにとっても意図せざるかたちで展開していく。もともと一人の男の愛と忠誠をめぐって対立していた二人は、互いにののしりあい、侮辱しあう。ついに屈辱に耐えきれなくなったのは、アグラーヤの方である。彼女は、部屋から飛び出してしまう。ムイシキンは彼女を追わず、ナスターシャとともに部屋に残った。こうして、ムイシキン‐ナスターシャの結びつきが再確認され、ナスターシャが勝利者となる。これは、同時に、ムイシキン公爵のロゴージンへの勝利をも意味している。アグラーヤが去ったあと、ロゴージンもこの部屋から退去する。ナスターシャが彼に、出て行けと命令したのである。このあと、ストーリーは、ムイシキンとナスターシャの結婚へと急転直下の展開をとげる（が、結婚は成立しなかったことは、繰り返し述べてきた通りである）。

どうして、アグラーヤは勝利を目前にしていたのに、そしてナスターシャの方もその勝利を容認する準備があったのに、逆の結果になってしまったのだろうか。このことを知ろうと、二人の口論の筋をていねいに追うことに、たいした知的な価値はない。それぞれ自分の経験に即して考えてみるならば、これはいかにもありそうな展開ではある。激しく口喧嘩しているうちに、売り言葉に買い言葉のなじり合いの末、ついに何をめぐって対立していたかさえもわからなくなり、どの当事者も思ってもいなかったところにまで行ってしまうということはよくあることだ。この場面で、言葉として現れていることは、関係の無意識の力動の表面で生じている波頭のようなものである。波頭だけを観測しても仕方がない。波頭の下で働いているその力動を抉りださなければ……。ということは、ドストエフスキーが直接的に書いていることの解釈を超えて、考えなくてはならない、ということを意味している。

その前に、しかし、二つのことを確認しておこう。第一に、この場面、二つの三角関係が重ね合わされるこの場面について、われわれはこう言って差し支えないだろう。バフチンがドストエフスキーの文学の本質を記述するために用いたあの隠喩、つまり「ポリフォニー」という隠喩に、これほど見事に適合する場面はほかにない、と。ここで、顕在的・潜在的ないくつもの声が響き合い、不協和音を発している。最も大きな声は、もちろん、アグラーヤとナスターシャの声だが、それだけではない。ムイシキンやロゴージンの声も、陰に陽に響いている。のみならず、それぞれの登場人物の声も、ナスターシャ、アグラーヤ、ムイシキンの声も、内的に分裂し、複数化している。アグラーヤを罵倒するナスターシャは、同時に、ムイシキンをアグラーヤに委ねてもよいと考えていたことを、もう一度、想起しておこう。

第二に、すでに述べたことをもう一度、強調しておきたい。ナスターシャの勝利は、アグラーヤの勝利が目前というところまで行ったあとに訪れたということ、これである。むしろ、こう言ってよいだろう。アグラーヤは、一旦は勝ったのだ、と。エパンチン将軍の家族は、アグラーヤが公爵への思いを募らせていることを知っていたが、結婚を許可することをずっとためらってきた。やっと彼女は、二人の結婚への許可を獲得し、婚約を正式に発表するところまで至ったのだ。ここでひとつの目的は達成されており、アグラーヤは勝利を獲得している。述べてきたように、関係者全員のポリフォニックな出会いの場面は、この直後に置かれている。まるで、ナスターシャの勝利のために、ライバルのアグラーヤが一旦勝たなければならなかったかのように、である。

3　ヘーゲルを通じてドストエフスキーを読む

もはや読解という方法によっては、このポリフォニックな場面を規定する力動は抽出できない、と述べた。とはいえ、最も重要な点への執着だけは放棄してはならない。最も重要な点とは、ムイシキン公爵がナスターシャの何を愛したのか、ということである。また、ムイシキンは、アグラーヤの何に惹かれているのか。それは、二人の「顔」である。ムイシキンはまずは、二人の顔に魅了される。

すでに何回も述べてきたように、ムイシキンは、エパンチン家を訪問したとき、そこにあった写真によってナスターシャと出会う。彼は、ナスターシャのあまりの美しさに衝撃を受ける。「写真にはじっさい、異常なまでに美しい女性が写し出されていた。その女性は、驚くほどシンプルかつエレガントな仕立ての、黒いシルクのワンピースを身に着けていた。見た感じでは、髪は濃いブロンドらしく、飾り気のないごくありきたりなスタイルに束ねてあった。目の色は黒っぽく深みを帯び、額はもの思わしげだった。顔の表情は情熱的で、どこか傲慢な感じもした。面《おも》立《だ》ちはいくぶん頬がこけ、顔の色は青白いように見えた……」（『白痴』第一部第3章、亀山訳）。その場にいた、エパンチン将軍とガーニャ（このときのナスターシャの婚約者）が、ムイシキンを呆然として眺めたとあることから、ムイシキンが写真にいかに見入っていたかが想像される。

ムイシキンにとってアグラーヤが特別な意味をもった理由も――これも前章で書いたことの再確認だが――、彼女の顔にある。アグラーヤもとびっきりの美人だが、その顔はナスターシャとはかなり異なったタイプに属する。それにもかかわらず、ムイシキンによると、アグラーヤの顔はナスターシャを彷彿とさせるのだ。

だから鍵は顔にある。この論点を確保した上で、「読解」という方法を超えて考えてみよう。ここで、しかし、われわれの探究を助けてくれる理論はないだろうか。たとえば、哲学の中に、ここで導入しうる議論や概念はないだろうか。「顔」について徹底的に考え抜いた哲学者として、われわれは、エマニュエル・レヴィナスを知っている。もちろん、レヴィナスは、ここでの考察にとって示唆的だ。*2 もう一人、ここで導入しておきたい哲学者がいる。ヘーゲル、『精神現象学』のヘーゲルである。*3『精神現象学』の中で最も知られた章、「自己意識」の章に含まれている「主人と奴隷の弁証法」についての項が、ここでは参考になるだろう。ここでヘーゲルは、「自己意識」の複数性について考えているからである。この議論を、ドストエフスキーにおける、声のポリフォニックな複数性と対応させることができるだろう。この箇所でのヘーゲルの主題は、支配－服従の関係がいかにして成立するか、にある。われわれが目下注目している箇所では、ナスターシャが、象徴的な「支配者」となる。誰の？ 誰に対する支配者なのか？ もちろんムイシキンである。アグラーヤやロゴージンは、従属者としての承認さえも得られない。

＊

カトリーヌ・マラブーが『精神現象学』のこの章に関して指摘していることが、考察の出発点を与えてくれる。*4 ヘーゲルは、主体（自己意識）の複数性を、「生」についてのなんらかの一般的な観念から論理的に演繹しているわけではない。そうではなく――マラブーによれば――ヘーゲルは、主体の他の主体（他の自己意識）との出会いの中に、哲学的にはスキャンダルとしか言えないもの、根本的に不可能で予測できないものがある、と見なしている。どういうことか？この世界の中で、主体（自己意識）は、自らの外に、あるいは自分自身の前に、もうひとつの生ける存在と出会う。その生ける存在は、自分もまた、主体（自己意識）であると自己主張している。ここにスキャンダルがある。どうして？

主体（自己意識）としての〈私〉は、その本性上、孤独である。この〈私〉は、それに対して世界の全体が立ち現れ、世界が対峙している単独性だからである。そうであるとすれば、〈私〉は、もうひとつの他なる主体――やはり単独的であるような他なる主体――と出会い、それと一緒にいることが、どうして可能だというのか。その「他なるもの」が、〈私〉に対して立ち現れている世界の中の要素、世界のうちに存在する事物として記述されてしまえば、それは、もはや、もうひとつの主体（自己意識）とは言えない。世界の内部の一要素である以上は、そこにも世界の全体が立ち現れ、世界が帰属しているとは言えないからだ。しかし、それにもかかわらず、〈私〉は、他なる主体（自己意識）と、つまり〈他者〉と出会い、そして一緒にいるのだ！だから、それは、不可能な出会いであって、スキャンダルだとされるわけである。

ここまで論じてくれば、気づくことだろう。われわれは今、第4章で『カラマーゾフの兄弟』の中の小さなエピソード――「ジューチカ」という犬をめぐるエピソード――を起点にして導き出した設定と同じ状況に遭遇しているのである。世界は定義上、単一であって、その世界は、〈私〉に帰属する――〈私〉に対して立ち現れている。ところが、〈私〉の身体の手前にあるこの事物は、もう一つの主体（自己意識）であって、それゆえ、自らにも世界が帰属していると主張している――その主張には抗いようがない説得力があり、それはきっと真実だ。もし世界がそれに対して立ち現れているのであれば、それは定義上、〈私〉でしかないはずなのに、それは〈私〉ではない。つまり、〈私〉は〈私〉ではなく、一は一と合致しない。これが、第4章で論じたことであった。われわれは今、別の方向から入って、第4章で導き出したのと同じ設定に到達したのだ。

レヴィナスが注目する「顔」は、今述べた、主体（自己意識）の特異性が集約的に現れる場である。顔とは何であろうか。〈私〉がそれを見ている。このとき、それもまた〈私〉を見ていることが確実だ、と〈私〉は直観する。〈私〉がそれを見ていることの自明性と同じレベルの自明性をもって、〈私〉は、それによって見られている、と。ということは、「〈私〉に対して」と同じ意味で、それに対しても世界が現れ、開かれている、ということであろう。このときの「それ」が顔である。レヴィナスが「顔」において主題化したことは、ヘーゲルが自己意識の間の不可能な出会いと見なしたことと同じである。

こうした事態は、本書の中でときどき用いてきた特殊な語によって記述すれば、〈求心化／遠心化〉の作用が連動している様態だということになる。〈私〉が（他者の）顔を見ているとき

〈求心化〉、その顔もまた〈私〉を見ている〈遠心化〉。ここで慎重に、注意深く理解する必要がある。顔は、あるいは他なる自己意識は、他の一般の事物のように、〈私〉に立ち現れるわけではない。そのように立ち現れてしまえば、述べてきたように、それは、〈私〉の世界の内的な要素の一つに還元されているのであって、それ自体には、固有の世界が帰属していないことになる。顔や〈他なる〉自己意識は、だから、〈私〉に対する立ち現れから逃れていくという否定性において——つまりは〈立ち現れることの〉不可能性を帯びて——、〈私〉に与えられている。〈私〉に立ち現れているこの世界は、なおすべてではない、という否定性こそが、他者の顔や、他なる自己意識の顕現の仕方である。これが、〈遠心化〈遠隔化〉〉という概念の趣旨である。

ムイシキン公爵は、ナスターシャの顔に、そしてアグラーヤの顔に魅了される。ナスターシャやアグラーヤの顔の美しさに感動しているとき、彼は、顔の顔たる所以を、顔の純粋性を感知している……と、このように考えたらどうだろうか。今述べたように、顔は、立ち現れることの不可能として立ち現れ、迫ってくる。この「不可能なこととして可能になる」という逆説は、しばしば、まさにその逆説としての本性を脱落させ、単純な「不可能性」へと堕落する。つまり、顔はただの事物の方へと引き寄せられる。このような堕落がいささかも生じていない状態、これが、顔をその純粋性において感知することである。ムイシキンの、ナスターシャやアグラーヤの顔に対する態度が、これであろう。

＊

ヘーゲルの議論にあってはこのあとに、「主人と奴隷の弁証法」として知られる、承認をめぐる闘争が接続する。この部分の理路を、以上に述べてきたこと――〈私〉と〈他者〉との出会いについての今述べた前提――に整合させつつ、大胆に言い換えてみよう。まず留意すべきは、〈私〉における、単独性（特異性）singularity と普遍性 universality の短絡である。〈私〉においては、単独性と普遍性とが直結するのだ。この点の理解から始めよう。

もう一度確認すれば、自己意識としての〈私〉に対しては、世界がその総体として立ち現れている。〈私〉の存在と世界の存在は――この〈私〉にとって――同値である。このことは、〈私〉を、共同体とか類とかといった集合の一要素として相対化することができない、ということを含意している。もし〈私〉が、集合の中のひとつの要素であるとすれば、集合に対して成り立っていることは、一般的な妥当性をもち、〈私〉にとって意味があることは、さしあたって特殊性を帯びているということになる。この場合には、〈私〉と集合との関係は、特殊性と一般性の関係と見なすことができる。しかし、〈私〉が、それに対して世界が総体として立ち現れる単独者であるとすれば、話はまったく異なったものになる。

このとき、自己意識としての〈私〉は、普遍的な妥当性ということに対して無限の権利を主張できることになる。これは、さしあたり、ごく自明なことを述べているに過ぎない。〈私〉を共同体や類のメンバーとして相対化したり、特殊化したりすることが不可能で、世界が〈私〉に単独的に帰属するのであれば、〈私〉にとって成り立つことは、世界の全体において妥当するような普遍性を認められなくてはならないからだ。〈私〉は単独的であるがゆえに、普遍性への権利をもつのだ。特殊性と一般性の間には常に（相対的な）区別がある。それに対して、単独性と普遍性は、〈私〉において逆説的に合致する。

さて、難しいことは、その先にある。〈私〉は、自らの前にいる、他なる自己意識と出会うのだった。このとき、何が起きているのか。〈私〉も、また眼前の〈他者〉も、今述べたような理由によって、集合的な一般性へと還元されえない。〈私〉は、そのような還元を徹底的に拒否するだろう。[*5] 今生起していることは、二つの（複数の）普遍性の出会いである。とはいえ、複数の普遍性とは、自己矛盾である。普遍性がまさに普遍的であるためには、単一でなくてはならない。それゆえ、二つの普遍性が存在すべき場所、それらが住まう部屋、それらが成り立つ空間は、単一の普遍性しか許容しない。こうして、二つの普遍性はとりあえず、高次の単一の〈普遍性〉へと融合する。この〈普遍性〉の担い手、この〈普遍性〉がそれに対して成立しているような存在者こそ、ヘーゲルの「主人」である。あるいは、われわれの概念を用いるならば、それこそ、「第三者の審級」である。

純粋に論理的には、主人や第三者の審級は、〈私〉からも、また〈他者〉からも独立した、そのどちらにも還元できない契機である。それは、二つの普遍性の不可能な出会いの場を設定する仮象である。実際には、しかし、主人（第三者の審級）は、しばしば、〈私〉か、〈他者〉のどちらかに、偶発的な仕方で具現される。主人とそれに従属する奴隷との間には、承認の循環があり――つまり主人が主人であるためには奴隷からの承認が必要であり――、両者の立場は相互に反転する可能性を秘めている、というのがヘーゲルの論点である。

もう少し補足すべきことがある。今、複数の普遍性たちの出会いを通じて、高次の単一の〈普遍性〉が構成される、と述べた。複数の普遍性たちは、たった一人しか住まうことができない部屋で出会うからだ。このことは、〈普遍性〉の成立が、同時に、一種の締め出しを伴っていることを含意している。それ以前の普遍性たちは、低次の——あるいは偽物の——普遍性として、部屋から締め出されることになる。それを拒否するならば、高次の〈普遍性〉に統合されるほかない。つまり、〈普遍性〉を支持する、特殊な（非普遍的な）部分として、自らを受け入れなくてはならない——これが、ヘーゲル的な意味で「奴隷（従属者）」になることだ。

ここまで準備しておけば、『白痴』のあの部屋で起きたことが何であったのか、二組の三角関係が交錯するあの部屋で起きていたことがどのような論理的な機制に駆動されていたのかが、理解できるようになる。高次の〈普遍性〉の担い手として残ったのが、ナスターシャである。ムイシキンは、その高次の〈普遍性〉の崇拝者だ。ではアグラーヤの役割は何か。彼女は、低次の、つまり擬似的でしかない普遍性の体現者として、部屋からの退出を余儀なくされたのである。

4　商品＝廃棄物のように

以上に述べたことが、資本主義の論理とどう関係しているのか。

まず、第三者の審級（主人）の出現までの過程をもう一度、ごく簡単に振り返っておこう。端緒には、「〈私〉は、〈私〉ならざる者——〈他者〉——である」という自己矛盾的な同一律がある。つまり、「一者の一者自身との不一致」が、である。この矛盾は、一者から二者への、さらには多数者への展開の母胎となる（第4章第4節）。つまり、この矛盾こそが、ポリフォニーを招来するのだ。バフチン自身も、このように論じていた。ドストエフスキーの登場人物は、自らの発話の中に、〈他者〉に属する発話を侵入させていく（同第3節）。その〈私〉と同一化している

〈他者〉を外部に見出せば、単純なポリフォニーになる。だが、このポリフォニーは、さしあたっては、調和的に交響しているわけではない。アグラーヤとナスターシャの口論のように、それはむしろ喧騒だ。

多数の声の間に調和がもたらされるのは、第三者の審級が導入されたときである。第三者の審級とは、結局何かと言えば、人々が欲望すべきものを知っている者──もう少し慎重に言えば「知っていると想定されている者」──のことである。第三者の審級への「転移」を通じて、人は欲望すべき普遍的な価値をもつ対象を知る。つまり、第三者の審級の視点を媒介にしたとき、人はその対象は、欲望に値する普遍的な価値をもつものとして現れる。かくして、人はそれを欲する。ポリフォニーが、調和のある交響曲に転換するのは、第三者の審級の出現したときだ。

この「ポリフォニー」という隠喩を念頭に置いたとき、アルチュール・ランボーの有名な詩「ある理性に」*A une raison* の冒頭を思い起こさずにはいられない。[*6]

君の指の太鼓の一打ちが　あらゆる音を解き放ち
新たな調和を創り出す

この詩はさらに、「君の一歩が新しい人たちを決起させ、彼らを行進させる／君があっちを向けば、そこに新しい愛！　君が振り返っても、そこに新しい愛！／……」（大澤訳）と続く。ここで、太鼓を鳴らす指の持ち主こそ、第三者の審級にほかなるまい。この太鼓の一打ちは、多数の音を調和させる。そして、人々は、彼の視線が向けられているその対象に、愛を、欲望を覚えるのだ。資本主義のメカニズムは、この詩に暗示されていることの延長線上に見出すことができる。

*

資本主義は、究極的には、消費者の欲望に支えられている。G－W－G'の転換が生ずるためには、W（商品）が、市場にやってくる消費者の欲望によって承認されなくてはならない。だが、欲望は自然の与件ではない。人が自然にもっている要求を満たすだけであれば、剰余価値をいつまでも創出し続けることはできない。要求は、飽和してしまうからだ。自然の要求とは異なるレベルにある欲望に照準しなくては、無限の資本蓄積は生じない。

消費者は、そもそも、自分が何を欲しているのか——いや欲すべきなのかを知らない。消費者には、言わば市場への信仰がある。つまり、市場が、欲望すべきものが何であるかを教えてくれると期待している。資本は、市場に第三者の審級として現れ、消費者に提案する。つまり、消費者の「私は何を欲望すべきなのか」という問いに、答えを提案する。消費者が、その答えとして提供された「商品」を買ったとしたら、資本は、そこでまさに第三者の審級として承認され、受け入れられたことになる。

商品が欲望に値するものとして消費者に受容されるためには、その商品が、社会的な意味で「普遍性」の輝きをもっていると消費者に思わせなくてはならない。商品は、それ自体の内在的な性質や機能によって選ばれているのではなく、他者たちによってそれがどのように評価されるか——どのように評価されることになるのか——という観点から選ばれているからだ。商品W

が、普遍的な欲望の対象になっていると消費者に認知させることに成功したとき、WはG'へと飛躍することができる。

だが、資本にとってより大きな課題はその先にある。まず、資本自身の欲望が、抽象化され、普遍化されているということが前提である。だから、資本蓄積の運動は止まらず、剰余価値がいつまでも追求されなくてはならない。となれば、資本は、ある課題を克服しなくてはならない。消費者は、商品を入手した後にもさらに商品を欲望しなくてはならないのだ。入手した商品は、ほどなくして魅力を失い、廃棄される必要がある。ある経済システムが本格的な資本主義なのかどうかは、そのシステムが生み出す廃棄物の量、廃棄物が生み出されるペースによって判定することができる。使用価値としての商品の自然な損耗や崩壊よりも、圧倒的に速く、商品は廃棄されていかなくては、資本主義は成り立たない。

しかし、その魅力のゆえに消費者に買わせることに成功した商品から、どうやったら光輝を速やかに奪うことができるのか。商品に魅力を与えている要因が、（社会的な意味での）普遍性であったことを思えばよい。商品を買ったときにその商品が帯びていた普遍性が、擬似的なものに過ぎず、偽ものだったと消費者が思えば、その商品は廃棄されるだろう。そのために、資本が為すべきことは何か。より高次の――つまり社会的により包括的な――普遍性を帯びていると思わせる商品を市場に提供すること、これしかない。

資本は結局、自らが市場に提供する商品の普遍性のレベルをめぐって競争しているのだ。ここで『白痴』に立ち戻ろう。アグラーヤからナスターシャへの転換は、普遍性の高次化ではなかったか。アグラーヤは、ナスターシャとの対照で、低次の、偽の普遍性として捨てられるのだった。そうであるとすれば、『白痴』の物語は、とりわけ二つの三角関係の間の交替を表現しているあの場面は、――いかに突飛なものと思われようと――資本の運動の隠喩になっていると見なすこともできるのだ。

『白痴』にはもちろん、とてつもなく深い人間学的な苦悩が描かれている。また、本章でそうしたように、ヘーゲルやレヴィナスを通じて読めば、そこには、人間の精神や（自己）意識についての洞察や真実を見出すこともできる。と、同時に、論理の形式だけを純粋に取り出せば、この小説は、資本の循環の表現にもなっているのだ。というより、われわれはむしろ逆にこう言うべきだろう。資本は、一見、まことに浅はかな現象に見える。しかし、その外見に惑わされてはならない。マルクスが述べていたように、資本こそ、神学的で形而上学的な現象なのだ、と。ドストエフスキーの小説との並行性は、資本のこうした隠れた次元を取り出す一つの方法でもある。

　ムイシキンとの結婚が実現しそうになったそのとき、ナスターシャがまたしても、ロゴージンのもとへと去らなくてはならなかったのはどうしてなのか。資本の循環には真の終わりがないからだ。ナスターシャ自身も、より高次の普遍性に置き換えられなくてはならない。まずはアグラーヤが部屋から去った。今度は、ナスターシャ自身の番である。このとき、ナスターシャの代わりに何がやってくるのか。死んで復活したナスターシャ、肉体としては否定されて抽象化されたナスターシャである。ロゴージンの部屋で、ナスターシャは、復活するキリストに見立てられているのだった。マルクスが、剰余価値を（父なる神との関係で）「子なるキリスト」だと論じていたことを思い起こそう。

1　ミハイル・バフチン『ドストエフスキーの詩学』望月哲男・鈴木淳一訳、ちくま学芸文庫一九九五年（原著一九二九年）、五四〇—五四二頁。

2　エマニュエル・レヴィナス『全体性と無限』上・下、熊野純彦訳、岩波文庫、二〇〇五—二〇〇六年（原著一九六一年）。

3　G・W・F・ヘーゲル『精神現象学』上・下、熊野純彦訳、ちくま学芸文庫、二〇一八年（原著一八〇七年）。

4　Judith Butler et Catherine Malabou, *Sois mon corps: Une lecture contemporaine de la domination et de la servitude chez Hegel*, Paris: Bayard 2010.

5　念のために述べておけば、これは利己主義やエゴイズムの主張とは異なる。利己主義やエゴイズムは、集合（共同体や類）のレベルの一般性を背景にしたときに現れうる主張である。それに対して、今、〈私〉は、自分自身に関しても、また他なる自己意識である〈他者〉に関しても、そのような一般性を設定することが不可能だと主張しているのだ。

6　Arthur Rimbaud, *Les Illuminations*, 1895.

第7章　この女性の裸の身体は美しいのか

1　臭い＝聖霊の足音を聞く二人の男

前章の結末で、こう述べた。ナスターシャは、肉体のレベルでは完全に否定され、抽象的な存在（第三者の審級）として措定されることで復活するのだ、と。だが、ほんとうは、このように一挙に結論へ飛びついてしまうと、われわれは重要な細部を見失うことになる。その細部の中に、ドストエフスキーが全力をあげて格闘していた問題が含まれている。われわれはこれを無視するわけにはいかない。

確かに、『白痴』の最後は、ナスターシャがキリストのように死に、そしてキリストのように復活することが暗示されている。山城むつみによれば、ロシアのドストエフスキー研究者タチヤナ・カサトキナは、正教の訓えを踏まえながら、こうした見方を基本線において支持する解釈を提示している。つまり、聖母の遺体が、キリストによって天に召されるように、ナスターシャは大文字のドゥーフ（聖霊）によって天に運び去られるのだから、ナスターシャの遺体が置かれている、緑のカーテンの向こう側は、復活後のキリストの墓と同様に、空っぽになるだろう、と。[*1]

カサトキナは、ナスターシャを直接的には聖母に見立てているが、ナスターシャの写真とホルバインの絵「死せるキリスト」が対応している等、ナスターシャはキリストとも類比的な関係にあるのは明らかなので、つまりナスターシャは、聖母にしてキリストという二重性を帯びているので（第2章第3節）、カサトキナの解釈は、ここまでわれわれが示してきた論理と矛盾するわけではない。というより、カサトキナのこの解釈は、ここまでの論理の筋と非常によく整合する。ナスターシャは、身体としての現れを否定されることで抽象化され、神的＝超越的なレベルに再措定されているのである。カサトキナが、ナスターシャを天に運ぶとした、ドゥーフは、もちろん、三位一体のひとつの位格、つまり「子なるキリスト」と「父なる神」と同一の実体とされる「聖霊」である。*2

しかし、山城むつみは、正教に関する圧倒的な情報をもとにしたカサトキナの「謎とき」が鮮やかであることを認めつつ、そこには、この作品に内在して読むという態度が決定的に欠けている、と批判している。*3 たとえば、叙述の中にナスターシャが聖霊によって天に運ばれたという「お伽話」への暗示があるとしても、そのお伽話が、登場人物たち——具体的にはナスターシャとムイシキンとロゴージンの三人——の関係に内在した視点にとってどう現れているのか、ということが考慮に入れられなければ、この作品を読んだことにならない、と。では、これらの関係に内在する視点を基準にして読んだら、どうなるのか。

カサトキナは、カーテンの向こう側のナスターシャの遺体は、聖霊ドゥーフが持ち去るので、きれいさっぱり消えてなくなる、と論ずる。が、この認定は端的に間違っている。ナスターシャの遺体は確かにそこにあり、悪臭を放っているのだ。このことは、ロゴージンは、臭いのことをとても気にしており、ムイシキン公爵に、「おい、臭いがするかい、それともしねえかな」（山城むつみ訳）と尋ねていることから明らかだ。山城は、「聖霊」と「臭い」が、ロシア語の同じ単語 dukh によって指示されることに注意を向けている。ナスターシャの身体は聖霊 Dukh に化しているのではなく、悪臭 dukh を発しているのだ。

もちろん、この臭いは、『カラマーゾフの兄弟』のゾシマ長老の遺骸から出てくる悪臭に通じている。あらためて確認しておけば、アリョーシャ（たち）は、ゾシマ長老ほどの人物であれば、その死とともに何か奇蹟が起きるに違いないと思っている。はっきり言ってしまえば、長老はキリストのように昇天し、その死体は消え去るのではないか、とアリョーシャ（たち）は期待していたのだ。が、実際にはそうならず、長老の遺骸はすぐにひどい悪臭を放ち始めた。その同じ悪臭が、ナスターシャの死体をも覆っている。とすれば、その死体は、キリストのように、あるいは聖母のように、天に召される、と簡単に言うわけにはいかない。

さて、今しがた引いた「臭いがするかい」というロゴージンの質問は、山城によれば、直訳すると「臭いが聞こえるかい」となるという。なぜ、ロゴージンの言葉の字義通りの意味が重要なのかと言うと、この場面で、ロゴージンとムイシキン公爵は、実際にも何かを聞くからである。「歩きまわってるじゃないか。聞こえるだろ。広間で……」とロゴージンが言うと、「聞こえるよ。——と公爵はしっかりと囁いた」（山城訳）。つまり、二人は、広間の足音を聞くように、臭いを聞いている。聞くことを通じて、二人は、無意識のうちに、ナスターシャの遺体から放散される臭いと広間の足音とを同一視しているのだ。

だが、広間で歩き回っているのは誰なのか。この広間こそ、「死せるキリスト」の絵が掛けられているあの広間である。だから、歩き回っているのは、死んだキリストだ。ということは、ここで、ナスターシャの遺体とホルバインが描いた無残なキリストの死体とが、完全に等号で結ばれているのである。ナスターシャの美しい顔を撮った写真とホルバインの絵とは、『白痴』という小説の全体を通じて対比させせられていたが、ここで両者は完全にひとつに収束していることになる。

こうして、われわれは、『白痴』の、いやドストエフスキーの文学全体の中心的な問いへと差し戻される。ホルバインがリアルに描いたキリストの死体は、あまりにも醜く、吐き気をもよおさせるほどだ。このキリストの死体は信仰を阻害する。これほど無残な死体が、神として復活するとは思えない。今や、あの美しかったナスターシャも遺体となり、ホルバインの「死せるキリスト」と同一視されている。これほど無残な肉体の現実を目の当たりにして、いかにして、信仰を維持することができるのか？　いかにして、キリストの復活を、超越的な神を維持することができるのか？

結果はすでに出されている。ナスターシャは、キリストのように／キリストとして復活したのだ。そのことを、われわれはすでに確認してきたし、本章の冒頭で紹介したカサトキナの謎ときもそれを裏付けている。だが、問題は、それは、つまり復活はいかにして可能だったのか、にある。ナスターシャの現実は、ホルバインが描いた死んだキリストのように醜悪で、今や悪臭を放っている。この死体を見ても、いやこの死体を媒介にして、なお神の崇高な超越性が（ますます）維持されたのだとすると、そこには、どのような心的な機制が働いているのか。

2 美的直感と信仰

この問題を、ドストエフスキーから離れて考えてみよう。ドストエフスキーの文学とはまったく別の領域で、同じ問いに答えを与えてみるのだ。まったく別の領域とはどこなのか。一九世紀の西洋美術史（絵画史）である。どうして、そんな全然別の場所で、同じ問いを引き継いで探究を継続することができるのか。まずは、その点を説明しておこう。

このような領域の転換は、しかし、すでに暗示的に予告してはある。正教における「イコン」の使用の意味について論じたときに、である（第3章第1節）。イコンを対象として知覚することが、どうして、いかなる対象化をも逃れる超越的な神への信仰へとつながるのか。知覚にどんな過剰が宿っているのか。われわれは、このような問いを積み残しておいた。この疑問は、美術史を題材にして解くことができるかもしれない。そのような見通しは容易に立つだろう。

何ものかを美しいと受け取る直感が、超越的なものへの信仰に連なりうる、ということは、誰もが、自分自身の経験を反省してみれば納得できるのではあるまいか。われわれは、美しいものに、神へと連なるものを感じる。『白痴』のナスターシャが、異様なまでに美しい女性とされているのも、美的直感の中にあるこうした契機を触発するからである。

もっとも、信仰に内在する立場からすれば、美しいものに神を見るのは、偶像崇拝ではないか、という疑いを容れうる。神ではないものを神と誤認しているだけだ、と。このことを思えば、エドマンド・バークやカントの議論を受け継いで、厳密には、こう言うべきだろう。真に超越的な神に対応する感情は、「美」ではなく「崇高」である、と。だが、「崇高」は「美」と対立関係に置かれているとはいえ、「美」を単純に否定するものではない。つまり、「醜」が「美」と否定的な関係にあるような意味で、「崇高」が「美」を否定するわけではない。崇高とは、美以上の美である。それは、美が自己言及的に自らを乗り越えたときに現れる。崇高についての体験は、美の体験を排除したときに現れるのではなく、美をめぐる体験の先に、そうした体験の延長線上に現れるものだ。

たとえば、「花の咲き乱れる草原の景色」には美を感じるが、「雲を超え雪をいただいて聳える連山の眺め」は崇高の感情を喚起する。前者の景色は、見るものに心地よさを与える。後者の眺めからは、恐怖のような不快の混じった感情が生ずる。だが、その不快さは、醜いものを見たときの嫌悪感とは違う。美的な快感が、見るもののキャパシティの限度を超えたときに生ずるのが、崇高と結びついた不快感である。つまり、不快であることにおいて快感であるとでも表現すべき状態が、つまり快感の過剰が崇高なものと結びついているのだ。

ここでまず確認しておきたいことは、「崇高」もまた、広い意味での、美についての体験に含まれているということである。そして、「崇高」の概念をも視野に入れれば、ますます、美的直感は、神を信仰したり、崇拝したりする態度に通ずるという命題は妥当性を得ることになる。カントは、「崇高なもの」を、自然がわれわれの手には届かないものであるということを想わせるような（自然の）対象である、と定義している。*4 カントにとっては、「神」は超越論的仮象のひとつだが——つまり理論理性の認識能力の外部にあるものだが——、このように定義された崇高の体験において、カントが神の実在を——あるいは無限なるものの実在を——感じていたことは、間違いあるまい。

＊

ここにさらに、イスラエルの哲学者イルミアフ・ヨヴェルが、ヘーゲルの宗教哲学を修正しながら述べていることを接続しておくと、説明はより完成したものになるだろう。[*5] ヘーゲルは『宗教哲学講義』で、三つの宗教が、キリスト教の先行形態になっている、と述べている。三つの宗教とは、ユダヤ教（崇高性）と古代ギリシアの宗教（美）と古代ローマの宗教（知）である。スラヴォイ・ジジェクが紹介するところによれば、ヨヴェルは、不要な契機を外すなどしてヘーゲルの議論を整理し、論理の順番を注意すれば、宗教に関して、ヘーゲル自身の哲学により適合的な配置を得ることができる、と論じている。[*6] すなわち、古代ギリシアの宗教が「正」、ユダヤ教が「反」、そしてキリスト教が「合」の位置になるような弁証法的な関係になっている、と。[*7]

このような配置になるのは、ヨヴェルによれば、三つの宗教が、ヘーゲルの反省の三幅対（措定的反省／外的反省／規定的反省）に対応しているからだ。まず、ギリシアの宗教は、多様な精神的個体（つまり神々）を、直接無媒介に世界の本質として措定する。しかし、ユダヤ教は、究極の一者（唯一神）との関係ですべてを規定するので、直接の措定性を廃棄するが、なお、その一者が無媒介な前提である限りで外的反省の水準にとどまる。最後に、キリスト教においては、神と人間との間の相互に反省的な関係が捉えられる。さらに、ジジェクに倣って、ヨヴェルのこの議論をもう一度ヘーゲルに差し戻し、あらためて確認すべきであろう。（ギリシアにおいて）精神的個体を世界の本質として措定するとは、要するに、対象に、何かそれ以上のものを、「美」

を見出すのと同じことである。ここで古代ギリシアは造形芸術において傑出した成果を残したこと、不可視であるとされる（プラトンの）「イデア」でさえも原義に差し戻せば「見られたもの」になること、それゆえ『古代篇』第10章で論じたようにギリシアの宗教は全体として「観の宗教」（カール・ケレーニイ）と呼ぶことができること、これらのことを想い起こしておこう。すると、ヘーゲルの考えでは、端緒の位置には「美」の宗教があることになる。さらに、この端緒に対する反対措定として「崇高」の宗教があり、両者の総合としてキリスト教がある、と。

　宗教の間のこのような関係を見ておけば、われわれが今直面している問題を、より一般的な文脈の中に置き直すことができる。ユダヤ教－キリスト教、つまり一神教は、美を超える美としての「崇高」の契機を組み込んでいる。崇高とは、経験的な対象を用いた表象——通常の意味での美的表現——を超えているということである。それが、教義のレベルでは、偶像崇拝に対する厳格な禁止という形式をとる。それなのに、正教では、イコンが信仰を強化するための道具として活用されるのであった。こうしたやり方のうちにある奇妙さ、つまり一種の不整合を、圧倒的に誇張すれば、『白痴』の提示している問題になる。ホルバインの絵画（イコンに対応）が、神への信仰（ナスターシャの復活）へとどのようにして転換しうるのか。

3　マネが描いた「女性の裸の身体」

　美的直感の延長線上に、信仰の可能性についての問いを置くことができる。ナスターシャの写真に衝撃を受けているとき、ムイシキン公爵は、ナスターシャの顔を、通常の美を超える美を、つまり崇高なものを見ていたと解釈してもよいだろう。だが、美的判断と信仰との関係についてのこのような一般論は、まだ、ドストエフスキーから引き継いだ問題を、一九世紀の西洋美術という特定の歴史的文脈の中で再考できる理由の説明になってはいない。単に、ドストエフスキーもまた一九世紀の作家であった、などという事実は、もちろん重要なことではない。

なぜ、一九世紀の美術史なのか。この点をわかりやすく説明するには、一九世紀の美術界で起きた、広く知られている出来事を参照するのがよい。それは、一八六三年の落選展から発したスキャンダル、エドゥワール・マネの絵画が引き起こしたスキャンダルだ。経緯を説明しよう。フランスでは、一八世紀前半以来、ほぼ二年ごとに、王立絵画彫刻アカデミーが開催するサロン・ド・パリという公的な美術展覧会が開かれていた。画家としての成功を望む者たちは、この展覧会での入選を目指した。ところが、一八六三年、サロンの審査が不当に厳しかったということで、落選した画家たちから、激しい不満と批判の声があがった。この声が、皇帝ナポレオン三世の耳に届き、彼は、公平を期すためとの理由で、落選した作品だけを集めた展覧会の開催を決める。マネもまた、この落選展に自分の絵を提出した。この絵が、ほとんど無名だったこの画家を、パリ中の誰もが知るような有名人にした。

このときマネが出品したのが、今日知らぬ者がいないあの絵「草上の昼食」である。ごくごく少数の支持者がいたらしいが、それをはるかに上回る圧倒的な多数から、この絵に対して激しい非難と罵倒が浴びせられた。さらに、一八六五年のサロンでは、マネの「オランピア」(図7-1)が入選し、展示された。この絵もまた非難された。二年前よりもいっそう激しく、である。非難されたり、悪口を言われたりした画家や絵画は、それまでもいくらでもあった。しかし、発

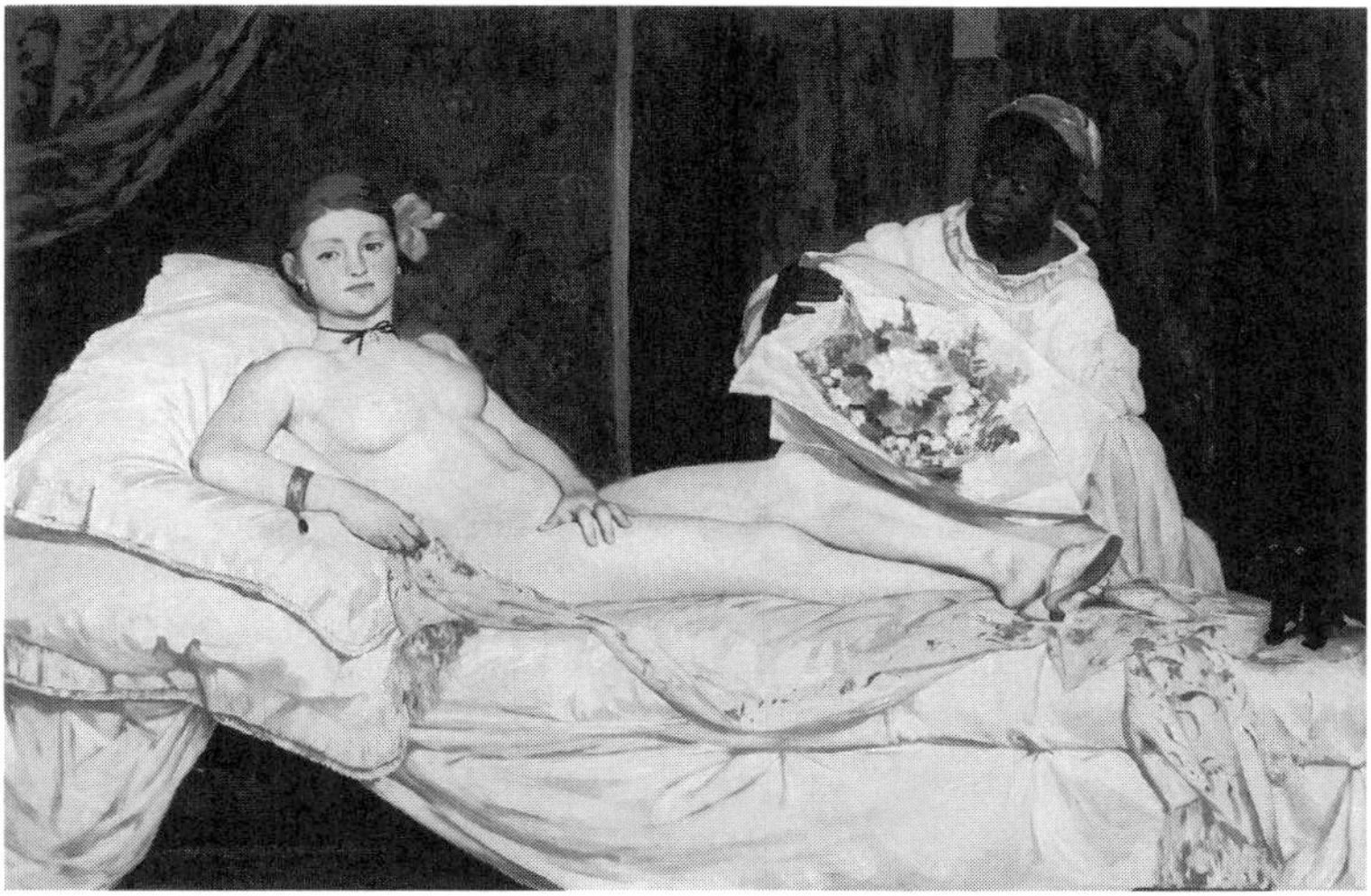

図７−１　マネ「オランピア」（1863 年／オルセー美術館蔵）

図７−２　デューラー「遠近法装置の使い方」『測定法教則』（1525 年）

表されたそのときには激しく批判され、その「悪名」によって広く人々に知られるようになったしばらく後に、評価が反転し、実はすばらしかった——しかも発表当時にもそのすばらしさに気づいており影響さえも受けた前衛的な少数者がいた——ということになる……というパターンの美術史の刻み方としては、このときのマネが嚆矢だったと言ってよいだろう。彼以降、とくに印象派の画家以降、このパターンは、ごく普通になる。優れた革新的な画家は、未来完了的に——あとですばらしかったことになるという形式で——評価される、というわけである。

マネの絵のどこがそれほどスキャンダラスだったのだろうか。何が非難されたのか。ひとつの理由は、風俗的・道徳的なことである。「草上の昼食」では、裸の女性が、きちんと衣服を身につけた男性たちと一緒に昼食を楽しんでいる。これが風俗を紊乱する、というわけだ。だが、これは芸術上の問題ではない。芸術の問題、純粋に美的な体験のレベルでも、いやそのレベルにおいていっそう、この絵は非難の的となったのだ。

この点の理解を確実にするために、ほぼ言わずもがなのことを再確認しておく。前節で、われわれは、対象に美を見る直感と超越的な神を崇拝する態度とは連続しており、前者のうちに後者の萌芽がある、と述べておいた。直接に信仰に関係があるかどうかは別として、ルネサンス以降、西洋の絵画が、そこに美を見出す特権的な対象がある。言うまでもなく、女性の裸の身体である。性的な特徴がはっきりと示されている裸の女性の身体。男の欲望を帯びたまなざしは、これを特権的な美的対象としてきた。たとえば、アルブレヒト・デューラーの『測定法教則』(一五二五年)の中にある有名な図版(図7-2)のことを思うとよい。それは、厳密な中心遠近法によって絵を描くために、装置をどう使うべきかを図解したものだが、画家が描こうとしている対象は――ほんとうは何であってもかまわないはずなのに――ふくよかな（ほぼ）裸の女性である。[*8] 裸の女性の身体が、近世以降の西洋の絵画にとって、美の全般を代表するような至高の参照点になっていることがわかるだろう。

さて、マネの絵にたち戻ろう。

図７−３　カバネル「ヴィーナスの誕生」（1863 年）

非難の嵐を引き起こした彼の二枚の絵は、まさに女性の裸の身体を主題としている。が、批判されたのはその描き方である。女性の身体は、あまりにも角ばっており、平面的なのだ。女性の身体は、もっと肉付けされ、曲線的で立体的でなくてはならない、というわけだ。ルネサンス以来の規範的な描き方では、女性の身体の丸みを帯びた形状が、陰影による肉付法や色調の微妙な変化などによってはっきりとわかるように描かれなくてはならなかった。どうしてか。言うまでもなく、女性の身体の女性性を強調するためである。「オランピア」を――たとえば――彼の絵が落選した一八六三年のサロンに出品されたアレクサンドル・カバネルの「ヴィーナスの誕生」（図７−３）と比較してみると、違いは一目瞭然である。カバネルの絵では、女性の身体の表面の曲線が滑らかに整えられている。簡単に言えば、一般には、女性の身体は、その女性性を際立たせる方向で理想化されているのだ。マネが描いた女性の裸の身体には、そうした理想化が施されていない。

＊

こうしてマネには激しい非難、強い怒りが向けられる。もっとも、マネの絵をめぐるこうしたスキャンダルは、美術史についてのどんな教科書にも書いてあることだ。ここで理解しなくてはならないことは、誰もが知っているこんな経緯ではなく、その先にある。マネの絵に対して当時の人々がもった嫌悪感や反発感が、『白痴』の中で――あるいは『カラマーゾフの兄弟』をはじめとするドストエフスキーの他の諸作品の中でも――提起されている困難と同じタイプの問題への反応だということ、これこそが理解すべきポイントである。どういうことなのか、あらためて説明しよう。

ホルバインが描いた「死せるキリスト」は、あまりに無残で、あまりにも写実的であって、神への信仰を、あるいは復活への信仰を挫いてしまう。この絵を、美しき「ナスターシャの写真」に――つまり究極の美である女性の身体の像に――置き換えることができれば、それを媒介にして、超越的な神への信仰の道を開くことができるだろう。同じように、ゾシマ長老の遺体に奇蹟が起きれば、信仰への道は平坦だっただろう。しかし、ナスターシャの身体は、死んでから悪臭を放ちはじめ、むしろ、ホルバインが描いた「キリストの身体」のように醜悪なものになる。ゾシマ長老の遺体も、すぐに腐り始めた。

しかし、はっきりと銘記しておかなくてはならない。それでも、ナスターシャは、キリストのように、神の復活と実在を暗示することになるのだ。『白痴』は、そのような結末となっている。この結末は、『カラマーゾフの兄弟』において、神＝父を殺したのに、つまり神＝父の身体をホルバインの絵に描かれているような状態にまで引き下げたのに、父なる神の実在性は否定されず、むしろますます強度を増したように感じられるようになったのと、同じ意味をもつ。

われわれがまだ理解していないこと、まだ説明していないことは、このような転回が、なぜ、そしていかにして可能だったのか、ということである。腐臭を発するナスターシャの遺体から、どのようにして、崇高で超越的な神への信仰が生まれうるのか。神＝父を殺したことで、ますます神＝父の支配が強化されるのはどうしてなのか。

ここでまた、マネの二つの絵が引き起こした反応を思い起こしてみよう。簡単に言えば、マネの絵に対する嫌悪は、『白痴』において暗示されている信仰への脅威の、はるかに弱められたヴァージョンである。強度は違えど、両者は同じ形式をもっている。マネが描いた裸体の女性は、腐臭を放つキリスト＝ナスターシャの死体ほどには醜悪ではないが、しかし、至高の美的対象であるべきものとしては、あまりにも卑俗である。ここに美を見ることは難しい。「崇高」を媒介にして神へと通じているあの「美」を、である。こう考えれば、文学的に純化されているドストエフスキーのケースに比べれば、程度こそはるかに小さいが、同じ形式、同じタイプの困難が、マネの絵をめぐるスキャンダルにはある、ということがわかるだろう。

マネの絵は、それほどの時を経ずして、傑作として再評価される。時代の鑑賞者は、マネの裸の女性をも美しいと見る感受性を獲得するのだ。この転換において何が生じているのか？　この転換を導いているのは、どのような論理なのか？　この転換は、美について何をわれわれに教えるのか？　こうしたことが理解できれば、ドストエフスキーについての、積み残した問いにも答えが与えられるだろう。繰り返せば、マネの絵を前にしたときに人々が最初に感じた当惑と、ドストエフスキーが小説において提示している信仰への脅威とは、基本的には同じ形式の問題だからである。マネの絵に美を見るのと同じ形式の経験が、ドストエフスキーの小説が描いたような困難をむしろ原動力として、神への信仰を紡ぎだすだろう。

4　写実への欲望

今、マネの絵が発表されたときの人々の反発を実例としながら、ドストエフスキーの小説から抽出した問題との相似性を説明してきた。さらに言っておかなくてはならない。マネという特定の画家に注目するだけでは、問われていることに対する十全な答えを得ることはできないだろう、と。一九世紀の美術史の全体を見なくてはならないのだ。細部に深入りするよりむしろ、百年余りの美術史を全体として大づかみにすることが必要だ。どうしてか。それは、マネがなぜ、あのような絵を描くことになったのかを考えれば、すぐに理解できる。

同時代の人々の強い怒りを誘発するほどに斬新な絵を描いたのだから、マネは、よほど急進的な反逆児だったのではないか。そのように思いたくなるが、実際には、彼は、非常に保守的な人物だったらしい。日常生活の態度においても保守的だが、何よりも画家として保守的だった。彼は、画家として伝統的なものを求め、そして正統的でアカデミックな教育を進んで受けた。官学の重鎮のような画家を師として選び、ルーヴルに足繁く通って、過去の大家の絵を模写したという。構図に関しても、様式に関しても、マネほど過去の大家や古典から多くを借りた画家はめずらしいという。[*9] それだけではない。すでに没している過去の巨匠からだけではなく、同時代的に交流している仲間の画家からもすぐに影響された。ドガからも、印象派からも、自分の弟子からさえも、また日本の浮世絵からも影響を受けている。*10

要するに、マネは、ことさらに自分の個性を打ち出し、自分の他人との違いを際立たせるようなタイプの人物ではなかった。むしろ、彼は、周囲の友人や過去の先例に合わせる性格だった。だから、「草上の昼食」や「オランピア」を描いたとき、マネは、何か奇抜なことをやったつもりはなかったはずだ。むしろ、伝統に忠実に、そして周囲の画家たちと似たようなものを創ったつもりだったに違いない。周囲の反発や怒りに最もびっくりしたのは、マネ本人だったかもしれない。

それならば、どうして、マネはあの時点で、一八六〇年代前半の時点で、圧倒的に突出した絵を描いてしまったのか。彼が時代のトレンドに過敏に反応し、あまりにも強く影響されたからだと考えるほかあるまい。言わば、他の誰よりもトレンドに乗りすぎて、オーバーランしてしまったかのように見えたのだ。では、トレンドとは何か。一九世紀の美術史を規定しているトレンドとは。写実主義《レアリスム》であろう。

眼に見える外界の対象を、まさに見えるがまま、立ち現れているがままに正確に再現したいという欲望は、一九世紀に始まったものではない。かといって、非常に古くからあるものでもない。この欲望は、ルネサンスの時期に生まれた。しかも、西洋においてのみ固有に生まれた欲望だ。たとえば、ルネサンス以降の西洋の絵画が、遠近法を重視するのは、写実主義への執着があるからだ。他の文明、他の地域の絵画には、(ルネサンス以降の)西洋の絵画ほど極端な写実主義的欲望は見られない。いずれにせよ、写実主義的な傾向は、ルネサンス以来、近世を通じて、西洋の美術ではずっと継続してきたものではある。その傾向は、しかし、一九世紀に入って急激に極端化し、頂点に達した。

マネは、簡単に言えば、他の誰よりも写実的に女性の裸の身体を描いたのだ。先ほども述べたように——写実主義の流れの中にあってもなお——他の画家たちは、女性の身体を理想化して描いている。彼らは、現実にはありえないほどに滑らかな肌で、そして肉の凹凸を強調して、女の裸を構成したのだ。それに対して、マネは、実際の女の身体を見えるがままに描いた。そのことで、人々を驚かし、怒らせてしまったのである。だが、もう一度繰り返せば、マネはただ時代の趨勢にとりわけ忠実だっただけである。最初は激しい拒絶反応を引き起こしたマネの絵が、それほどの時を経ずして賛美され、受け入れられたのも、このためである。とすれば、マネに準拠して提起した前節の問いは、マネを含む一九世紀の美術史に関する問いとして受け取り直さなくてはならない。

一九世紀に極端化した写実主義的な傾向について、もうすこし述べておかねばならない。美術史において、「写実主義」という語を、明確に限定された、しかも自覚的な潮流として捉えるときには、一九世紀の前半から中盤にかけて活躍した一群の画家たち、クールベやコロー、ミレー、ドーミエなどを指している。中でも、ギュスターヴ・クールベは中心的な担い手である。だが、大きく基本的な傾向を見るならば、写実主義は、彼らだけの独占物ではない。写実主義者と見なされている画家たちがライバル視した先行者たち、ロマン主義者（たとえばゴヤ）や新古典主義者（ダヴィッド）にしても、世紀単位の長いスパンの傾向の中で捉えるならば、そしてまた他の文明との対比において特徴づけるならば、明らかに圧倒的に写実への欲望をもつ。

もっと重要なのは、外界の現れを正確に再現したいという写実への欲望は、狭義の写実主義者のところで終わるわけではなく、一九世紀の全体を貫通している、ということである。一九世紀の美術史の中で最も顕著な出来事は何かと言えば、この世紀後半の印象派の登場であろう。印象派がいつ始まったかについては、さまざまに解釈できるだろうが、この派の名前の由来になった、モネの「印象・日の出」が描かれたのは、一八七二年である。美術の歴史を振り返ってみれば、一九世紀の美術は、印象派を準備するためにあった、と言いたくなるくらい、印象派の活躍と波及は圧倒的である。また、二〇世紀に連なる後の美術への影響という点でも、印象派が突出している。印象主義と写実への傾向とは、どう関係しているのか。すぐ後の章で内実を伴うかたちで説明するが、印象派が目指していたことは、狭義の写実主義を超える写実である。印象派の絵では、しばしば、対象の明確な形態や輪郭があいまいになっているため、写実性という点では、それ以前よりも一見後退しているように見えるが、これは、写実に過剰に執着したことの逆説的な結果である。印象派こそ、真の写実主義者だったと言っても過言ではない。そして、狭義の写実主義と印象派をつなぐような位置にいた画家が、マネである。マネは、印象派の画家たちから、先駆者としてたいへん尊敬されていた。

＊

だから、マネの絵に即して立てた問いは、一九世紀全体の美術の趨勢、つまり写実主義を視野に入れて考えなくてはならない。マネは、この趨勢の一部に過ぎない。ところで、一九世紀の美術が、今述べたように、写実主義的な欲望に強く規定されていることを思うと、ひとつの奇妙な現象に気づく。ドストエフスキーから継承しているわれわれの問いを一旦カッコに入れて、美術史を固有に眺めてみよう。一九世紀近代に視野を限定せず、二〇世紀までも含む近現代美術史の全体に眼を向けてみよう。すると、際立った転回があることがわかる。ちょうど一九世紀から二〇世紀への転換点あたりを境にして、一挙に、反写実的な絵画が登場してくるのだ。二〇世紀に入るとすぐに、抽象絵画のような、写実への拘りを捨てたように見える、ときには写実を積極的に否定していると解釈できる絵画が陸続と出てくる。これらの「現代美術」も、いずれは考察の俎上に載せることになるが、今はまだその段階ではない。しかし、目下の段階で留意しておくべきことを指摘しておきたい。

写実から反写実へのこの転換は、あまりに顕著なので、これについては、繰り返しなされてきた常套的な説明がある。一九世紀までは、自然を再現することへの執着や欲望があったが、二〇世紀に入ってからは、画家は、自分の精神の内面の状態を、たとえば観念や感情を表現することに関心を向け出したのだ、と。研究者も、また画家当人も、このように説明してきた。*11

だが、こんな説明では、反写実への情熱に先立って、どうして極端な写実主義があったのかが理解できない。内面の状態を表現したいのならば、西洋の絵画は、どうしてはじめからそうしなかったのだろうか。抽象絵画は内面の表現であるという主張を受け入れた場合に、どうしてそれが外界を再現することへの情熱の後に﹅﹅やってこなければならなかったのか。このように考えたときに、印象派の画家たちの二重の役割が注目される。反写実への転換を担った画家たちは、たいてい、印象派か、あるいはそのごく近くにいた画家を、自らの先駆者と見なしている。たとえばモネだ。キュビスムをはじめとする反写実的な傾向が強い運動の担い手たちは、モネを特別に尊敬し、モネの試みから刺激を受けている。モネは、間違いなく、印象派の運動の中心にいた画家の一人である。その印象派こそ、写実主義的な傾向の極限でもあった。してみれば、反写実的な絵画への反転は、写実的な傾向のただ中から出てきたと考えなくてはならない。写実主義がその中心において、どうして、一見自らが目指していたものとは逆を向いているように見える強烈な運動を生み出したのか。

考察をこのように進めてくると、疑問の中心は、写実的傾向から反写実的傾向への急激な転回よりも、写実主義そのものにあることがわかる。どうして、外界の現象を、二次元平面に正確に（見えるように）再現したいのか。この情熱はどこから来るのか。外界の対象が美しいからか。だが、マネは、それほど美しくもないのに、女性の裸体を描いたではないか。いや、そうではない。あの裸体も美しいのだ。どのような意味で？　この美を成り立たせている仕組みが理解できれば、腐臭を発する身体を、「美」へ、「崇高」へ、そして「神」へと接続していくルートが見えてくるはずだ。

1　タチヤナ・カサトキナ「或る名前に込められた歴史」（山城むつみ『ドストエフスキー』講談社、二〇一〇年、三三八頁）。

2　三位一体の理解に関する、正教とカトリックの違いについては、『中世篇』第1章で論じておいた。ただ、ここではその違いにこだわる必要はない。

3　山城、前掲書、第四章。

4　I・カント『判断力批判』熊野純彦訳、作品社、二〇一五年（原著一七九〇年）、二一六頁。

5　Yirmiahu Yovel, "La religion de la sublimité," *Hegel et la religion*, Paris: Presses Universitaires de France, 1982.

6　Slavoj Žižek, *The Sublime Object of Ideology*, London, New York: Verso, 1989, pp.201-202.

7　ギリシアの宗教に対して、より発展した段階として後に来るべきユダヤ教を、最も原始的な水準にあるとヘーゲルが見なしたのは、ヘーゲルの反ユダヤ主義的な偏見による、というのがヨヴェルの見立てである。

8　このデューラーの図は、ポストモダンのジェンダー研究の中で、遠近法のまなざしの中に権力が孕まれていること、その権力が家父長的な性格をもち、ジェンダーの役割を固定しようとしていることを例証するものとして、繰り返し引かれ、批判されてきた。たとえば、Lynda Nead, *The Female Nude: Art, Obscenity and Sexuality*, London: Routledge, 1992.

9　たとえば「オランピア」がティツィアーノの「ウルビーノのヴィーナス」（一五三八年）の構図を借りていることはすぐにわかる。「草上の昼食」には、ティツィアーノ（またはジョルジョーネ）の「田園の合奏」やラファエロの「パリスの審判」からの直接的・間接的な影響を認めることができるという。

10　高階秀爾『近代絵画史　増補版』上、中公新書、二〇一七年、八三頁。

11　たとえば、スチュアート・ヒューズ『意識と社会——ヨーロッパ社会思想史』生松敬三・荒川幾男訳、みすず書房、一九六五年（原著一九五八年）。

第8章　絵は何と競っているのか

1　芸術の都「パリ」

ドストエフスキーの文学の中心的な主題は、父＝神殺しである。父＝神は殺されたことで、無化され、その効力が消え去るのか。そんなことはない。まったく逆である。父＝神が殺されても、いや殺されることでますます、神の人への支配は強力なものになる。「神がいなければすべてが許される」どころではない。神が殺されることで、神の規範的命令はますます執拗に、強く人を捉えるのだ。この逆説は、『白痴』では、ナスターシャが殺され、ホルバインの絵にあるような無残な屍体となったあとで、キリストのように復活するという暗示の中に表現されている。われわれが解明したいのは、この逆説をもたらす論理である。この問いを、一九世紀の美術史へと場面を移して継承することができる。前章で、そのように述べた。

この問題を考える前に、しかし、もうひとつ、検討しておきたい疑問がある。あまりにもあからさまなので、誰もが気づいている事実だが、それが疑問として俎上に載せられることは少なく、答え（の候補）が提起されることはもっとまれだ。その事実とは、一九世紀の美術史における、フランスの——いやパリの——圧倒的な中心性である。一九世紀の全体を通じて、そして第一次世界大戦が終結してからしばらく後の時期まで、つまり一九二〇年代まで、西洋美術史は、パリを中心に、（すべてとは言わないまでも）ほとんどパリを舞台に展開する。どうしてなのか。画家たちが全員、パリで生まれ育っているわけではない。パリ以外のところで、フランスの外で生まれた者もたくさんいるが、そうした者たちも、パリに集まってきて、主としてパリで活動する。ゴッホやゴーギャンのように、最終的にはパリ以外の場所で、多くの絵を描いた者もいるが、彼らも、画家として、パリを経過したり、パリを起点としている。要するに、一九世紀を中心とする西洋近代美術史は、ほとんどフランス美術史、パリの美術史であると言っても過言ではない。

どうして、近代の絵画史がかくも圧倒的にパリを中心にして展開したのか。ある時代や期間において、芸術的な創造性が特定の地域や都市で突出して高まる、ということは、これまでもあったし、現在でもある。そのことを思えば、一九世紀の絵画にとってパリが繁栄の中心だったことも、特段に注目すべきことではない……そのように感じられるだろう。たとえば、一五世紀にフィレンツェやフランドル地方が芸術的な創造の中心であり、一七世紀にはネーデルランドで、傑出した才能がまとまって現れた。今度はパリの順番だ、というわけである。

しかし、一九世紀のパリのケースとそれ以前の諸例とでは、はっきりとした違いがある。それ以前の西洋の芸術的創造の中心地は、政治的もしくは経済的に——あるいはその両面において——、当時のヨーロッパの最高の先進地域である。そのような地域が、造形芸術に関しても指導的なポジションにあったとしても、それは驚くにはあたるまい。しかし、一九世紀のフランスやパリには、そのような解釈はあたらない。確かに、地球的な規模で見たとしても、またヨーロッパに限定したとしても、当時のフランスやパリが、経済的・政治的な後進地域であった、と言うことはできない。フランスは、一九世紀を通じて、主要な政治的な出来事の震源地のひとつであり、経済的にも――とりわけ一九世紀の中盤以降は――先進地域のひとつである。が、しかし、フランスが、当時の西洋世界の政治的・経済的な中心だったのか、といえば、これは明らかに違う。一八世紀末（一七八〇年頃）からおよそ半世紀かけて、いち早く産業革命を実現し、同時に世界の海洋を支配したイギリスこそが、そうした中心と見なすにふさわしい。[*1] それにもかかわらず、絵画芸術の創造性という点では、イギリスやロンドンは、パリにはるかに見劣りする。

さてすると、一九世紀から第一次世界大戦過ぎまでの期間にかけて、パリが美術史の圧倒的な中心であり、ほとんど独占的な舞台だったのはどうしてなのかがやはり疑問になる。ほかの芸術や知のジャンルについては、パリだけが中心だったとはとうてい言えない。小説や詩における創造性は、それぞれの言語がそれぞれに発揮している。音楽に関しては、パリが中心だったとは言えまい。学問や哲学においても、パリ（だけ）が中心だったわけではない。では、なぜ、絵画に関してだけは、パリ（フランス）がずばぬけた中心になったのだろうか。

＊

厳密に実証することは不可能なので、ここでは、仮説としてのみ述べておこう。このことにはまず、フランスがカトリックの国であるということ――つまりプロテスタントの国ではないということ――が与っているだろう。偶像崇拝の禁止に関して、プロテスタントはカトリックよりも厳しい。「偶像崇拝」を厳格にとらえ、それを厳しく禁ずる一神教が支配的な地域では、当然といえば当然の理由によって、造形芸術があまり繁栄しない傾向がある。[*2] とはいえ、このような消極的な理由だけからでは、とうてい、目下の疑問は十分に解くことができない。

もしプロテスタンティズムではなくカトリックが支配的だったことが有利だったとするならば、イタリアやスペインはどうなるのか。確かに、ルネサンスから近世にかけて、イタリアやスペインは、西洋の造形芸術をリードした。近現代においても、イタリアやスペインは優れた画家をたくさん輩出している（ピカソもダリもスペイン人だ）。しかしながら、一九世紀に関していえば、画家たちが実際に活動し、作品を発表した場として、パリが突出しており、イタリアやスペインは後塵を拝するかたちとなっている。単に「カトリックが優勢であってプロテスタンティズムの浸透度が低いために、偶像崇拝の禁止による軛がゆるい」という理由によっては、絵画の領域における一九世紀パリの活況を説明することはできない。

逆に、プロテスタンティズムの優勢が、造形芸術にとって困難な条件になるかといえば、必ずしも、そうではない。このことは、一七世紀から一八世紀中盤頃までのネーデルランドの絵画のことを思えば、すぐに理解できる。プロテスタントであることを前面に出して、ハプスブルク家の支配から独立したこの地域から、レンブラントもフェルメールも出てきた。プロテスタンティズムは、造形芸術の発展にとって阻害要因になってはいない。むしろ、おそらく、この期間においては、プロテスタンティズムがもたらした世界への態度は、絵画制作にとって促進的な要因だったはずだ。

それでは、どう説明したらよいのか。一九世紀から二〇世紀初頭までの西洋美術史が、パリを中心にして展開したという事実を。この事実は、「近代の内的複数性」として論じたことの応用問題と解したらどうであろうか。かつて、次のように論じた（『〈主体〉』第2章第5節参照）。一方には、カトリックの（非プロテスタントの）国の――暴力政治を含む――過激な政治革命があった。つまりフランス革命があった。他方には、プロテスタンティズムの哲学化と解することができる、精神の革命があった。つまりドイツ観念論があった。われわれは、両者は「あれかこれか」の関係にあるのではなく、全体として相補的な関係にある、と論じておいた。造形芸術をめぐってここで、フランスの政治革命とドイツの精神革命の相補性と類似した関係を見てとることができる。

すなわち、この「フランス革命／ドイツ観念論」という相補的な対立図式における「フランス革命（政治革命）」の代わりに、ここでは、絵画における一九世紀の革新があると考えたらどうであろうか。他の（いくつかの）国や地域で、プロテスタンティズムが実現したことを、フランスでは、近代絵画が果たしたのだ……とここまで言ってしまえば、絵画の力を買いかぶり過ぎていることにはなるだろう。キリスト教は、ヨーロッパのすべての階層に属する人々の生活の全般に影響を及ぼしているが、絵を描いたり鑑賞したりといったことは、つまり絵の享受は、一部の人々の一部の生活に限定した出来事だからだ。にもかかわらず、プロテスタンティズムがもたらした精神の改革に類することを――少なくともその一部を――、パリがその中心的な展開の場となった近代絵画の革新が果たした、と解釈することができるのではないか。

ある社会が、プロテスタンティズム抜きで、プロテスタンティズムがなしたのと同じ精神的な改革をもたらそうとするとき、その機能的な等価物として、絵画をめぐる芸術的な革新を必要としたのではあるまいか。一九世紀から二〇世紀のはじめにかけてパリで見られたような革新を、である。プロテスタンティズムが、ヘーゲルの「理性の狡智」のように、その無意識の歴史的な役割を果たしたところでは、そこまでの絵画への執着は必要なかった。また、プロテスタンティズムに匹敵する革命に無関心だった社会もまた、一九世紀に入ってからは、造形芸術に新たな展開をもたらす衝動を宿らせることはなかった。しかし、プロテスタンティズムがあまり浸透していない地域や文化がなお、プロテスタンティズムがもたらしたものと同じ効果を得ようとしたら——もちろん無意識のそうした欲望に捉えられたとしたら——、そこには、絵画への情熱が宿ることになる。

以上は、十分な実証を経ていない大雑把な作業仮説である。それでも、探究を前に進めるための指針を得るのには助けになる。今、われわれは、宗教や信仰をめぐる問題を、美術史の領域に転換し、そこで解こうとしている。キリスト教の改革と一九世紀のパリで展開した美術史的な熱狂の間に、ここに提起した仮説のような関係があるのだとすれば、こうした問題の転換の意味も理解してもらえるだろう。

2　「神の存在の存在論的証明」への批判

今しがた述べたように、ドイツ観念論は、プロテスタンティズムの哲学化である。もはや、神の存在を独断的な前提とするわけにはいかない。それゆえ、「神」に直接的に言及することなく、つまり「神」の存在を公理的な前提とすることなく、なお、超越的な神が存在していたときと同じことが（どこまで）言えるのか。カントの哲学は、まさに、このことに賭けられている。『純粋理性批判』(第一批判)は、神が、悟性の認識能力を超えていること、悟性の認識能力の守備範囲の外にいることを確認する。そうなれば、神の言葉(聖書)を根拠にした理論には、もはや普遍的な説得力がない、ということになる。『実践理性批判』(第二批判)は、まさに神ぬきにして、(キリスト教の)隣人愛——誰に対しても平等な普遍的な愛——と実質的に等しいものを根拠づけることができるのかを検討している、と読むことができよう。「定言命法」とは、はっきり言えば、カント版の隣人愛である。

さて、ドイツ観念論がこのような意味でプロテスタンティズムの哲学化であるとすれば、そして、プロテスタンティズムと絵画との間に前節で見たような関係があるとすれば、われわれが探究しようとしている問いもまた、ドイツ観念論の言葉を借りて、厳密に言い換えることができるのではないか。われわれの「問い」とは、ドストエフスキーから美術史へと移行させた問題である。この問題の対応物をドイツ観念論の中に見出すことができるだろうか。できる。どこにあるのか。カントの『純粋理性批判』における、「神の存在の存在論的証明」に対する批判のうちに、である。ただし、この部分が、われわれの目下の考察と関連しているということを理解可能なものにするためには、この有名な箇所に対する教科書的な解釈、広く流布している解釈を斥けなくてはならない。

神の存在の存在論的証明とは、神の概念から神の実在を導き出す論法である。たとえば、「三角形は三本の直線によって囲まれている」という命題が真なのは、「三角形」という概念を規定する述語のひとつとして、「三本の直線によって囲まれる」が含まれているからである。同様に、神の概念の中から神の実在を引き出すことができる、というわけだ。*3

この証明に対するカントの批判は次のようなものであると、一般には解釈されている。「実在の一〇〇ターレル」と「概念としての一〇〇ターレル」(頭の中に思い浮かべただけの一〇〇ターレル)は、それぞれに付しうる述語のレベルでは、まったく区別がない。前者に成り立つことは、ことごとく後者にも成り立つ。しかし、両者の間には決定的な違いがある。前者は実在し、後者は実在しない。同じことは「神の概念」にも成り立つ。「概念としての一〇〇ターレル」の場合と同じように、神の概念を規定している述語の中には「実在」は含まれていない。それゆえ、神の存在についての存在論的証明は成り立たない。カントはこのように存在論的証明を批判している……というのが、通説的な解釈である。

＊

しかし、カントの批判、つまりカントが存在論的証明を拒否する手順は、もう少し複雑で、洗練されている。[*4] カントの論は二つのステップに分かれている、と解釈することができる。第一のステップは、今紹介した教科書的な解釈とよく似ているが、厳密には違っている。そして、われわれにとってより重要なのは、その後にある第二のステップの方である。

第一のステップでは、次のことが示される。「神」とは、定義上、「実在」ということがその概念のうちに含まれている存在者である。その意味では、「神」は特権的な存在者だ。だから――通説的な解釈とは違い――、神の概念からその実在を演繹する推論は、実際に成り立つ。ただ、ここで注意深くならなくてはいけない。この推論には、条件節が含まれているのだ。つまり、厳密に言えば、成り立っているのは、「神が実在するとすれば、神は必然的に実在する」という命題である。「神の実在」ということが成り立つならば、神は、「実在しないことが不可能である」という様相をもって実在するということになる。もちろん、それ（神の必然的実在）こそ、導きたい結論である。が、「これでよかった」というわけにはいかず、依然として問題は残るのだ。この命題の条件節の部分、「神が実在するとすれば」が成り立つかどうかは、まだまったく証明されてはいない。「AならばB」が成り立つとしても、Aが成り立たなくては、Bを妥当な結論とするわけにはいかない。

そこで第二のステップに移行する。「神が実在するとすれば」という条件節の部分が成り立つかどうかが問題になっているわけだが、そうだとすると、そもそも「実在する」とはどういうことなのか、が問われなくてはならない。「実在」という語を使うことが許されるのは、どのようなときなのか。たとえば、この机は実在する。なぜなら、机という対象の現象が、私の感覚——視覚や触覚——を刺激し、触発するからだ。「実在する」と言うことが正当なのは、このように、感覚（＝直観）を触発するような偶然の経験的な内容——何らかの視覚像であるとか触感であるとか——に満たされて対象が現象しているときだけだ。これが「実在」という語の唯一の正当な用法であろう。したがって、「Xが実在するとすれば」という条件が成り立つためには、常に、「主体の感覚を刺激するかたちで現象している」という要素が加わらなくてはならない、ということになる。そうだとすれば、必然的実在——神が存在するならばこのような様相で存在しなくてはならない——は、自己矛盾であって、本来的にありえない。なぜか。たとえば、この机は、私に見えたり、触れられたりできるというかたちで実在しているわけだが、それはまったく偶有的なことであって、この机が存在しない可能世界をいくらでも想定することができる。直観（感覚）に与えられる経験的な内容は、このように常に、偶然性を――「たまたまこのように現象しているに過ぎない」という様相を――帯びる。つまり実在は――直観に与えられる現象を媒介にしてしか成り立たない以上は――定義上、偶然的である。神の概念に適合した実在、つまり必然的実在は不可能だ。

以上が、カントによる、「神の存在の存在論的証明」に対する批判だ。そうだとすると、死んだナスターシャがキリストのように復活したとされるとき、まさにこの批判によって否定されたことが起きたということになる。ナスターシャの死体は、もちろん、偶然的に実在する物に過ぎない。それが悪臭を放っていたという暗示は、この物体が感覚を刺激する卑俗な経験的な対象であることを強調している。この経験的な実在が、どうやって神へと――必然的に存在するものへと――飛躍することができたのか。

だが、写実的に、まさに現れるがままに描かれた対象に「美」を感じるとき、この種の――カントが原理的に不可能だとした――飛躍が不断に起きていることになる。前章で述べたように、「美」は――「崇高」を媒介にして――神という概念へと連続しているからだ。カントが、中世の神学で用いられた存在論的証明を拒絶することで、まさに不可能だと証明したこと、それが現に生起しているように見える。ならば、それはいかにして可能なのか。

3　アトリエの画家と裸婦

前章で述べたように、一九世紀の美術史を貫いている傾向は、「写実主義《レアリスム》」である。写実主義とは、対象が主体の知覚に対して現れるがままに描くこと、少なくとも主体の知覚にまさにこのように現れていると思わせるように描くことである。そうだとすると、写実主義は、今紹介したカントの議論――とりわけその第二のステップ――に関連している場面を提供していることになろう。カントによれば、こうした現れから神の概念へと到達することは絶対にできない、ということになる。

ところで、一九世紀の美術史を写実主義という観点で統一的に捉えたときに、一見、この理解に収まらない躓きの石になるのは、印象派である。印象派において、二〇世紀の初頭に顕著になる現象、写実主義からの離反が、抽象画等の現代絵画への第一歩が始まっているように見えるからだ。たとえば、クロード・モネの「ルーアン大聖堂」(図8-1)や「ロンドンの橋」の連作を思い起こしてみよう。大聖堂や橋、とりわけ前者は、重々しい建造物であって、確固たる形態をもつものの典型であり、そのようなものとしてわれわれの知覚に対して現前する……わけだが、モネが描いたそれらは、まったくこうした記述とは対照的である。大聖堂も橋も、明確な輪郭を失い、周囲の多色の輝きの中に溶融し、何ものかとしての同一性をも失おうとしているように見える。セザンヌは、モネのこのような「眼」を絶賛した。セザンヌを媒介にして、モネは、二〇世紀の反写実的な絵画へとつながっている。

このように印象派の絵画では、対象は具象的な同一性をもったものとして写実的に描く態度が積極的に否定されているように見える。つまり、それは、写実主義という傾向の中に収められないように思われる。が、そうではない。多くの美術の研究者が指摘してきたように、そして何より印象派の画家たち自身が自覚していたように、印象派もまた写実主義の傾向の中にある。印象派はむしろ、写実主義の極致、写実主義以上の写実主義である。

普通の写実主義者にとっては、太陽の光は、対象が立ち現れるための消極的な条件に過ぎない。しかし、そうであるとすれば、つまり太陽の光が何かが現れるための不可欠な条件であるとすれば、世界を写実的に描くということは、まさにその太陽の光を（も）現れるがままに描くことでなくてはならない。印象派を駆り立てている衝動は、ここにある。印象派が色を混ぜずに使うのは、つまり、太陽光を成り立たせているプリズムの七色をそのまま点状に画面に置くことで絵を構成するのは、色を混ぜてしまうと、できあがった色から自然光の明るさが失われてしまうからである。

伝統的には、事物にはそれ固有の色がある、とされてきた。光は、その固有色に明暗を与える

図８−１
モネ「ルーアン大聖堂—ファサード（朝の効果）」（1892-94／フォルクヴァンク美術館蔵）

だけの脇役であり、画家は、事物の固有色に基づいて、それを適切な明るさで描けばよい。しかし、印象派のように、光を単なる背景的な条件ではなく、事物が立ち現れる上での本質的な要素と見なすならば、光そのものから独立した事物の固有色という概念は捨てられる。対象の色は、光とともに変化しているからである。この方が知覚に対する対象の現れにより忠実であり、写実的だということになる。が同時に、対象の現れにとってかつては背景的な条件とされていたこと（光）をも、現れる対象にとって内在的な性質と見なしたがゆえに、今しがた見たモネの後期の絵画のように、「図」と「地」の区別があいまいな表現、形態が背景に溶け込むような表現になってもいく。

いずれにせよ、ここで確認しておきたいことは、印象派は、一九世紀の絵画の基本的なトレンド、つまり写実主義を裏切るものではなく、むしろ逆に、その徹底化だったということ、この点である。

＊

ここではしかし、典型的とされる写実主義の絵画、一九世紀の「写実主義」の代表者とされている画家の絵を、考察の俎上に載せることにしよう。その画家とは、ギュスターヴ・クールベだ。クールベの代表作は、一八五五年の超大作「画家のアトリエ」だ（図8－2）。この作品については、多くのことが解説されてきたし、画家自身も語っている。画面の中央にいるのは、画家本人で、大きなキャンバスに絵を描いている。その周囲には、多数の人物が配されている。画家の友人や支援者たち、芸術の愛好家、労働者、そして社会的な地位や政治権力を有する名士た

図8−2　クールベ「画家のアトリエ」（1855 年／オルセー美術館蔵）

図8−3　クールベ「オルナンの埋葬」（1849-50 年／オルセー美術館蔵）

ち……つまりは当時のフランス社会を構成するさまざまな階級の人々が描かれている。言ってみれば、これは、クールベから見た社会の縮図である。

そして、何より、この絵において一際目立っているのは、真ん中にいる画家のすぐ後ろに立っている裸婦である。前章で述べたように、女性の裸の身体は、近世以降の西洋絵画にとって、特権的な美的対象である。この絵の女性の身体は、「十九世紀における最も古典的な裸婦のひとり」[*5]だ。絵の中心の画家のすぐ脇に配された裸婦は、絵画の絵画たる所以の象徴のようなものである。この絵の中の画家がキャンバスに描いているものは、風景画であって、裸婦には関係がない。にもかかわらず、「モデル」である裸の女性が画家の背後にいて画家とともに絵（の中の絵）を眺めている。この構図は、風景であろうと何であろうと、絵において描かれるべきものの究極の参照項は、結局、女の裸の身体である、ということを（画家本人も自覚してはいないが）暗示しているようにも見える。

もうひとつ、クールベの代表作を見ておこう。「画家のアトリエ」よりも前に描かれた、これもまた大作「オルナンの埋葬」（一八四九―五〇年）だ（図8－3）。この絵は、発表当時、激しく非難された。クールベが、この絵を「歴史画」と呼んだからである。歴史画は、今日のわれわれが念頭に置くような「歴史」についての絵ではない。むしろ「宗教画」と呼んだ方が実態に近い。歴史画は、聖書や神話から、あるいは「伝説」と化しているような古典的な歴史的場面から取材した絵を指している。伝統的には、最も格が高い絵画のジャンルだとされてきた。[*6]この絵がスキャンダルだとされたのは、フランスの小さな田舎の、名もなき人々が集まった、どこにでもあるような平凡な葬式が、「歴史画」として提示されたからである。

実際、あたかもこの絵の背後にある丘の上に立っているかのように見えるように、小さく、十字架で死につつあるキリストが描かれている。クールベは、オルナンの一介の農民の死をキリストの死と重ね合わせているのだ。つまり、ありふれた人間の死を超越的な唯一神へと結びつけることになる。われわれとしては、オルナンの農民を「ナスターシャ」と対応させてもよいかもしれない。そうすれば、この絵は、われわれがまさに解こうとしている問題の解説と見ることもできるだろう。

4　絵は何と競っているのか

それにしても、これらの絵において、クールベの二つの絵において、何が描かれているのか。これらの絵は何を描こうとしているのか。などと問うと、それらについては、今、説明されたばかりではないか、と思われるだろう。社会の隠喩になっている大きなアトリエやオルナンの名もなき農民の埋葬の様子が描かれているのだ、と。が、今、問おうとしていることはそんなことではない。レアリスムへの情熱を抱いた絵画が、一般に、何を描こうとしているのか、ということである。たとえば、クールベ自身が、これらの絵画には寓意があると述べており、その寓意を読み解くことは可能だろう。しかし、寓意だけが重要なのだとすれば、クールベはどうして、記号や象徴によって描かなかったのか。どうして、写実的な具体性をもって描こうとしたのか。この衝動――クールベ自身もおそらくは意識してはいないその衝動――がどこから来るのか。それが知りたいことである。

この問いに対しては、伝統的な解答がある。その起源がアリストテレスにある解答が、である。芸術とは、一般に、「自然の模倣《ミメーシス》」である、と。自然——というかこの場合はむしろ「世界」と呼ぶ方がよいが、ともあれ「自然＝世界」が与えるものの美しさに人は感動し、それに接近しようとした、というのだ。*7 これによって、写実的な絵画の成立は説明できるのか。これはトートロジーである。特に機能的な意味もないのに模倣しようとしたり、現れるがままに写実的に描こうとしたりすることは、過剰な行いである。この過剰さはどこから来るのか。

そもそも、写実主義的な情熱は、どんな人間、どんな文化でも見出される普遍的なものではない。これが圧倒的な高まりをもったのが、近世・近代のヨーロッパである。写実性への執着は文化的に特殊なものである。そうだとすると、「自然の模倣」といった漠然とした一般論によっては、説明できない。

ここで、プラトンがヒントを——正しい答えではなくヒントを——与えてくれる。プラトンは、自然の模倣としての芸術作品を称賛するのではなく、逆に、これを無意味で無用なものとして斥けているからである。プラトンにとっては、芸術はまがいものである。というのも、芸術作品は、二重の模倣《コピー》の産物、模倣の模倣だからだ。どうして、模倣が「二重」になるのか。プラトンの観点からは、通常の事物がすでに模倣だからである。「何の」模倣なのか。「イデア」の、である。真に実在するのは——プラトンによれば——イデアのみだ。われわれがこの世界の中で見たり、触れたりしている事物は、つまりわれわれに対して経験の対象として現れている事物は、イデアの写しに過ぎない。とはいえ、われわれに直接に現れるのは、この第一段階の写しだけなのだから、これについてはその存在を容認しないわけにはいかない。芸術作品は、つまり絵画や彫刻は、この（イデアの）写しのさらなる写しだということになる。したがって、存在論的には、三つのレヴェルが想定されている。まず、イデアがあり、それの物質による模倣があり、そしてその模倣の模倣としての芸術がある。だが、この第三のレヴェル、つまり、すでにまがいものであるもの（第二のレヴェル）のさらなるまがいものなど、なくてもよい、いやない方がよい。これが、プラトンの考えである。第二のレヴェルにおいて、人は、すでに真の実在ではないものを実在と取り違えてはいるのだが、それは必要悪として許容できても、第三のレヴェルの芸術は、もはや必要ですらない、端的に悪である。

　このプラトンの見方が、われわれに霊感を与える。確かに、プラトンの通りに考えた場合には、写実を目指す絵などまったく無意味なものであって、そんなものをわざわざ描こうとする情熱は、ますます不可解だし、そもそも愚かしいものだ、ということになる。が、プラトンとは逆に考えたらどうだろうか。芸術作品のライバル、芸術作品がそれに近づこうとしているものが、自然の事物、知覚者に現れたままの事物だと考えれば、プラトンの言う通りだが、芸術作品が対抗しているライバルは、自然の事物ではないとしたらどうか。

　ライバルは何か。イデアである。自然の模倣のように写実的に描いているとき、画家は、プラトンが「イデア」と呼んだものを見ており、それを目指していたのだ。われわれが何ものかを美しいと感じるということは、それの「イデア」を見ていた、ということではないか。このように考えれば、写実的な絵画への情熱も説明可能なものになる。単に、自然を模倣しているわけではない。自然を超える過剰分があり、その過剰分こそが、描くことへの衝動、そして鑑賞して享受することへの愛着を説明するのだ。

このような理解に適合することを、ジャック・ラカンが『精神分析の四基本概念』のセミナーで論じている。ラカンが論材にしているのは、古代ギリシアの二人の画家ゼウクシスとパラシオスをめぐるエピソードだ。二人はどちらが絵を描くことに秀でているかを競争している。まずゼウクシスが、葡萄を本物そっくりに描いた。それが迫真のものだったことは、鳥がそれを突こうとしたことによって示された。そして、ゼウクシスはパラシオスに言う。では、君の絵を見せてもらおう、と。ゼウクシスはパラシオスの絵を点検しようと、その絵を覆っていたカーテンを開こうとした。が、彼は騙された。ゼウクシスが引っ張ろうとした「カーテン」は、パラシオスが描いた絵だったのである。

この話を参照しながら、ラカンは次のように論じる。

〔パラシオスの絵は〕自らが提示しているもの、自らが私たちに与えているものとは異なるものとして現れているのです。いやむしろ、それは、自分自身を、その「異なるもの」そのものとして提示しているのです。絵が闘っているのは、現れ〔自然の事物〕ではありません。絵が闘いを挑んでいるのは、プラトンが、現れを超えた「イデア」として指示していたものです。*8

ここで、ラカンが「異なるもの」と呼んでいる対象は「イデア」である。ゼウクシスの絵は、自然の模倣かもしれないが、パラシオスは、イデアを直接、模倣しようとしている。これがラカンの解釈だ。イデアとは、そのものの本質、「Xとは何か」というときの「何」性である。画家には、それが見える。現れている対象が、そのイデアとともに見えるとき、それは美しい。プラトンの想定では、イデアは不可視のはずだが、前章でも述べたように、「イデア」という語の原義は「見られたもの」である。イデアが見えたとしても、不思議ではあるまい。

「神」をめぐるここまでの議論との関係をはっきりさせておこう。神という概念もまた、イデアである。いや、それは、イデアの中のイデア、すべてのイデアの中心にある最高のイデアだ。前章で参照した、（イルミアフ・ヨヴェルによって改訂された）ヘーゲルの宗教哲学を基にして言えば、ギリシアの宗教は、ユダヤ教を経由したキリスト教へと至る弁証法的な展開の端緒にある。この構図を用いれば、「イデア」の延長線上に、一神教の「神」がある、ということになる。もし、画家たちがイデアを見ており、それを描くことができるのであれば、そして美をめぐる経験を通じて、われわれがイデアへと接近できるのであれば、「神の存在の存在論的証明」を否定するカントの証明を乗り越えていくことが可能だ、ということになるのではあるまいか。

＊

しかし、話はそう簡単には進まない。以上（だけ）でよいのならば、思考にとって困難はない。が、ここまでの議論は、まだことがらの半分しか説明してはいない。イデアとは、定義上、対象の個々の具体的な現れを超えたものである。画家たちは、描くときに、そのイデアを目指しているとしよう。それならば、画家は、一九世紀の画家は、どうして写実性に執着したのか。どうして、彼らは、知覚に現れるがままに描くことにこだわっているのか。イデアが、現れを超えたものであるとすれば、この写実主義的な態度は、イデアそのものを模倣する、ということと矛盾しているのではないか。この写実主義の両義性を、どのように理解したらよいのか。さらに付け加えておけば、経験に対して「現れたまま」にこだわり、そこに留まるということは、プラトンに依拠することから導き出した、カントの「存在論的証明」批判を超克していくポテンシャルを放棄することでもある。結局、経験に与えられる偶然的な存在から、イデアの必然的な存在へとつなぐルートを絶つことになるからだ。われわれの探究は振り出しに戻されているのだ。

ここで、もうひとつクールベの作品を取り上げよう。あの有名な――もしかするとネガティヴな意味で有名な――「世界の起源」（一八六六年）である。そこに描かれているのは、大きく股を開き、性器を露わにして寝そべる、女性の裸体である。頭部はシーツのようなものによって隠されているので、トルソーになっている。これこそ、レアリスムの精髄ともいうべき作品だ。

この女性のトルソーは「画家のアトリエ」（図8-2）の裸婦とセットにして見るべきではないだろうか。「世界の起源」は、言わば、「アトリエ」の裸婦の「真実」を明かしているのだ、と。「アトリエ」の裸婦は、古典的な描かれ方をしている。それが提示しているのは、女性の身体の美の範型に従ったイメージである。このような女性の身体を描くときには、すべてが露出されてはならない。鑑賞者の眼にさらされない部分が残っていなくてはならないのだ。特に、男の欲望がそこへ向かう女性器は、現れてはならない。そうするとある効果が生まれる。女性の身体の完全なる現れが停止し、それが先送りされるのだ。言い換えれば、女性の身体の真の現前が、「現象・表象を超えたもの」となる。こうして、「現れを超えたもの」としてのイデアとして、女性の身体を措定する余地が開かれるのである。描写され、現れているものの背後、それを超えたところに、イデアがある、という印象を与えることに成功するのだ。

しかし、「世界の起源」は示している。レアリスムへの衝動は、隠されている限りで美しいはずのその部分を、はっきりと現れるがままに直接に描写するところまで行ってしまうということを、である。写実主義は、こうして、積極的に、現象から独立した、現象を超えた領域があることを否定しているように見える。イデアのような崇高な対象への飛躍を拒否し、過激に露出しているこの女性器は、腐敗し、悪臭を放ち、周囲に吐き気をもよおさせるナスターシャの死体に対応させることができる。

１　産業革命が始まる前から、イギリスとフランスの経済的な面での格差ははっきりしており、イギリスの方がはるかに豊かだった。たとえば、一八世紀の半ばにイギリスを旅行したフランスのル・ブラン神父は、イギリス農民の贅沢な生活に驚き、そのことを故郷に宛てた手紙に記している。イギリスでは、下男でさえも、まずお茶を飲んでから仕事を始める、と。当時、お茶は非常に高価な飲み物だった。逆に、同じ頃、イギリス人の方は、フランスの農民が貧しいことに衝撃を受けている。一七五四年に、あるイギリス人は、論文の中で、フランスの農民の身体の衰えが早く、彼らが四十歳にもならないうちに老衰の兆候を示すのは、彼らが糧食や日常に必要な品々にも事欠いていることに原因がある、と書いている（ウルリケ・ヘルマン『資本の世界史』太田出版、二〇一五年、四〇—四一頁）。この経済格差は、イギリスが先んじて産業革命をおおむね完了させた一九世紀の前半には、さらに大きくなっていただろう。

２　たとえばユダヤ人の画家は少ない。著名な画家としては、シャガールやモディリアーニなどがユダヤ系だが、ユダヤ人の世界的な画家の名として、そう多くは思い当たらない。学問の世界における多数のユダヤ人の活躍ぶりと比較すると、差は歴然としている。

３　神の存在についての存在論的証明は、アンセルムスに始まるとされている。以下を参照。『〈世界史〉の哲学中世篇』第2章。

4 I・カント『純粋理性批判』熊野純彦訳、作品社、二〇一二年、五九二―六〇七頁。

5 高階秀爾『近代絵画史　増補版』上、中公新書、二〇一七年、七三―七四頁。

6 アルベルティは一四三五年の『絵画論』で、歴史画を描くことこそ画家の最終的な目標だと論じている。

7 ジュリアン・ベル『絵とはなにか』長谷川宏訳、中央公論新社、二〇一九年（原著一九九九年）、一七―二五頁。

8 Jacques Lacan, *Le Séminaire, Livre XI: Les quatre concepts fondamentaux de la psychanalyse 1964*, Paris: Edition du Seuil, 1973, p.60.

第9章　なぜ何かがあるのか

1 現れとしてのイデア

われわれは一九世紀の絵画を貫く写実主義《レアリスム》について考えている。写実主義への衝動を導いているのは、どのような論理なのか。どうして、一九世紀の画家たちは写実的な絵画を描くことに情熱を燃やしたのか。

一般に、芸術は「自然の模倣」であるとされ、写実的な絵画については、とりわけこのような規定がよく当てはまるように思える。が、絵画のライバル、絵画が「それ」に似ることによって対抗しようとしている対象は、生《なま》の自然の事物ではなく、「イデア」であるはずだ。ジャック・ラカンが「ゼウクシスとパラシオス」のエピソードについて論じていたことに言及しつつ、前章でこのように主張した。絵画のライバルを「イデア」と見定めなくては、わざわざ描こうという画家の情熱を説明することができなくなる。このイデアの極限、イデアの中のイデア、すべてのイデアを集約する「一なるイデア」こそが、超越的な唯一神だ。

しかし、このような理解を前提にしたとき、写実主義には逆説がある。知覚に対して現れていることが、そのまま正確に、そして具象的に描かれたとき、その絵に、「現れを超えたもの」としてのイデアを見出すことは困難になる。この困難——というより不可能性——の厳密に論理的な表現こそは、前章で解説した（第2節）、「神の存在の存在論的証明」に対するカントの批判である。直観（知覚・感覚）を通じて確認される実在は、常に偶然的である。つまり、直観によって、神やイデアの要件となる「必然的な存在」を証明することはできない。

この困難を、論理的推論という迂遠な回路を経由せずに、直ちに理解できるかたちで提示しているのが、クールベの『世界の起源』だ。女性の裸の身体は、すべてを完全には露出させない限りにおいて、とりわけ男の視覚的な欲望が差し向けられるその対象（女性器）を隠している限りにおいて、イデアにふさわしい崇高なイメージを宿すことになる。女性の身体によってイデアを代表させるためには、何かが——とりわけ男の「見たい」という欲望が集中する部位が——直観（視覚）を満たしてはいない、という条件を必要とする……このように思える。少なくともこの部位に関しては、写実主義の原則が貫徹してはならない、と。ところが、クールベは「世界の起源」で、あっさりとこの禁忌を破ってしまう。「例外」として排除されていた部位（女性器）に対しても——とりわけその部位に対してこそ——写実主義を躊躇なく適用したときに得られるのが、「世界の起源」である。

だから、写実主義の衝動には矛盾が孕まれている。一方では、絵画は、イデアを目指し、イデアを写そうとしている。しかし、他方で、写実への執着は、絵画のイデアへの接近を困難にし、ついには不可能なものにする……はずではないか。「世界の起源」は、写実主義のこうした矛盾の直接の具体化である。写実主義への衝動は、どうして宿るのか。写実主義的な絵画は、いかなる意味において可能だったのか。

＊

この問題は、次のように考えない限り解くことができない。対象の現れ——写実的な絵画ができうる限り忠実に再現しようとしている現象そのもの——へと接近することによって、同時にイデアへも接近する、というような逆説の回路があるのだ、と。「現れ／イデア」を——あるいはカント風に「現象／物自体」と表現してもよいだろう——、互いに否定しあうような二項の間の対立として解釈している限り、写実主義（への衝動）という謎は解くことができない。一般に受容されているのは次のような図式だ。一方の極に、イデアが存在し、他方の極に、（対象の）現れがある。そして、「もうひとつの現れ」であるほかない造形芸術は、言わばイデアに憧れ、イデアに近づこうとしており、その接近の度合いによって「美」として成功している。——これが、一般的な構図だが、これをもとに考えている間は、決して写実主義は説明できない。とすれば、どのように事態を捉え直せばよいのか。

「現れ／イデア」という二元性はある。そう考えなければ、何ものかを美しいと直感し、美しきものを創造しようとする欲望は理解できまい。と同時に、次のように見るべきである。「現れ／イデア」という二元性が、それ自体、現れのうちに内在しているのだ、と。現れのうちに、自己を否定し、自らをイデアへと超克していく運動が孕まれているのである。そう考えないと、現れに対して忠実であろうとする写実主義が、美への探求として成立しうる理由は理解できない。イデアは、したがって、「事物」のように存在しているわけではない。イデアは、現象そのものに内在する、現象の（自己否定の）運動だ。したがって、それは、「事物」よりも、むしろ「出来事」に近い。

イデアについてのこのような理解は、実のところ——私の解釈では——ジル・ドゥルーズが『意味の論理学』で論じていることと同じである。*1 ドゥルーズのこの書のねらいは、ストア派の哲学（の独特な読解）を媒介にして、プラトンの二元論をひっくり返すことにある。プラトンの二元論とは、言うまでもなく、ここまで批判の対象としてきたこと、つまり「永遠のイデア」と「感覚されたリアリティの内にあるイデアの模倣」との間の二元論だ。これを、「実体的な物」と「意味 sens が生起する表面」との二元論に置き換えよう、というわけだ。「イデア」に対応しているのは、もちろん、「意味《サンス》」である。ドゥルーズによれば、意味《サンス》は、表面（の効果）である。この主張は、われわれがここに述べてきたことと、つまりイデアは現れ（表面）に内在している、現れの自己否定だ、ということと同一の趣旨である。だから、表面としての意味《サンス》は、（事物のように）実在すること exister はなく、ただ（現象のうちに）存続する subsister のみだ、と言われることになる。*2

こうした抽象的な解説では、しかし、理解は困難だろう。イデアと現れの対立が現れに内在しており、現れが自ら以上のものへと自己否定的に展開する出来事こそがイデアである、と述べているわけだが、それがどんな状態を指すのか、具体的な作品を例にとって説明してみよう。もっとも、議論の骨格を最初に把握するための素材としては、われわれがいま主題としている一九世紀の絵画は適切ではない。わかりやすさを優先させるために、ここでは、ダイナミズムが誇張されて見えてくる例を使ってみよう。つまり時代を少しだけ先取りし、二〇世紀の前半に属する例を用いることにしよう。

ピカソに「牡牛シリーズ」とでも呼ぶべき、一連のリトグラフ作品がある（図9－1）。横から見た（右向きの）牡牛を描いた十一枚のリトグラフだが、それらは一定の順序で見られることを意図されている。最初の方には、具象的で写実的に牡牛が描かれた絵が置かれる。最初の二枚は、ごく普通の写実的な絵に見え、とりわけ二枚目は細部までていねいに描き込まれている。三枚目になると、筋肉や頭部の特徴が誇張されるが、これもなお写実性の範囲にとどまっている。だが、さらにリトグラフの列を追っていくと、牡牛の図は、次第に単純化されていく。中間の四枚目から六枚目あたりは、牡牛は、筋肉に対応する複数の平面を組み合わせて描写されており、板金でできた立体的な模型のように見える。後半のリトグラフでは、「板金」のごとき印象を与えていた平面性が徐々に脱落し、板金の輪郭だけが、幾何学的な線として残る。ここからは、もはや立体感が、つまり奥行きがほとんど感じられない。九枚目以降は、牡牛の輪郭や筋肉の筋に対応する直線や滑らかな曲線だけで構成されていて、針金細工のようだ。最後の一枚のリトグラフは、「針金細工」として見たとしても、これ以上にありえないほど単純化されており、輪郭に対応する粗雑な線しか残していない。この最後の「牡牛」は、上下が反転した台形状の図形から数本のひげのような線が飛び出しているだけなので、標準的な写実主義の基準を適用すれば、それは、牡牛とは全然似ていない。しかし、この最後のリトグラフ図からでも、われわれは直ちに、それが牡牛だとわかる。このときわれわれは、この針金のような線に、牡牛のイデアを直観しているのだ。第一次近似としては、「牡牛シリーズ」に関して、「最初の方に置かれたリトグラフは、牡牛の現れを具象的に描いたものであり、後の方のリトグラフに向かうにしたがって、より純粋にイデアが、つまり牡牛の牡牛たる所以を決定しているフォルムが抽出されている」と

図９－１　ピカソ「牡牛」
（1945-46 年制作／リトグラフ）

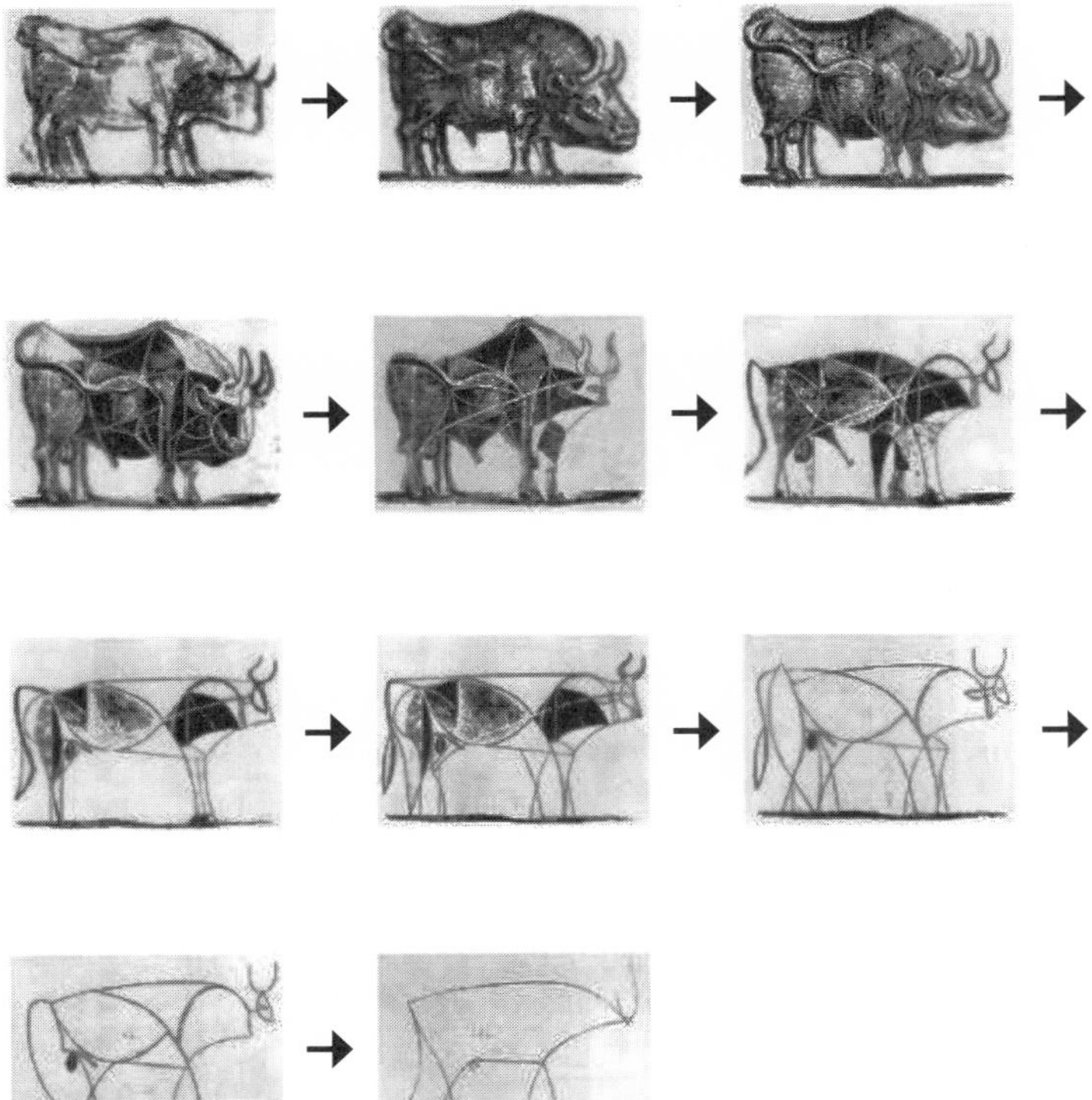

言ってもよいだろう。

だが、こう捉えた後に、この第一次近似の表現は、次のより厳密なものに置き換えられなくてはならない。最初の具象的で写実的な牡牛から、最後のごく単純で抽象的な幾何学図形のような牡牛までの動き、この動きが、どの個別のリトグラフにも宿っている、と見なくてはならない。たとえば、冒頭の二枚のきわめて具象的で写実的な牡牛のリトグラフに、すでに、最後の針金のようなリトグラフの方へと向かう傾向が、ポテンシャルとして宿っているのである。数学的な比喩を使えば、これは、ある関数（のグラフ）の特定の一点に接線を引くようなものである。一点を他から独立に、それだけで見れば、まったく静的なものに見える。だが、それを関数（のグラフ）の中の一点と見なすと、そして、その一点を接点とする接線を引けば、この点そのものに、動きが、どこか特定の方向へと向かう動きが孕まれていることがわかる。これと同じように、どの個別のリトグラフにも、「具象的な現れ→抽象的なイデア」という運動が孕まれている。これが、現れ（この場合には一つずつのリトグラフにあたる）に、「現れ／イデア」という二元性が書き込まれている状態である。

写実主義は、この二元性への最も素直な対応である。「現れ／イデア」という対立自体が、現れに刻まれているのであれば、現れの正確な描写こそが、イデアへの接近をも含意しているからだ。

2　目的なき合目的性とその向こう側

美とイデアの間の関係をこのように把握しておくと、哲学史上最もよく知られた「美の定義」

が、ほんとうのところ何を意味しているのかが明らかになる。美とは何か？　これに対する最も鮮やかな回答は、カントの『判断力批判』の中で与えられる。*3 いわゆる三批判書の最終巻にあたるこの書物の前半は、趣味判断の「批判」に充てられる。趣味とは、「美しいものを判定する能力」である。その趣味判断を、カントは、「カテゴリー表」の四つの契機、すなわち「質」「量」「関係」「様相」のそれぞれに即して、律儀に分析している。したがって、美も四つの角度から規定されるのだが、「関係」の契機に対応した美の定義がまことに見事で、広く知られるところとなった。美とは、「目的なき合目的性」である、と。

この定義は、われわれが何かを美しいと感受しているとき、どのような判断が働いているのかを、まことに見事に言い当てている。美しいものには、何か外的な目的があるわけではない。つまり何かの目的によく貢献しているがゆえに美しいと判定されるわけではない。それに対して、道具には目的がある。たとえば机は、特定の目的――その上で文書を読んだり作成したりする等――にふさわしい形や機能をもっている。上面が完全に水平で一定の広がりをもっているとか、四本の脚が適切な高さになっていて、それらに支えられた上面が、平均的な成人が腰かけたときにちょうど臍のあたりにくるようになっているとか、である。このように形状や機能によって、外的な目的に適合できなければ、それは机としては失格だ（つまりそれはもはや机ではない）。これが、普通の合目的性、つまり目的のある合目的性である。しかし、美しいものは、何かの目的に依存して存在しているわけではない。それにもかかわらず、われわれは何らかの対象に関して、まさに「ふさわしい」という快い印象をもつことがある。それが、（その対象が）美しい、ということである。このとき、特定の外的な目的がないのに、合目的性の形式だけがある。

カントによる、この「美の定義」は簡潔でまことに見事だ。しかし、核心部に謎を残している。目的をもたないのに、合目的的だということは、端的に矛盾に感じられるのだ。しかし、ここで述べてきたこと、つまり現れとイデアの間の関係についてのここまでの考察が、この矛盾を解消する。

美しい物にわれわれが見出す合目的性とは、その物の、イデアに対する適合性のことである。その物のイデア——その物のあるべき姿——に対して、実際に現れている物が十分に適合している、つまりイデアに近づこうとしている、と見えるならば、その物は美しい。だが、「イデア」は、今ここに現れている物の外部に、設計図のように先在しているわけではない。イデアは、その物の現れそのものに随伴している「現れの否定」、その物の現象が必然的に帯びる「その物以外の——あるいはその物以上の——何か」である。つまり、イデアは、その物の現れから独立に定義できる外的な目的ではない。もう一度、ピカソの牡牛のリトグラフのシリーズを眺めてみよう。初めから、最後のリトグラフが前提になっていて、それを目指して、リトグラフがなんども作り直されているのであれば、その最後のリトグラフは、外的な目的だということになる。しかし、実態はそうではなく、最初の具象的なリトグラフが書かれているときにすでに、そのリトグラフにあるダイナミズムが内在しており、そのダイナミズムを規定しているベクトルを延長させると、その指し示す先に、最後のシンプルな針金状の牡牛が現れるのだ。目的のように見える状態は、現れ（個々のリトグラフ）の後に派生する。こうして、美しい物は、合目的性はあるが、目的はもたない、ということになるのだ。

第7章で述べたように、「美」の体験のさらに向こう側に、美を超える美ともいうべき「崇高」

の体験がある。美的な対象は、「快」の感情を引き起こす。それに対して、「不快」の感情そのもののうちに「快」を見出すとすれば、そのとき主題となっている対象は、崇高である。崇高は、超越的な神に対したときの感情だ。

崇高な対象もまた、「(目的なき)合目的性」との関連で規定することができる。簡単に言えば、合目的性が崩壊しているとき、つまり、対象が反目的的に見えるとき、その対象は崇高なものとして現れる。ここで、反目的的であるということは、端的に合目的性がない、ということとは違う。そうではなく、いかなる地上的な目的をも超えて、さらにその先の目的を指向しているかのように現れているとき、崇高という感情が不可避に生じてくるのである。その意味では、崇高は、超目的的というべきであり、なお、美の合目的性を強化し、延長したところに出現していると解することができる。

*

ここまで準備しておけば、懸案の問いに応ずることができる。ドストエフスキーの『白痴』で、ナスターシャは殺され、腐臭を発する無残な屍体となる。ホルバインの絵にあるような醜悪な屍体に、である。にもかかわらず、小説は暗示しているのであった。彼女は、キリストのごとく、あるいはキリストとして復活する、と。この逆説を規定している論理は何か。これがわれわれの残しておいた問いであった。

一九世紀の美術史に即してここでごく簡単に述べてきたこととの関連を見れば、ナスターシャの屍体は、クールベの「世界の起源」に対応させることができる。絵画の写実性が徹底されればされるほど、いま視覚に対して与えられ、立ち現れているその絵画の向こう側に、「イデア（＝神）」があらかじめ自存していた、という幻想を維持することが、どんどん困難なものになっていく。それでも、絵画の究極の指示対象が――裸の女の身体の核心部にある性器が――、ただ暗示されるだけで、直接に描写されることがなければ、こうした幻想が、つまりイデアが独立に先在しているという幻想が、働く余地が残される。クールベは、しかし、この最後の砦をあっさりと打ち壊し、その指示対象を写実的に描いてしまった。典型的な美の反映が（幻想的に）投射されていたその場所には、嫌悪感を引き起こさざるをえないようなグロテスクな対象が、生々しく、写実的に描かれてしまったのだ。[*4] 悪臭を発し、吐き気すらも起こさせるナスターシャの屍体は、クールベが描いたグロテスクな性器のようなものである。

だが、述べてきたように、イデアは、現れの外部に、独立の存在論的な身分をもつわけではなく、現れそのものの内部で、現れの内的な亀裂として発生するのだとしたらどうであろうか。そうだとすれば、グロテスクな対象の現れを通じても、その現れに内在するかたちで、イデアが生起する蓋然性は残っているはずだ。現れの外部に、イデアの幻想を投射する場所（たとえば、単に暗示されるだけで描写されることのない性器）を用意しておく必要はない。クールベは、いちかばちかの賭けに出ているのだ。これでもなおイデアは発生するはずだ、と。つまり、これもまた、なお美しいはずだ、と。『白痴』のナスターシャの死に関しても、同じような賭けがなされている。この屍体を、イデア的な対象に、そして神に反転させることができるのか、と。

クールベは賭けに勝ったのだろうか。少なくとも、勝つ可能性はあった、と言わねばなるまい。理想化された美的対象のイメージが投射されるべき場所に、生々しい嫌悪の対象を描いたときに、最初に引き起こされる反応は、こうであろう。「こんなものが芸術であろうか！」と。こうした反応は、失敗を、賭けの敗北を含意しているように見える。が、そうではない。この懐疑や否定の反応を通じて、人は、「芸術」に、つまり美を定義するイデアに触れ、その特権性を自覚するからである。同じことは、『白痴』についても言える。たとえば、ホルバインが描いた、醜悪な「死せるキリスト」の絵を見たとき、人が思うことは、「これが復活するのか？」「これが神か？」という懐疑や否定である。しかし、この懐疑や否定の前提になっている不調和の感覚において、つまり眼前の惨めな屍体と神であるべきものとの間に極端な齟齬があるという経験を通じて、人は、超越的で特権的な対象の存在を自覚している。つまり、このとき、すでに神の存在が前提になっている。ナスターシャの死も、こうしたメカニズムを通じて、ムイシキンやロゴージンに、神の措定を促したに違いない。

3　究極の問いへの答え

イデアと現れの関係についての以上の設定を前提にすることで、一九世紀の美術史のこの後の展開をも説明することができる。つまり、印象派が流行し、それが内側から克服されていく過程が、どのようなダイナミズムによって規定されていたのか、ということを説明することが可能になる。が、この主題へと論を進める前に、考察しておきたいことがある。

「イデアと現れ」の関係をここに論じたようなかたちで捉え直しておくと、つまり、プラトンの本来の設定を述べてきたような着想で転回させておくと、哲学と神学の歴史の中の最も大きな問題に答えを与えることができる。少なくとも、答えのための有力なヒントを得ることができる。その根本問題とはこうだ。なぜ何もないのではなく、何かがあるのか？　なぜ無ではなく有なのか？

これほど大きな問いはない。われわれはこのシリーズの中で、一度、この問いに言及している。『近世篇』第17章第3節において、である。『近世篇』で話題にしたのは、この問いを明晰に定式化したのが、古典主義時代のエピステーメーを代表する哲学者ライプニッツだったからである。[*5]いずれにせよ、古典主義時代の認識の布置を前提にしたときには、この問いに答えることはできない。カントの哲学も、この問いに対しては無力である。では、どのように答えたらよいのか。

この問いが前提にしているのは、（広義の）本質と現れの二元論である。ここまで「イデア」と呼んできたものも、「本質」の一ヴァリエーションである。この二元論において、現れは仮象であり、影であって、真の存在ではない。カントの「現象／物自体」という対もまた、「現れ／本質」のダイコトミーの一種である。この二元論において、真に実在しているのは、もちろん、本質の方だ。現れは、本質を反映している。つまり、現れは、本質を背景にして、はじめてまさに（それの）現れたりうるのだ。

だが、事態が、こうした通念とは異なり、第1節で述べた通りであるとすれば、どうなるのか。つまり、本質（イデア）は、現れの変形した姿以外の何ものでもないとしたら。本質とは、結局、自ら自身へと反省的に折れ返り、自らに対立している現れそのものであるとしたら。このとき、すべての物は、結局、無から、無を背景にして現れている、と言わなくてはならない。現れの背景となる実在として「本質」を前提にできず、かえって、その「本質」こそが、実在としての資格をもたない現れの一種だからだ。

そうだとすると、先の根本問題への答えはこうなるはずだ。ほんとうは無だけがあるのだ、と。何もないわけではなく、何かがある（ように見える）のはどうしてなのかと言えば、無こそが有の様相をとるからである。言ってみれば、無から始まり、無が無と対立するという過程のみが、つまり無の戯れの過程のみがある。このとき、無（現れに過ぎないもの）は、有（本質・イデア）という形式を帯びるほかない。何もないわけではなく、何かがあるのは、逆説的ではあるが、「何もない」の方に論理的なプライオリティ（先行性）があるからだ。

このような議論は、仏教に似ている、と思うかもしれない。あらゆる実体の実在を否定し、その底に「空」を見据える仏教に、である。ここは、仏教が発展させた理論について詳しく検討すべき場所ではないし、その余裕はないが、いま述べていることは、仏教の世界観とは、似て非なるものである。仏教の多様な理論をひとしなみに扱う暴力性を寛恕してもらい、基本的な相違だけは指摘させてもらおう。第一に、われわれのここでの議論の主眼は、すべてを無や空に還元することよりも、逆に、実在に一定の権利があることを確認することにある。すべてが仮象であるとか、無・空であるとかと認識することは、それほど難しくはない。ふしぎなのは、その無であるものが、正反対の有の様相をとるしかない、という逆説である。

第二に、仏教的な「空」は、永遠の平安だが、われわれがここで主題的に論じている「無」は、逆に、葛藤を内在させている。述べてきたように、現れは、自らに対する否定を内に孕む、と考えなくてはならない。現れが「無」であるのは、それが内在的に矛盾しているがために、いかなる同一性をももちえないからである。

＊

本章で、われわれはドゥルーズの『意味の論理学』を参照した。この書物が積極的に継承しようとしている古代西洋の理論の方が、われわれがここで述べていることと整合的に接続する。たとえば、デモクリトス、エピキュロス、そしてルクレティウスと継承されてきた原子論。原子論は、分割不可能な単位的な実体の実在を端緒において宇宙を説明する理論なのだから、ここで述べていることとは、つまり無から無へとむかう過程から存在を説明する理論とは、真っ向から対立しているように思われるだろう。だが、ドゥルーズがとりわけ注目している「クリナメンclinamen」の観念を主軸にして、原子論を捉え直せば、ここで論じてきたことと基本的に同じ着想を、原子論に認めることもできる。クリナメンとは、原子《アトム》に加えられる不規則的な運動のことであり、これをとりわけ重視したのは、ルクレティウスだ。[*6]

原子論についての普通の解釈では、まず原子がある、というところから始まる。原子は、一般に、直線運動をしている。その上で、ときどき、直線運動からの逸脱が生ずる。その逸脱を引き起こしているものこそ、クリナメンである。要するに、まず原子があって、それに対する二次的な付加物としてクリナメンがある。だが、ドゥルーズの示唆に従って、この論理的な先後関係を逆転させてみたらどうだろうか。[*7]

つまり、原子は、クリナメンの変形された姿に他ならない、と見なすのだ。クリナメンに先立っては、何物も存在しない。何物かは――つまり原子は――、クリナメンを通じて発生し、創造される。このように、原子論を脱構築的に解釈しなおすと、われわれがここで提起してきた理論と原子論とは、近接したものになる。本質や実在は、現れに内在している葛藤から派生する、とわれわれは論じてきたのであった。この「葛藤」に対応する価値をもつ契機が、原子論においては、クリナメンである。*8

ともあれ、ここで確認しておきたいことは、現れと本質との関係についての、述べてきたような捉え返しは、哲学の根本問題に対する最終的な回答を用意しうる、ということだ。とはいえ、われわれが提起してきた理論には、まだ説明されてはいない基本的な前提がある。どうして、われわれの――つまり人間の――直観に対して与えられる「現れ」には、述べてきたような葛藤が宿るのか。「現れ」から、「現れ以上のもの」「現れに反するもの」が発生するのは、どうしてなのか。この基本的な前提が説明されなくては、理論は完結しない。しかし今は、この点を説得的に説明できる段階ではない。だが、幸いなことに、一九世紀の写実主義の運命とその変転を、もう少し後まで辿り、その過程を規定しているメカニズムを解明すると、自然と、この疑問に答えるためのヒントが得られるのだ。

4　絵画の告白

哲学上の一般的な問題を離れ、本来の筋に戻ろう。一九世紀の美術史のハイライトシーンは、印象派の登場にある。印象派の絵画は、一見、写実主義から逸脱しているように見えるが、前章で述べた通り、むしろ、印象派こそ徹底した写実主義だ。印象派の画家たちは、とりわけ、太陽の光を現れるがままに描くことに執着した。次のよく知られたエピソードは、印象派以前の写実主義者と印象派との違いを物語っており、興味深い。あるときクールベが、モネのアトリエを訪ねた（クールベは、自分より二十歳ほど若いこの画家を熱心に応援していた）。このときモネは、庭にキャンバスを出して、絵を制作している最中だった。モネは、「庭園の女たち」として後に知られることになる絵を描いていたのだ（図9−2）。だが、モネは、絵筆をもったまま立っていて、何も描こうとしない。不審に思ったクールベがモネに、なぜ描かないのかと尋ねると、モネは雲を指差して、あれのせいだと答えたという。雲によって太陽が隠れていたのである。クールベは、影の部分は後回しにして、背景だけは今のうちに描いてしまえばよいではないか、と言ったが、モネは、太陽が出てくるのを待ち続けたという。[*9] このエピソードは、二人の太陽光に対する態度の相違をよく示している。クールベにとってそれは、絵の積極的な主題にはならない外的条件だが、モネにとっては、描かれるべき対象の同一性を規定する本質的な性質である。

太陽の自然な光を画面に再現するために彼らが導入したのが、筆触分割（色彩分割）の技法である。前章で解説したことを復習しつつ述べておけば、それは、太陽光を構成しているプリズムの七色を、互いに混ぜることなく使用し、キャンバスの上にはタッチ（筆触）によってそれらの色を置いていくやり方である。混ぜると、色は暗くなり、自然の明るさを再現できなくなるからだ。しかし、混ぜなければ作ることができない色もある。中間色・混合色をどうやって表せばよいのか。そのためにこそ、タッチの併置という方法がある。混ぜられるべき複数の色を、タッチによって並べておけば、鑑賞者の眼が自発的にそれらの色を混合させ、中間色を見ることになる。赤と青が、小さなタッチによって並べられているとき、鑑賞者が見るのは、紫色である。これが筆触分割だ（図9−3）。

図9－2
モネ「庭園の女たち」（1866-67年／オルセー美術館蔵）

図9－3
ルノワール「陽光のなかの裸婦」（1875-76年／オルセー美術館蔵）

ここまでは、美術史についての教科書的な解説だ。ここでとりあえず、確認しておきたいことは、太陽光までをも描かれるべき積極的な対象にしたいという、印象派の強い欲求は、〈近代的主体〉の産出の条件となった「無限回の告白」と同じ衝動に導かれている、ということだ。かつて、ピューリタンの日記の習慣などを題材にしながら、終わることのない告白とその効果を、次のような等式によって要約しておいた（『〈主体〉』第17章）。

$$\lim_{n\to\infty}「私_n」=〈私〉$$

この等式で、「$私_n$」は、n回目の告白において「私」という主語に付された述語である。この等式は、自己意識の座としての〈内面〉――これが〈私〉である――がどのようにして個人の中に産出されるのかを表しているのであった。今ここであらためて注目しておきたいことは、どうして、告白は終わることなく反復されるのか、つまりどうしてn→∞となるのか、である。それは、先立つ告白（n回目の告白）を可能なものとしている超越論的な条件は、その後の告白（n＋1回目の告白）にとっては、告白の主題、告白されるべき内容へと転じていくからである。告白にとっての超越論的な条件とは、もちろん、〈語る私〉である。〈語る私〉は、そのたびに、「語られる私」へと変換されるが、変換しても変換しても、なお、語り尽くされない残余として残る。いずれにせよ、告白にとっての超越論的な条件、「私」が何であるかということを語るという経験を可能なものとする条件を、何としてでも、語られるべき内容へと変換しなくてはならないという執念がなければ、無限回を指向する告白など、起こりようがない。

さて、この同じ衝動を絵画の方に転移させたらどうなるか。対象に美を見出し、それを絵画として再現するという経験を可能なものにする、超越論的な条件とは何であろうか。それこそ、「光」にほかなるまい。古典主義時代（近世）の絵画は、光を絶対的な前提として成り立っている。光は、描かれるべき対象ではなく、対象が立ち現れるための条件である。フェルメールにせよ、ベラスケスにせよ、光は、絵画による対象化が可能になるための条件だ。「光」に特権を与えたのは、絵画だけではない。この時代の知は、すべて、「光」を与件とし、絶対の信頼を与えることによって成り立っていた、ということができる。この時代の知が「啓蒙 enlightenment, lumières」と呼ばれる所以はここにある。

フーコーは、古典主義時代の知を成り立たせている条件は、それ自体、絵画的な比喩に訴え、〈タブロー〉である、と述べた。〈タブロー〉とは、その上に、表象の「差異と同一性」の秩序が付与される表面のことである。その〈タブロー〉の全体としての同一性・均質性を保証している超越論的な条件は、光である。われわれは、『近世篇』では、「表象」の知を可能なものにしていたこの〈タブロー〉と、「王の政治的身体」との関連についても論じたわけだが、ここでそれを復習するのはやめておこう。

さて、今、絵画に、あの無限の告白と同じ衝動が転移されたとしたら、どうなるだろうか。絵画を描くという体験そのものにとっての超越論的な条件が、描かれるべき積極的な主題へと転ずるとしたら、どうなるか。それこそ、何としてでも、光を、そのままキャンバスの上に再現しようという、印象派の方法になるはずだ。

印象派は、一九世紀の後半に圧倒的に繁栄し、流行となり、そして自壊していく。そして、まさにその自壊によって、次の世代の絵画を用意したのだ。この発展と崩壊のドラマを規定していたのも、本章で見出した「イデアとしての現れ」の論理である。

1 ジル・ドゥルーズ『意味の論理学』上・下、小泉義之訳、河出文庫、二〇〇七年（原著一九六九年）。

2 同書、上、二二頁。

3 I・カント『判断力批判』熊野純彦訳、作品社、二〇一五年（原著一七九〇年）。

4 厳密に言えば、クールベが描いた女の身体の局部は、ごく一般的な意味でまだ十分に美しく、官能的な魅力を発散させている。クールベは、この部分の描写を、微妙な境界線の上に置いたのである。通常の意味で美しいものと嫌悪をもよおさせるリアルなものとの間の境界線上に、である。この両義性は興味深い効果をもつが、ここまで視野に入れると、本筋を見失うので、ここでは議論を単純化しておく。

5 G・ライプニッツ「事物の根本的起原」（一六九七年）、『モナドロジー・形而上学叙説』清水富雄ほか訳、中公クラシックス、二〇〇五年。山内志朗『ライプニッツ――なぜ私は世界にひとりしかいないのか』（シリーズ・哲学のエッセンス）、NHK出版、二〇〇三年。

6 このシリーズの中で、われわれはかつて一度、ルクレティウスに出会っている。『近世篇』の第4章と第5章で、ルクレティウスの写本『物の本質について』を発見したルネサンスのブックハンター、ポッジョ・ブラッチョリーニについて論じた。

7 ドゥルーズ、前掲書、下、一六二―一六七頁。

8 原子《アトム》の正体は、クリナメン以外の何ものでもない。このような主張は、たいへん神秘的なものに聞こえるかもしれない。しかし、次のように現代の物理学理論と類比させてみると、こうした存在の捉え方に、一定の合理性があることがわかる。光速は不変であり、速度の上限である。これは、物理学の基本的な公理だ。物体をどんなに加速させていっても、光速を超えることはない。ということは、物体の速度を上げていくと、あたかも、その物体の質量が増加していく――加速することが困難になっていく――かのように見える、ということである。言わば、加速から質量が発生しているかのように見えるのだ。とりわけ光子――光速で移動する粒子――の場合が興味深い。光子の質量はゼロである。この状況を、「光子は質量をすべて速度の方に還元しつくしてしまった」と記述できないわけではない。今、加速を――つまり粒子のノーマルな状態に加えられた変化を――、「クリナメン」と対応させるならば、クリナメンから質量（存在）が導かれている、と言えなくはない。

9　高階秀爾『近代絵画史　増補版』上、中公新書、二〇一七年、九七―九八頁。

第10章　美からの逃走

1　死体観察の修行

初期仏教にすでにあった修行のひとつに、墓場における死体観察がある。そんなことがどうして修行になるのか。墓場には、悪臭を放ちつつ、腐乱しているたくさんの死体がある。どんなに美しい女性の身体でも、結局は、これになる。いや、美しい女性の身体の本性は、最初から、まさにこの醜悪な死体だと言うべきだ。人はたくさんの死体を観察することを通じて、このように覚ることになる……はずだ、と仏教では想定されている。この修行は、愛欲を――とりわけ「愛欲の中の愛欲」とも見なすべき女の身体へのそれを――断つためにある。仏教によれば、すべての苦の源泉は愛欲である。

この修行とほとんど同じ含意をもった戦略を、カトリックの聖職者も採っている。官能的で美しい女性に誘惑され、肉の罪を犯しそうになったとき、彼は、この女性の身体がずっと後に、つまり何十年か後にどうなっているだろうかと想像することで、誘惑に対抗するのだ。女の肌はきっとかさかさに乾き、顔にはいくつもの皺が刻まれ、乳は垂れ、尻は弛み、等々となっているに違いない。そう思ったとたんに、欲望の火は消え去ってしまう、というわけである。仏教の修行は、このカトリックのやり方を、二つの点でさらに徹底させているが、つまり「生ける老女」よりもさらに後にある「蛆がわく死体」を、単に想像するのではなく実見することまでをも求めているのだが、両者は基本的には同じ考え方に基づいている。*1

さて、ここですぐに気づくだろう。『白痴』のナスターシャや『カラマーゾフの兄弟』のゾシマ長老は、今紹介した（仏教の）修行や（カトリック聖職者の）戦略の中に込められた認識によって、試練にさらされている、と。ナスターシャは絶世の美女だし、ゾシマ長老の人格はこの上なく高貴だが、二人とも、結局は、悪臭を放つ死体へと変容する。美女や聖人の正体は、おぞましい死体なのだ。そのことに気づけば――仏教の修行やカトリック聖職者の戦略を支える論理に従うと――、彼らを崇める気持ちも消え去るはずだ。

仏教もカトリックも、どちらも真の信仰を維持するための方法を提起したわけだが、ドストエフスキーの小説のコンテクストにおいては、これらの方法を支持する論理は、信仰を危機に陥れる。アリョーシャのゾシマ長老への尊敬は、ほとんどキリストへの信仰に近い。ムイシキンがナスターシャに見る美は、ヘーゲルの宗教論を参照しながら述べたように、崇高を媒介にして神に通じている。だが、ゾシマ長老やナスターシャを崇拝する思いが挫かれてしまえば、つまり彼らの身体が醜悪な死体へと還元されうることが示されることで、神へと向かう通路がふさがれてしまえば、信仰はもはや維持できない。「もし神が存在しなかったならば、そのときにはすべてが許されるだろう」という、『カラマーゾフの兄弟』のイワンに託したテーゼに対抗して、神の実在を直観させる、（小説の登場人物たちにとっての）唯一の根拠が、ナスターシャであり、ゾシマ長老である。ところが、今や、彼らの（死んだ）身体こそが、イワンの命題の前件「もし神が存在しなかったならば」を裏づける根拠になろうとしているのだ。

アガサ・クリスティが創作した探偵エルキュール・ポアロも、この点に関して、初期仏教やカトリックと同意見らしい。[*2]『百万ドル債券盗難事件』の中でこのことが明らかになる。[*3]百万ドル相当の米国債が、ロンドンからニューヨークへと船で運ばれる中で、何者かによって奪われてしまう。捜査を進める中で、ポアロは、犯人特定の鍵となるあることに気づく。債券をロンドンからニューヨークへと運ぶことになっていた——しかし「事故」でその任務を部下に委ねざるをえなくなった——ロンドン・スコティッシュ銀行の合同総支配人には、一人の女性看護師が付いていた。そのさえない看護師が、実は、大西洋横断の豪華客船でポアロの相棒ヘイスティングスの隣室にいて、ポアロたちと知り合いになった華やかな美女と同一人物だ、とポアロは見抜く。その美女は、鬘で変装するだけで、ごく平凡で目立たない、どちらかといえば醜い女に変身していたのだ。ポアロがこの発見を開陳しても、ヘイスティングスはにわかには信じられない。「だってミランダ〔美女の名前〕はすごくきれいだったじゃありませんか」と。しかし、やがて、ヘイスティングスも、ポアロの言っていたことが事実であると認めざるをえなくなる。

事件は解決したが、ヘイスティングスは暗く落ち込んでいる。美しい女がいくらでも自分を醜く見せることができるということは、逆も可能だということを意味しているからだ。どんなに美しい女でも、醜い女の変装かもしれない。そうだとすれば、男が美しい女を愛し、夢中になっているとき、いったい彼は何を愛していることになるのか。男は実体のない虚妄、本質を欠いた現れに心酔しているだけだ、ということになってしまうのではあるまいか。もし最愛の妻や恋人が、ほんとうはこの「美しい人」ではないのだと思うようになれば、愛は消え去ってしまうのではないか。ヘイスティングスが憂鬱になったのは、このように考えたからだ。これに対してポアロが言う。「そうじゃありません。モナミ。それは智慧（wisdom）の始まりを告げているのです」。

ヘイスティングスの憂鬱こそ、まさに智慧（の端緒）だというのだ。ここでポアロが言う「智慧」が、死体観察の修行や老女を想像する戦略と同じ認識に基づいていることは明らかだろう。美を発散しつつ現れている物の表層を剝ぎ取れば、その背後には、真の実在、醜い実体がある、と。ヘイスティングスの憂鬱を極端に誇張すれば、『白痴』の結末が暗示する問いになる。華やかで美しいミランダは、ほんとうは、あの目立たない看護師である。同様に、凄まじいまでに美しいナスターシャは、結局、悪臭を放つ遺体に還元される。それでも、ナスターシャの美しさを媒介にした神への信仰は維持されるのか。

2　「絵画の概念」としての絵画

しかし、われわれが前章で証明したこと、一九世紀の絵画の写実主義への執着という事実を経験的な証拠にしながら、そしてドゥルーズが『意味の論理学』で提起している哲学の助けを借りて証明したことは、初期仏教の死体観察の修行、カトリック聖職者の「肉の罪」への対抗戦略、そしてポアロの智慧を貫く共通の認識は肝心なポイントを外している、ということである。この点をあらためて確認しておこう。

前章でわれわれは、こう述べた。「現れ／イデア」という二重性は、それ自体、現れに内在しているのだ、と。現れそのものの内に、現れの自己否定——としてのイデア——が胚胎しているのだ。「イデア」は、ドゥルーズの「意味《サンス》」に対応している。

これに対して、一般には次のように考えられている。何ものかが美しいということは、その立ち現れている対象が、その「何もの」かのイデアを——常に不完全に——反映しているからである、と。この構図を維持するためには、現れとは独立に、イデア＝意味が実在していなくてはならない。真の実在としての資格は、現れではなく、イデアに属している。

前節に紹介してきた、美しい女に抗する諸方法、つまり仏教の死体観察の修行、肉の誘惑に抗するカトリック聖職者の戦略、ポアロの智慧は、この一般的な構図を前提にしている。それらはすべて、この構図を前提にした上で、これを否定しようとしているのだ。現れの背後には、イデアなど実在していないことを、あの手この手で証示しようとしているのである。現れの背後を探ると何を見出すのか、というと、もうひとつの現れだ。しかも、それは、イデアの片鱗を分有しているとはとうてい解しがたい端的な現れ、現れの現れたる所以が誇張された現れだ。つまり、現れの背後を探ろうとすると、脆く儚い、そして醜い現れに出会う。美女の仮面を剝ぐと、醜女が現れる。

だが、われわれが斥けたのは、これらの方法が否定の対象として前提にしていた、基本的な構図である。イデアは、現れの背後にあるわけではない。まずは、現れの背後には端的に「何もない」と認めなくてはならない。ここでもう一度、第8章でラカンに導かれながら紹介した、古代ギリシアの二人のライバル画家のことを思い起こすのがよいだろう。ゼウクシスとパラシオスは、どちらがより説得力のある絵画的イリュージョンを創作できるのかを競っていたのだった。

ゼウクシスが描いた葡萄は真に迫っており、鳥が間違えて突きにくるほどだった。だが、勝ったのはパラシオスだ。彼が描いたのはカーテン。ゼウクシスは、そのカーテンを開いて、その背後にあるはずのパラシオスの絵を見ようとしたのだが、カーテン自体がすでに、パラシオスの絵だったのである。

ゼウクシスの絵は、まだ古典的な構図の中にある。この絵は、絵の外部にある、「葡萄のイデア」に近づこうと努力している。しかし、パラシオスの絵は、この古典的な構図を脱構築し、あらたにわれわれがここで提起しようとしている構図そのものの図解になっている。つまり、それは、ヘーゲル風に言えば、絵画の概念そのものにまで高められた絵画である。絵としての現れ——カーテンの絵——の向こう側には、何もない。とするならば、「凡庸な女」としての現れを超えたところに、「美女」というイデアがあるかのような幻想をもつべきではない、というポアロの智慧がそのまま肯定されているのかと言えば、それも違う。パラシオスの絵においても、イデアの場所は確保されている。どこに？　カーテン（の絵）としての現れの場所そのものに、である。どういうことか。

ゼウクシスがパラシオスに「カーテンを開けて、君の描いたものを見せてくれたまえ」と言ったとき、彼は、このカーテンとしての現れそのものとは異なるもの、このカーテンとしての現れ以上のものが、カーテン（の現れ）の向こう側にあるかのように感じていた。しかし、カーテン（としての現れ）の背後などというものは何もなく、それは、まさにカーテンが現れていることの効果である。つまり、カーテンという現れが、現れ以外の何か、現れを否定する何かの存在を示唆しているのだ。しかし、その「カーテンを超える何か」は、カーテンの現れから独立には断じてありえない。これこそが、現れと現れの否定の二重性が、「現れ／イデア」の二重性が、現れそのものに内在している、という事態である。

ドゥルーズの哲学との対応を述べておこう。ドゥルーズの存在論は、潜在的なもの《ヴィルチュエル》と顕在的なもの《アクチュエル》の二項対立をベースにしている。この二項対立は、カントの物自体と現象（現れ）の対照とよく似ている。だが、次の点において、両者は決定的に異なっている。「潜在的なもの」、つまりイデアは、現れであるところの「顕在的なもの」に随伴してのみ、そのポジションを得るのだ。潜在的なものは、顕在的なものの影のようなものである。ドゥルーズの立場は、カントの「超越論的」という概念に逆説的なひねりを与えた、超越論的経験主義だということになる。経験に先立つ超越論的な次元（イデア）が、まさに、認識主体に対してたち現れるという経験そのものの効果としてのみ確保されているからである。*4

いずれにせよ、われわれの探究にとって重要なことは、ドゥルーズの解釈ではない。ここで述べてきた論理が、印象派の登場に至る、近代美術の写実への執着を説明してくれるということ、この点にこそ、われわれの考察の主眼がある。現れるがままの事物を描こうという情熱が生ずるのは、現れとともに、現れに内在するかたちでイデアがあるからだ。画家は、イデアに魅了されているのである。彼らはもはや、現れから独立したイデアの存在を信じてはいない。彼らはしかし、現れに対して忠実に描くことを通じて、イデアに接近することができるのだ。

そして前章にも述べたように、同じ論理は、ドストエフスキーの小説でも作用している。ナスターシャやゾシマ長老の——直接的にはグロテスクでさえある——死体の現れとともに、その影として、イデア的な対象が、そして神が生成される。ナスターシャやゾシマ長老が死に、その遺体から腐臭が発することは、それゆえ、信仰を阻害することはない。ナスターシャやゾシマ長老の死を超えて、信仰は生き延びるのである。ドストエフスキーの小説で、「父的な形象」（神）は殺されるが、「神が存在しないがゆえに何でも許される」というような状況が出来するわけではない。むしろ、神的なものは殺されることによって、ますます存在しているかのように見える。このような逆転が生ずるのは、述べてきたような論理が働いているからである。

3　美からの逃走

美しい女を前にしたとき、男はその女に対して情欲を覚える。その情欲を相対化し、沈静化するために、いくつもの方法が案出されてきた。そのいくつかをわれわれは第1節で紹介したのであった。仏教の死体観察の修行、カトリック聖職者の戦略、そしてポアロの智慧。これらについて、今や、次のように言うべきだ。これらの方法は、いずれも、神的なものからの、あるいはイデアの魅力からの逃走だった、と。このような理解は、通念に対する、あるいはこれらの方法の提唱者の自己了解に対する、根本的な捉え返しを含意している。どの辺に、捉え返しがあるのか。

これらの諸方法はすべて次のような仮定に基づいている。女の身体の美しさに魅惑されているとき、人は、一種の幻想を見ている。だが、よく見よ！　よく観察せよ！　すると、美しいと思っていたその女の身体は、皺だらけの老女の身体と、あるいは腐敗しつつある死体と、ほんとうのところ、いくらも違わないことに気づくだろう。われわれは、それ《ヽ》を美しいと見なす幻想のまどろみから脱出し、真実に目覚めなくてはならない。幻想から脱して、真実へと接近するための技法や考え方として、述べたような三つの方法がある。以上が一般的な理解であり、これらの提唱者たちの想定でもある。

だが、もし、「真実」が逆側にあるのだとしたらどうか。つまり、事物の経験的な現れに、「美」をまさに美たらしめる超越的なイデアの（潜在的な次元における）現れが不可避に随伴すること、このことにこそ真実があるのだとしたらどうだろうか。諸事物の（通常の）経験的な現れに、まるで幽霊のようにイデアの現れが必然的に伴うのだとしたらどうだろうか。事物の経験的な現れとともに、美の契機が不断に発散されているということの方に真実があるのだとしたらどうか。もっと端的に言えば、女の身体の美しさはどうしようもなく絶対的であるとしたら、どうなのか。

そうだとすれば、美しい女の身体を、凡庸な身体へと——それどころか極端な場合には腐敗しつつある死体へと——還元し、その魅力を消去することは、真実への接近ではなく、逆に、真実からの逃避だということになるはずだ。真実への覚醒だと見なされていたことは、ほんとうは、真実から目を背けることだったのだ。崇高に隣接し、崇高に到達するような美は衝撃的で、むしろ恐ろしい。「どんなに美しく見える女だって、実のところ、死にゆく身体とあまり変わらない」という認識は、この美の衝撃からの逃避以外の何ものでもない。

*

この美の衝撃からの逃避の例を、文学作品から採ってみよう。今われわれの考察が内在している歴史的なコンテクストからは外れているが、二〇世紀中盤の日本の作品をここに呼び寄せてみる。その作品とは、三島由紀夫の『金閣寺』である。この小説の主題は、まさに「美」である。『金閣寺』は、美という概念そのものの具現化として扱われる。よく知られているように、この小説は、一人称「私」で指示されている主人公——金閣寺の若い僧侶——が、美の化身たる金閣寺に放火するまでの経緯を主筋としている。が、今、ここで注目したいのは主人公の「溝口」ではなく、彼の双子的な分身であると同時に、ライバルでもある「柏木」という人物だ。[*5] 柏木は、溝口の学友であり、やはり若き僧侶、つまり禅寺の息子だ。彼は知的な人物で、妖しい哲学によって、溝口に挑戦する。柏木と溝口の間の弁証法的な対立が、この小説に哲学的な深さを与えている。溝口は、柏木の挑戦に応答し、これを乗り越えることで、金閣寺の放火を決意することになる。

柏木は、しかし、溝口の分身、溝口のもうひとつの姿でもある。このことはとりわけ、両者がともに先天的な障害を抱えており、そのことを自身のアイデンティティの核をなす条件として引き受けていることに表現されている。溝口は先天的な吃音者であり、柏木はうまれつきの内翻足だ。柏木は、溝口と初めて会話を交わしたその日に、いきなり、長々と、自分がどのようにして童貞を捨てたのか、その経緯を語る。

内翻足こそが、自分が自分である所以と見なしている柏木は、自分は他の男のように女に愛されてはならない、と考えていた。普通の五体が調った男と同じように女に愛されたいと願ったり、そういうことがありうると信じることは、自分の身体的条件（内翻足）を無視することであり、それと言わば平和的に和解してしまうことを含意しているからだ。ところが、あるとき信じがたいことが起きた。裕福な檀家の娘で、美貌で知られていた女が、柏木に愛を打ち明けたのだ。普通の男だったら喜んで、女の愛を受け入れるところだが、今述べたように、内翻足を拠り所としている柏木は、彼女を拒否せざるをえない。しかし、柏木が、「愛していない」と言えば言うほど、この美しい女は、柏木に執着してきた。

ある晩、ついに女は柏木の前に体を投げ出してきた。「彼女の体はまばゆいばかり美しかった」。だが、ここで、柏木自身もまったく予想していなかったことが起きる。柏木は、女と交わることができなかったのである。彼は（この瞬間は少なくとも）性的に不能だったのだ。おかげで、女は、柏木のことを諦めてくれたのだが、柏木自身は、自分が、女を抱けなかったことにショックを受けた。彼には、自分が不能だった理由がわかっていた。「俺は自分の内翻足が彼女の美しい足に触れるのを思つて、不能になつたのだ」。以降、彼は、俄かに、精神ではなく肉体に関心をもつようになる。そして、奇妙な仕方で童貞を破る。

彼の村に、一人で暮らしている老いた寡婦がいた。あるとき、柏木は、父親の代理として、この老婆の家を訪ね、彼女の亡父のために経をあげたことがある。このとき、いたずら心から、彼は、老婆に、自分の内翻足を拝んだ女は極楽往生することができる、と語る。信心深いこの寡婦は、柏木のでまかせを真に受け、熱心に柏木の足を拝み始めた。やがて、柏木は自分が昂奮しているのに気づいた。自分が不能になったと思っていた柏木としては、これは驚きだった。彼はいきなり老婆を突き倒し、老婆と交わった。彼の眼前には、老いた女の、化粧もしない、日焼けした顔があったが、彼の昂奮は衰えなかった。「俺はしらずしらず誘導されてゐた」と言いつつ、柏木は続ける。

だが、しらずしらず、などと文学的には云ふまい。俺は凡てを見てゐた。地獄の特色は、すみずみまで明晰に見えることだ。しかも暗黒のなかで！

老いた寡婦の皺だらけの顔は、美しくもなく、神聖でもなかつた。しかしその醜さと老いとは、何ものをも夢みてゐない俺の内的な状態に、不断の確証を与へるかのやうだつた。[*6]

こうして柏木は不能を克服し、童貞を捨てた。これ以降、柏木は、どんな女にも臆することなくアプローチし、巧みに操り、ときに性行為にまで持ち込むことができるようになった。どうして、柏木は、突然、女と性交できるようになったのか。柏木自身の自己解説によれば、ある「認識」を得たからである。その「認識」とは、あのポアロの智慧と実質的には同じものだ。どんな女も、その女がいかに美しくても、本質的には、この老婆と変わらない。これが、柏木が得たと確信した「認識」である。

さて、ここからは、われわれの観点からの分析——柏木による自己解説ではなくわれわれの観点からの解釈——である。柏木の「認識」とは、結局、女の裸のまばゆいほどの美からの逃走、その美の隠蔽にほかなるまい。柏木は、女の美しさに圧倒された。彼は最初、女の裸体と自分の内翻足との間のあまりのギャップに打ちのめされたのだ。だが、彼は、女の身体を一般的に「老いた寡婦の皺だらけの顔」のヴァリエーションと見なすことで、彼を「不能」にした美と彼自身との間の絶対的なギャップを相対化することに成功した。（老婆と交わりながら）「すみずみまで明晰に見」た、と柏木は豪語するが、そのことによって、彼は、美だけは見ずに済ませる術を獲得したのだ。

普通の人にとっては、女への欲望を小さくしたり、消したりするのに役立つ「認識」が、柏木の場合は、女との交わりを可能なものにしている。結果はこのように逆になるが、それを導く過程で生じているメカニズムは同じである。美の絶対性を還元し、美から逃避すること、これだ。最初、柏木が性的に不能になったのは、彼にとっては、美の刺激があまりにも強かったからだ。いずれにせよ、美の異様な魅力、美の圧倒的な呪縛から逃れようとしているという意味では、同じことである。

＊

美という真実からの逃避は、しかし、美の超越性を排除していることにはならない。逆である。そこからの逃避が必要になるのは、むしろ、美に魅了されているからだ。『金閣寺』の柏木のケースは、このことを露骨に示しているだろう。逃避という否定的な回路を通じて、美の、あるいは超越的なイデアの支配を受け入れていることになる。

またしても、長い回り道を走ってきたわけだが、もう一度、われわれの探究の本筋においてどのような論点が確保されたことになるのかを、確認しておこう。われわれは、ナスターシャは殺され、惨めな遺体になったとしても、いやそうなるがゆえに、——ムイシキンやロゴージンの観点から捉えたときには——キリストのように神として復活しうる、と論じてきた。これは、同時に、資本という現象の可能性条件の寓意的な表現にもなっている。『白痴』の中心にいる二人の美女の間の交替は、つまり、ムイシキン公爵が結婚しようとする女性がアグラーヤからナスターシャへと転換することは、剰余価値を伴う資本の循環の隠喩と見なすことができるからだ（第6章）。「アグラーヤ」や「ナスターシャ」は、資本の循環を通じて、廃棄され、そして（再）措定される第三者の審級に対応する。

だが、美や神といった形而上学的な主題と、資本のような世俗の問題とでは、あまりにもかけ離れていないか。両者が、同じ論理の中で説明できるのはどうしてなのか。この疑問に対しては、すでに繰り返し答えてきた。資本は、世俗の経済的な利害（のみ）によって説明される現象では断じてない。ヴェーバーが述べているように、ベンヤミンがさらに強く主張しているように、そして彼らに先立ってマルクスが暗示していたように、資本主義こそ、すぐれて宗教的な現象である。神の無意識の効力が持続するメカニズムについての説明が、そのまま資本の運動を解釈するために活用できるのは、むしろ当然のことである。

4 「語ること」と「示すこと」

さて、一九世紀の美術史に立ち戻り、その流れを規定している論理をもう少し粘り強く抽出しておきたい。われわれは、この世紀の後半に流行する印象派の絵画は、写実主義《レアリスム》の極点だ、と述べてきた。印象派の画家たちは、絵画的な再現を可能ならしめる超越論的な条件も含めて、写実的に描こうとしたのだ、と（前章第4節）。

だが、このような解釈には、異論もあるはずだ。印象派に分類される絵画よりも、それ以前の絵画、一九世紀中盤までの絵画の方が、写実的な正確さという基準で測れば、はるかに勝っているように見えるからだ。美術史の標準的・教科書的な分類では、固有の意味での写実主義——ここでのわれわれの用法とは異なる狭義の写実主義——には、われわれも少しく検討したクールベをはじめ、コローやミレー、ドーミエなどが含まれる。クールベやミレーの絵とモネやルノワールの絵を比較してみるとよい。後者の印象派の絵よりも、前者の画家たちの絵の方が、明らかに正確に対象を再現しているように見える。狭義の「写実主義」の画家たちが、彼らの先行者として、あるいは同時代者として批判し、克服しようとした画家、つまり、ロマン主義や新古典派の絵でさえも、印象派よりはずっと写実的だ。このことは、印象派の画家たちも自覚していただろう。たとえば、印象派的な技法にきわめて忠実だったルノワールは、やがて、この技法によっては対象の輪郭を正確に描写することができないと思うようになり、一時期、新古典派のアングルを手本とするようになる。そして「アングル」を経由した後でさえも、ルノワールは、写真的な正確さという点では、アングルよりも劣っている（図10－1、図10－2）。

印象派は、写実主義を、狭義の「写実主義」を超えて徹底させているように見える。それなのに、彼らの絵は、十分に写実的ではない。この矛盾をどのように理解すればよいのか。この矛盾に対する最も基本的な説明は、ヴィトゲンシュタインの『論理哲学論考』の中で与えられている。[*7]ヴィトゲンシュタインは、言語について述べている。そのことは、絵画を含む芸術にもそっくりそのまま当てはまる。

四・一二の番号を与えられた断章では、次のように主張されている。

四・一二　命題は現実をすべて描写しうる。しかし、現実を描写するために命題が現実と共

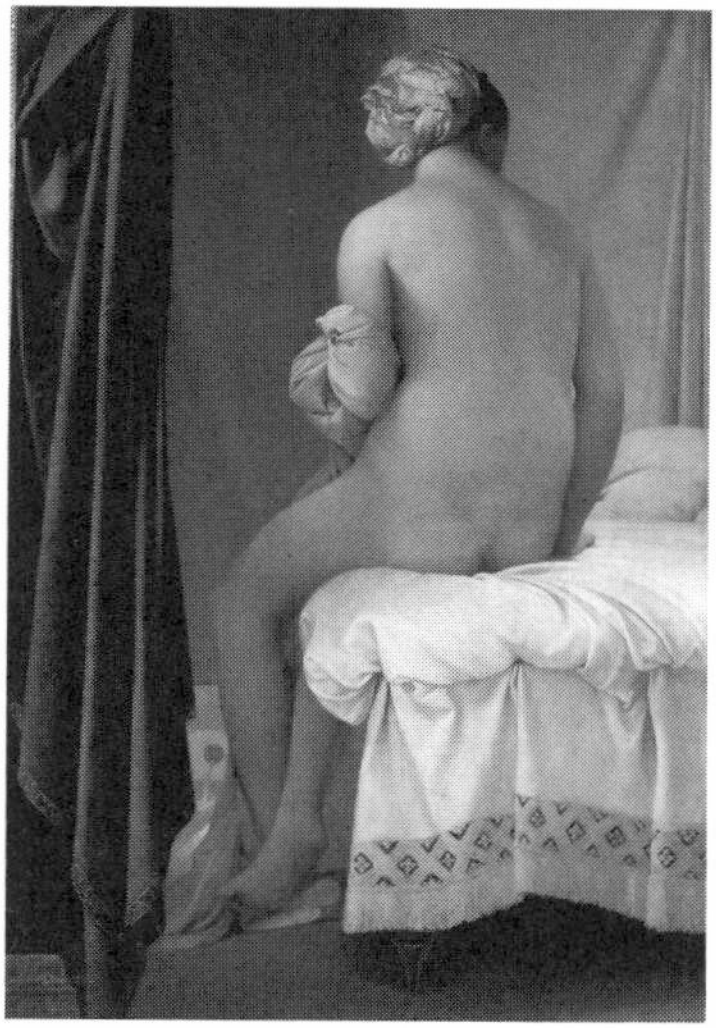

図10−1　アングル「浴女」(1808年／ルーヴル美術館蔵)

図10−2　ルノワール「すわる水浴の女」(1914年／アーティゾン美術館蔵)

有せねばならないもの——論理形式——を描写することはできない。

論理形式を描写しうるには、われわれはその命題とともに論理の外側に、すなわち世界の外側に、立ちうるのでなければならない。

これによれば、命題は、つまり言語は現実をすべて描写することができる。その理由も書かれている。言語と現実とが「論理形式」を共有しているからだ。論理形式の共有とは、どういうことなのか、このことは、引用した断片からだけではすぐには理解できない。しかし、「命題」の部分を「絵画」に置き換えれば、述べていることはきわめて簡単なことである。絵画は、現実のすべてを、たとえば「水浴する女」を再現することができる。どうして可能なのかと言えば、現実の「水浴している女」とそれを描写する絵とは、同じ「絵画的な形式」を共有しているからだ。要するに、絵と現実が、同じような視覚的な像を与えることができるからだ。

では、現実と命題が同じ論理形式を共有している、とはどういうことなのか。ひとつの事実に対しては、ひとつの命題が対応している。命題とは、文——それについて真偽を言うことができるような文——である。さらにひとつの事実は、いくつもの独立の事態（状況）に分解することができる。それとまったく同じように、ひとつの命題は、要素命題へと分解することができる。要素命題とは、「否定」（〜ではない）とか、「または」「かつ」などの接続詞とか、「量化」された（「すべての」とか「ある〜」とかと限定された）主語とかをもつ前の命題、という意味だ。個々の事態に対応している要素命題を複合させていけば、「事実」と同じ論理形式をもつ命題を組み立てることができる。その命題は、現実を描写していることになる。

引用した断章の中で、より興味深いのは、後半の主張である。今述べたように、「論理形式」は、描写する行為を可能にする条件だ。その論理形式そのものを描写するためには、われわれは世界の外側に立つことができなくてはならない、とされている。もちろん、世界の外側に出ることなど不可能だ。したがって、ここで、論理形式を描写することは不可能だ、とヴィトゲンシュタインは主張していることになる。

引き続いて、四・一二一の番号をもつ断章で、次のように述べられる。番号からもわかるように、これは、先の引用の細部のさらなる展開である。とりわけ、ここには、「論理形式の描写不可能性」について、もう少し繊細な説明が加えられている。

> 四・一二一　命題は論理形式を描写できない。論理形式は命題に反映されている。
> 言語に反映されていることを、われわれは描写できない。
> 言語において自ずから姿を現しているもの、それをわれわれが言語で表現することはできない。
> 命題は現実の論理形式を示す。
> 命題はそれを提示する。

これによると、論理形式は命題によって描写はされえないが、命題に反映されている。どういうことなのだろうか。「命題に反映されている」ということは、命題が示すことである。と、このように言い換えられている。ヴィトゲンシュタインは、語ること（sagen,〔英〕say）と示すこと（zeigen,〔英〕show）の間に明確な区別を打ち立てている。「描写する」に対応しているのは、前者、「語ること」である。命題は、これこれしかじかの事実を語り、描写することができる。しかし、その語りという行為を条件づける論理形式については、命題は、まさに語ることにおいて示すしかない。今引用した四・一二一のさらなる派生として、もっとも強いことが主張される。「示されうるものは、語られえない」（四・一二一二）。「示す」という形式で表出されることは、語り得ないことだ、ということになる。

これらの断章は、なお難解だ。『論考』の叙述を離れて、具体例で解説してみよう。理解に際して、もう一度、「論理形式」は、語るという主体的行為を成り立たせている条件だということを思い起こしておく必要がある。たとえば、好きで好きで仕方がない相手に、愛を告白する場面を思うとよい。「私はあなたを愛している」と語るわけだが、そんな一般的でニュートラルな記述によっては、この思いは到底、伝えられない。そこで私は、私にとってあなたがどんなに素晴らしいのか、どんなにかけがえがないのかを、言葉を尽くして語るのだが、どう語っても、不足感・欠落感が残る。ときには口ごもったり、黙ってしまったりもするだろう。要するに、私のあなたへの愛は語り得ないのだ。ならば、私の愛は、あなたにまったく伝わらないのだろうか。そんなことはない。私が語ることに失敗しているということ、うまく言うことができず苦戦しているということを通じて、私の愛は十分に示されているからだ。これが、語られえないものが示されている、という状況だ。

どうして、私のあなたへの愛を語ることができないのか。私によって語られるべき内容が「愛」なのではなく、あなたに語りたい、あなたに告白しないではいられないという主体的な衝動こそが愛だからだ。したがって、語ることと示すこととの差異は、発話された内容（発話された文の中の主語に付せられる述語）と発話する主体との間の必然的なギャップとして、一般化して捉えておくことができる。語ることと示すこととの差異は、常にある。その極端なケースを、バートランド・ラッセルが挙げている。独我論の正当性を情熱的に主張し、論文に書く哲学者、という例がそれである。発話されている内容、語られていることは、独我論だが、それを他者たちに説得するという態度によって、独我論の否定こそが示されていることになる。

さて、われわれの関心は、今、絵画に、とりわけ印象派にあるのだった。印象派は、前章で述べたように、光をも描こうとした。光は、見るという経験を可能にしている超越論的条件であって、言語の領域と対応させるならば「論理形式」（の一部）である。論理形式は、語り得ない。同じように、光のような超越論的条件は、描かれている絵の内容のうちに再現されえない。しかし、語り得ないことは示されうるのだった。このことに対応する、芸術的な事実は何か。再現できないこと、描写できないことは、芸術的な再現という行為を構成する「様式《スタイル》」のうちに、刻みこまれるのだ。たとえば、光は、絵画の内容として描かれているというより、印象派を特徴づける技法――筆触分割を中核におく技法――のうちに痕跡をとどめている。

その際、必然的に、描かれている対象には歪みが生ずる。つまり、事実や事態の「再現」という観点からすると、むしろ失敗と見なされるような破綻が生ずるのだ。このことは、もう一度、「愛の告白」という例と対比させると理解できるだろう。私が告白している愛が本当らしいのは、私がうまく語ることができないから、私の語りに歪みがあるからだ。もし私が、沈黙や過剰な反復や口ごもりもなく、すらすらと愛を告白できたとすると、そこで示されている愛は、むしろ

「嘘っぽい」と感じられるだろう。われわれは、「語ること」の次元に属する「真(／偽)」とは別に、「示すこと」の次元に属する「本当らしさ」という基準があることに気づく。後者は前者を犠牲にして得ることができる。言語的な発話において見出されるこのことは、絵画でも同様に成り立つ。印象派が、写実主義を徹底させたとき――つまり「本当らしさ」を追求したとき――、通常の意味での写実性が――つまり「真」の次元が――失われるのは、このためである。

『論理哲学論考』の結論、最後の言明はよく知られている。「語りえぬものについては、沈黙せねばならない」。だが、ヴィトゲンシュタインは、「語ること」との関係では沈黙で応ずるほかないこと、語りが不可能なことについて、「示すこと」はできる、いやむしろ示されねばならない、とも述べていたのだ。絵画の内容や主題のうちに再現が不可能なことについて、絵画的に示そうとしたのが印象派だ。ここには、(描写という点では)不可能への挑戦がある。それゆえ、印象派は不可避に変容し、自壊せざるをえない。印象派がどのようにして内側から壊れ、それが乗り越えられていくのか。このダイナミズムを規定している原理を抽出できると、一九世紀の社会の変容を総体として読み解く鍵を得ることができる。

1　プラトンだったらきっと称賛したに違いないと言われている哲人皇帝、ストア派のローマ皇帝マルクス・アウレーリウスは、同じ戦略を、性的な欲望に対してだけではなく、食欲などを含む欲望の一般に抵抗するために採用し、自分の人生の指針のひとつとしていた。彼の有名な『自省録』(第六巻十三項)は、美味しそうな料理を前にしたときには、それらが「魚の死体」や「鳥または豚の死体」であると思い、銘酒に対しては、それが「葡萄の房の汁」であることを自覚し、紫に染色された高価な服は、「貝の血に浸した羊の毛」であることを思い起こし、性的な交合は、「内部の摩擦といくらかの痙攣を伴う粘液の分泌」だと看破すべきだ、と勧めている。つまり「物事があまりにも信頼すべく見えるときにはこれを赤裸々の姿にしてその取るに足らぬことを見きわめ、その〔賞讃される所以のもの〕を剝ぎ取ってしまうべきである」（神谷美恵子訳、岩波文庫）と。

2　以下のポアロの分析については、次の拙著を参照。大澤真幸『三島由紀夫　ふたつの謎』集英社新書、二〇一八年、一六五—一六六頁。

3　以下は、クリスティの原作小説ではなく、London Weekend Television が制作したテレビドラマ版をもとにしている。

4　Marc Rölli, *Gilles Deleuze: Philosophie des transzendentalen Empirismus*, Wien: Verlag Turia+Kant, 2012.

5　『金閣寺』の読解の詳細は、大澤、前掲書、一四八—一九八頁。とりわけ、「柏木」については、同書、一六〇—一七一頁。

6　三島由紀夫「金閣寺」『決定版　三島由紀夫全集』第六巻、新潮社、二〇〇一年。

7　ウィトゲンシュタイン『論理哲学論考』野矢茂樹訳、岩波文庫、二〇〇三年。

第11章　「睡蓮」と「山」

1　ゼノンのパラドクスに抗して

クロード・モネは、印象派の技法に忠実に従い、その可能性を最後まで徹底して追求した画家だった。そのモネの絵画、とりわけ晩年の絵画は、古代ギリシアのエレア派の哲人ゼノンの名で知られているパラドクスへの挑戦として解釈することができる。モネが意図的に、そのような哲学的な実験を試みた、というわけではない。ただ、実際に彼が実行したことは、客観的にはそのように解釈することができる、ということである。

二千五百年前にゼノンが提起したと言われる、運動と時間をめぐるパラドクスは、「飛矢は飛ばず」「アキレスは亀に追いつかず」等と、きわめて劇的な仕方で表現されている。任意のどの瞬間をとっても、飛矢は、空間内の特定の一点を占めている――つまりその一点で静止している。とすれば、飛矢はいつ飛ぶのか――飛んでいる瞬間はあるまい。[*1] アキレスが亀に追いつくためには、まずアキレスは、亀が今いる位置にまで到達しなくてはならないが、その位置にアキレスが来たときには、亀は必ず、いくぶんかは前進している。次にアキレスは、この「新たな今」において亀がいる位置にまで行くのだが、そのときにはさらに亀は前進している。アキレスはこのことを繰り返すしかなく、あらゆる段階において亀はアキレスの前にいて、アキレスは決して亀に追いつくことができない。これらのパラドクスは運動や変化がありえないことを証明するきわめて強力な論理であるとされ、哲学者たちを悩ませてきた。われわれは確かに運動を目撃し、変化を経験している。これは錯覚なのか。もし錯覚ではないのだとすれば、パラドクスのどこに誤りがあるのか。*2

モネは言語によってではなく、絵画によってこのパラドクスに対抗している。どのような意味なのか、説明せねばなるまい。モネは、一八九〇年頃より、つまり五十歳になった頃から、同じ対象を、異なる天候や光のもとでいくつも描く連作に凝るようになる。最初の連作の主題は、「積みわら」であった。モネは、二十五点の「積みわら」を描いた。次の連作の主題は「ポプラ並木」で、こちらは、二十三点からなる画群である。なぜ連作にこだわったのか。変化を描きたかったからである。同じものでも、その現れは刻一刻と変化していく。モネは、わずかな光の条件のもとで相貌を変えていく同じ対象の多数の連作によって、変化を表現した、ととりあえず言うことができる。この世で最も変化しそうもないもの、たとえば、巨大な石の建造物、(ルーアン)大聖堂でさえも変化する。

しかし、連作によって変化を暗示したとしても、ゼノンに反論したことにはならないのではあるまいか。実際、一つひとつの絵に描かれた物は静止しているのだから、むしろ、これこそ、パラドクスを証明している実例ではないか。このような(再)反論がありうるだろう。ここで私は、時間や変化をめぐる厳密に哲学的な議論を展開したいとは思わないので、一足飛びに結論に向かうことにしよう。モネの連作は確かに、ゼノンのパラドクスに反撃している。なぜなら、連作のひとつずつの絵には、フランツ・ブレンターノが言う「テレイオシス teleiosis」が描かれているからである。[*3]

ブレンターノは、哲学史の中では、フッサールに「志向性」の概念を吹き込んだ心理学者・哲学者として、つまり完全な脇役としてのみ言及される人物だ。そのブレンターノが提案した概念、テレイオシスとは、現実の点が孕んでいる潜在的な運動・変化のことである。たとえばある瞬間の二つの矢をとりあげてみる。一方は静止しており、他方は飛んでいる。どちらも、同じ拡がりの空間を占めているだけだが、テレイオシスが異なる、とされる。静止している矢のテレイオシスはゼロだが、飛んでいる矢は正のテレイオシスをもつ。モネの連作(の中の一つずつの絵)には、その対象のテレイオシスが描かれている。実際、確かに、モネの絵は、堅固な大聖堂が描かれている場合でさえも、その現れがはかなく移ろいゆこうとしている、という印象を与えるだろう。[*4]

こんな主観的な記述では気に入らない人のために、もう少し理論的にも説明しておこう。ある点が今もっている運動のポテンシャルは、空間的には、その運動が向かう先――つまり到達点――と現在の位置とを通る直線によって表象される。その到達点(として想定される未来の点)を現在の点の位置へと少しずつ近づけていくとどうなるか。点が単純な直線運動をしていないときには、そのたびに異なる直線が得られるだろう。そして、ついに二つの点が一致してしまったらどうなるか。そのときに得られる直線こそが、現在の点が有するテレイオシスである。この最後に得られた直線は、現在の点が、今まさに向かおうとしている方向を示していることになるからである。実際、ある曲線の上の一点における接線を、微分によって求めるときには、このような操作を実行する。第9章で、われわれは、「現れとイデア」との関係を説明する比喩として、数学的な「接線」を引き合いに出したが、テレイオシスにとっては、接線は比喩以上のものである。つまり、接線こそ、接点のテレイオシスの直接の表現である。

同じことを、モネの連作に適用してみよう。ある物の、たとえば「積みわら」の変化は、さしあたっては、連作の中の、異なる時点に属する二つの絵の差異によって示される。二つの絵を隔てるインターバルをどんどん小さくして、ついに二つの絵が重なってしまったらどうなるか。このとき外見上は一つになっている二つの絵の間の差異こそが、テレイオシスである。言い換えれば、このとき一つの絵の中に、もう一つの絵が孕まれており、両者の間の関係としてテレイオシスが宿っている。モネの連作は、このような極限を目指している、と解釈することができる。

いや、モネの連作は、事実、ほぼそうした極限に到達している。その産物が、一九世紀がほとんど終わろうとしているとき（一八九七年）から始められ、死ぬ年（一九二六年）まで描き続けられた「睡蓮」の連作であろう。中でも、パリのオランジュリー美術館（テュイルリー公園）の二つの部屋の壁の全体に、三六〇度のパノラマのように飾られている「睡蓮」は、こうした理念を実現している、と言えるだろう（図11－1）。この「睡蓮」の大装飾画は、（二組の四方の壁に飾られた）八枚の絵と見ることもできるし、全体として一枚の絵として見ることもできる。一枚の絵のように連続している八枚の絵の間の差異によって、この絵にはテレイオシスが孕まれる。対象の実在性の全体の中に、テレイオシスも含まれていると考えれば、運動や変化は存在しない、というゼノンのパラドクスは破られる。潜在的な運動が、現前する対象にすでに含まれていることになるからだ。

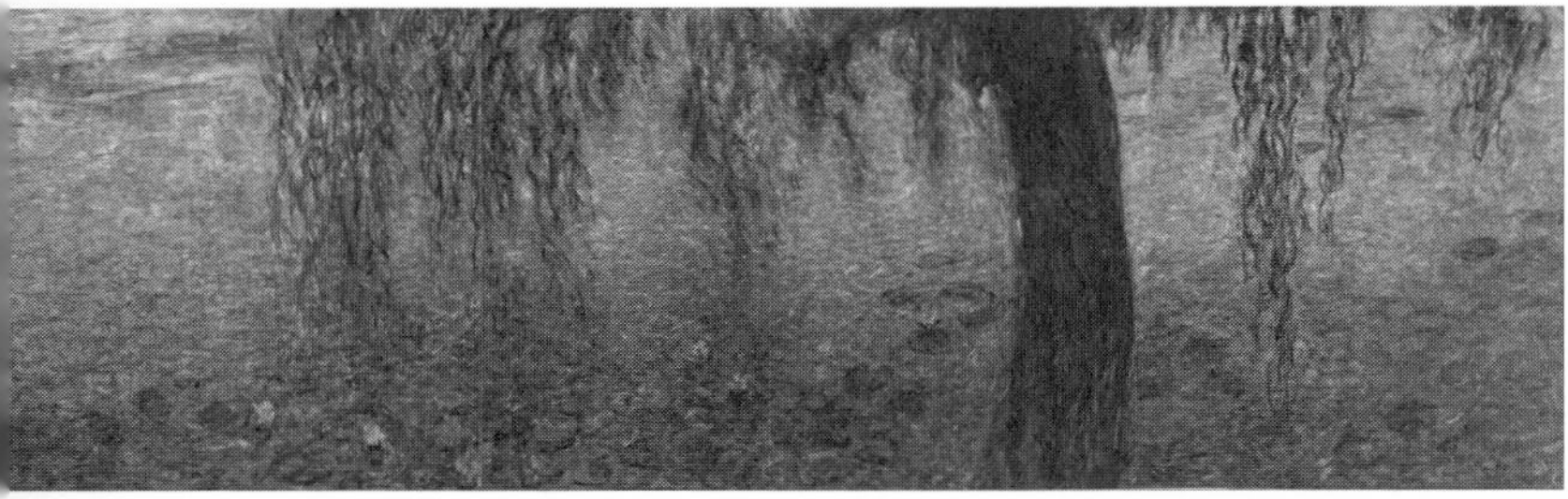

＊

モネの連作と同じ意味をもつ仕事が、同時代のフランスで、絵画とは別の分野でなされていた。生理学者エティエンヌ＝ジュール・マレーが考案した連続写真撮影の技術が、それである。マレーは一八八二年に、ライフル銃の形をした写真機を発明した。これは、写真を連写するための機械である。人間や動物が運動している様をこの撮影機で連写した上で、得られた像を一枚の写真に記録すると、動作が精密に解析できる、というわけである（図11－2）。普通は、マレーのこの技術は、一八九五年のリュミエール兄弟による映画の発明に先立つエピソード、映画のうちに統合・止揚されてしまった技術として小さく扱われるだけだ。しかし、松浦寿輝は『表象と倒錯』と題する本で、マレーの連続写真の画期的な意義、観念の歴史の転換を示す指標としての意味を、まことにみごとに解明してみせている。松浦の論は、映画の出現に、リュミエール兄弟以上にマレーの技術が貢献していたといったような、よくある再評価とはまったく別である。マレーの連続写真には、映画の発明とは別の――あるいは映画においてはすでに見えなくなっている――転換が痕跡をとどめている、というのだ。[*5]

松浦によれば、マレーにおいて、「表象」を中核に置く認識の体制

▲図11−1　クロード・モネ「柳のある明るい朝」（1914-18年／オランジュリー美術館「睡蓮」大装飾画の一枚）
◀図11−2　エティエンヌ＝ジュール・マレー「飛ぶ鳥」（1887年）

から「イメージ」の体制への決定的な移行が完遂する。表象とイメージはどう違うのか。表象は、何ものかを、言語に類するシステムの中で意味をもつような記号へと翻訳するものである。表象される「何もの」かと表象する「記号」との間には、直接の類似はない。表象されるものの集合よりなるシステムと表象する記号の集まりが形成するシステムとの間には、構造的な同型性があるのだ。イメージは、これとは異なり、何ものかとの直接的な相似によって成り立つ。イメージは、単に自然な連想を導くというような意味で漠然と類似しているのではなく、同語反復的な相似を求める。マレーは、表象からイメージへの転換を刻印している、というのが松浦の見立てである。マレーにおいてこの転換が鮮やかに見出されるのは、マレーがもともと表象の側にいたからである。あまりにも完璧な表象を追求したところ、気がついたら、イメージの側へと突破してしまったのがマレーである。

このシリーズで何度か言及してきた、ミシェル・フーコーの場合、「表象」の時代は、一七～一八世紀（近世）であり、一九世紀（近代）は、「人間」の時代である。だが、松浦の場合、「表象」の支配は一九世紀後半まで続いていた、と見なす。考えてみると、認識（エピステーメー）の布置の中で、「表象」と「人間」は相互に完全に排他的というわけではあるまい。だから、フーコーの時代診断と松浦のそれとの間に大きな相違を見る必要はない。それよりも松浦の創見は、「表象＝人間」の後に来るものについて、積極的な見通しを示したことにある。われわれの探究との関連で興味深いのは次のことだ。イメージが作り出しているのは、単なる類似 resemblance を超えた相似 similitude である、と松浦は述べる。われわれはずっと、写実への執着から印象派が登場してきた、と述べてきた。この執着は、イメージなるものを呼びよせた相似への衝動と同じものと解してよいだろう。

その上で、本章の考察との直接の関連が、ここで松浦の研究を参照したほんとうの理由である。モネの連作のシリーズは、対象の現れの変化を描くことに賭けている、と述べた。このような狙いは、マレーの連続写真ではより明らかで、わざわざ説明するまでもない。連続的に撮られた写真は、言わば、数分とか、数秒とかといった短時間に圧縮された「連作」のようなものであり、マレーは、その連作をひとつの平面の上に重ね合わせるようにして記録したのである。そして、松浦は、自らがエティエンヌ＝ジュール・マレーから引き出してきた論点をもとに、大森荘蔵の時間論を解体しようと試みている。*6 この部分が、本章でここまで述べてきたこと、つまりモネの連作に基づくゼノンへの挑戦と、完全に連動している。われわれは、松浦の議論を援軍と見なすことができるのだ。

大森荘蔵は、戦後の日本にあって、「哲学者」の名に値する数少ない探究者の一人である。彼は、晩年の三つの著作において、われわれが日常的に受け入れている時間概念──つまり「線としての時間」「点としての時刻」──は人為的（言語的）に制作された虚構であって、実在と対応してはいない、ということを執拗に論じている。[*7] この結論への最も重要な論拠になっているのが、ゼノンのパラドクスである。このパラドクスはまったく真正のものである、というわけだ。大森への反論が、ゼノンへの反論になる理由はここにある。

実際のところ、運動を解析しているとされるマレーの写真は、時間軸を等分割する瞬間ごとに撮られたスナップショットを並べたもので、ほとんどそのままゼノンのパラドクスの図解になっている。飛矢は飛ばず、という命題を理解するとき、われわれが思い描くのは、実際、マレーの連続写真のような図ではないか。飛ぶ鳥は飛ばず、というわけである。とすれば、ほんとうにマレーを通じて、ゼノン＝大森を解体することなどできるのか。逆に、マレーの連続写真は、ゼノンの論を補強することになるのではあるまいか。

マレーが撮影した鳥は飛ばず、馬は走らない。ゼノンの矢が飛ばないように。このことは否定できない。が、しかし、松浦は、イメージとは何かということをめぐるきわめて繊細な考察によって、たとえばイメージが「不在」との間でとりもつ複雑な関係、イメージと言語との背反的な関係等に深く分け入りながら、大森の議論を批判し、粉砕する。この詳細をここでは再現しない。もともと、ゼノンのパラドクスや大森の時間論が成り立つかに、哲学的な決着を付けることがわれわれの目的ではないからだ。

ただ、ひとつのことだけを述べておこう。ブレンターノのテレイオシスは、潜在的であることを本性としている。だが、それをあえて顕在化させてしまい、知覚可能なものにしてしまったらどうなるだろうか。それこそ、マレーの写真になるだろう。アクチュアルな対象の像と、そのヴァーチャル（潜在的）なテレイオシスを、両方とも対等に顕在化させると、マレーの連続写真になるだろう。

2　有限性に内在する無限

モネの後期の絵画について論じた後、ほぼ同時代のマレーの試みを紹介したのは、時間的な変化を描きたいというモネの衝動が、モネの個人的な資質の問題ではなく、またとりたてて芸術的な動機に限定されたことがらでさえもなく、一九世紀末期の西洋の知や精神を規定する全体的な感受性の変容と関係したものであるかもしれない、ということを示唆するためである。もちろん、たった二つの例によって、そんなことが実証された、と主張するつもりはない。が、少なくとも仮説として提起する上で、一定の説得力を得るだけの効果はあったのではないか。

とはいえ、モネの創作とマレーの仕事は、ともに視覚体験にかかわるもので、しかも二人は、きわめて近いところ（パリを中心とするフランス）で活動していた。二人の専門とはまったく異なる分野でも同じような意味をもつ感受性が現れているということを示しておこう。まったく異なる分野とは数学だ。数学的な意味での「無限」の概念の発明、これがここまで述べてきたことと関係している。だが、モネの絵画と数学的な無限では、あまりにもかけ離れているのではないか。モネの絵画は、どのような意味で、数学的な思考と共振しているのか。

本来、無限は、絶対者（神）に関わる概念であった。それは、有限性を――人間の経験の本来的な性質であるところの有限性を――圧倒的に超越している。つまり、それは、有限性と無関係である。「無限なるもの」を見たり、触れたりというかたちで経験できないのはもちろんだが、それは、本来は、人間の知性による把握すらも超えている。知性はそれを否定神学的に――知性の限界を超えたものとして――把握するのみだった。[*8]

だが、一九世紀の終わりに、ドイツの数学者ゲオルク・カントールが、集合論を構築する中で、無限を数学的に扱いうる対象として定式化した。つまり、無限が、人間の知性の積極的な対象となったのだ。最初は、カントールの無限概念は、デーデキントなどごくわずかな理解者しか得られず、一流の権威ある数学者たちもこれを激しく呪った。が、やがて、若い優秀な数学者たちは、カントールの無限の概念を受け入れ、今日では、数学者にとっては当然の前提になっている。カントールが、数学的な無限の概念を構築し、彫琢していた時期は、モネが何種類もの連作を描き始め、マレーが連続写真撮影に打ち込んでいた時期とほぼ重なっている。つまり、一九世紀の最後の二十年弱の期間である。

否定神学的な対象だった「無限」が、一九世紀の末期になって突然、数学的な操作に服しうる積極的な対象へと転換できたのはどうしてなのか？　有限を絶対的に超えた何かとして無限を見るのではなく、有限との関係によって無限を定義することに成功したからである。有限との関係から独立には無限は定義できないとすれば、無限は有限性に内在している、と言うことも可能だ。無限とは、有限自体の自己否定、有限が自ら到達する内在的な限界である、と。

実際の数学的な無限に即してもう少し具体的に解説しよう。最もシンプルな無限、最小の無限である「自然数の無限」を例にとることにする。[*9] まず、出発点は、「任意の自然数には後続がある」ということである。0には1、1には2、2には3、……10786には10787、……と。自然数の列をどこまで行っても後続（+1）がある。このことだけで、無限が定義できそうだと思われるかもしれない。だが、これだけであれば、まだ（実）無限は定義されない。[*10] その上で、一種の（未来）完了形的な態度をとる必要があるのだ。つまり、「後続をとる（+1とする）」という操作の反復だけで（やがて）、包括的な全体に、つまり終わりに到達してしまった（ことになるはずだ）、と想定しなくてはならない。このことによって完結した全体として措定される集合が、無限集合である。[*11]

ここで重要なことは次のことだ。（未来）完了形的な態度による、終わり（全体）の措定がなければ、「任意の自然数に対して後続がある」ということは、無限を積極的に定義する条件にはなりえない。しかし、同時に、有限の自然数に関するこの事実とは別のところから、無限を定義するための条件を天下り的に導入してはいない。任意の（有限の）自然数に対して常に後続があるとしても、その後続もまた有限の自然数に過ぎないのだから、それ自体では、まだ無限に到達したわけではない。しかし、この「到達していない」という否定的な条件を、逆に、無限を定義する積極的な条件へと反転させているのである。

さて、数学のことはわかった、こうしたことが、モネの連作絵画とかエティエンヌ＝ジュール・マレーの連続写真と、いったいどんな関係があるというのか。このように問いたくなることだろう。今述べたばかりのこと、自然数の無限集合がどのように導かれたのかを振り返ってみるとすぐにわかる。任意の自然数に対して後続があるということは、自然数の列が、そこで終わりとはならず、どの（有限の）自然数も、「次（後続）」へと移行しようとしている、ということを意味している。この潜在的な傾向こそ、一種のテレイオシスではないか。つまり、任意の自然数nには、n＋1へと向かおうとする潜在的な傾向性、テレイオシスが孕まれているのである。このことを活用して、数学的な無限は定義されている。とすれば、モネが、絵画の主題となる自然の対象のうちに見ていたものと同じものを、カントールは、数のうちに見ていたことになる。

したがって次のように考えることができるのではないか。モネを、ほとんど強迫的にも見えるような連作へと導いた感受性。生理学者としての本来の使命を超えて、連続写真のための技術の工夫へとマレーを駆り立てた感受性。神の領分にあった無限を、数学的な知性の対象へと変換するさいにカントールの霊感の基盤となった感受性。三人は、まったく異なる分野で異なる目的をもって仕事をしていたわけだが、それらの仕事に革新をもたらしているこうした感受性に関しては、三者は共通している。問いたいことは、どうして、この時期に、つまり一九世紀（の末期）のこの時期に、こうした感受性が出現したのかである。これを規定している社会的な現実は何だったのか。

3　モネとセザンヌ

この感受性は、時間に関するある種の感覚をベースにしている。認識の対象となっている実在に、テレイオシスを、つまりどこかへと向かう運動＝変化へのポテンシャルを見出す感覚である。数学について言えば、もちろん、完成した概念としては、そこには「時間」などというものは入っていないが——たとえば大きい数が小さい数よりも未来にあったりするわけではないが——、ここに見てきたような無限の概念への抽象化を触発した生《なま》の経験としては、やはり、一種の時間の感覚に支えられていたと考えるべきである。たとえば0から1個ずつ順に数えるという行動を規定している時間の感覚だ。

だが、認識対象にテレイオシスを見出すのは、ごく普通のことではないだろうか。事物の運動や変化を認知しているときには常に、われわれは、テレイオシスを直観しているはずだ。だからこそ、ゼノンのパラドクスが予想するのとは違って、われわれは、鳥が飛ぶのを見たり、亀を追い抜いたりすることができるのだから。とはいえ、異様な執念で「睡蓮」の連作を描き続けたり、動物や人間の運動する様を解析する装置の制作に非常な情熱を注いだり、神のもとにあった無限の概念を人間的な認識の対象にまで引きずり下ろすような冒瀆に手を染めずにはいられないほどに「自然数の限界なき後続性」に取り憑かれたり、……といったとき、人は、どこにでも見られる標準的なレベルをはるかに超えて、テレイオシスに敏感になっていた、と考えねばなるまい。歴史上それまで、誰もこれらのことを実行しなかったのだから、彼らのテレイオシスに対する感度は、未曾有の水準にあったのだ。

テレイオシスをとりわけ敏感に直観するということは、今、認識されている実在が、どこかに向かっている、何かに向かっていると感じられるということだ。言い換えれば、この実在はまだ終わりにまで至っていない、と見えていることになる。あるいは、こう言ってもよい。今、現前している実在が、本質的に未完成なものとして感じられているのだ、と。このとき、もちろん、それとの関係において、今認識されている実在が未完結と見なされるような終極が潜在的な前提になっているはずだ。実在は、それへと向かっているのに、まだ到達していない……そのように現れているのだから。ここでもう一度、数学的な無限がどのように規定されたかということについて前節で述べたことを思い起こしておくとよい。任意の自然数はここでは終わらず、それに続く自然数がある、というテレイオシスに類する条件から無限が導かれるためには、「後続」が常に――どの自然数に対しても――あるという反復が、「終わり」をすでに（未来）完了形的に先取りしていると想定する必要がある。

*

あらためて、絵画の方に、つまりモネに目を向けてみよう。モネの連作を動機づけているのが、テレイオシスへの鋭敏な感覚だとして――つまり実在の対象（積みわら、ポプラ並木、大聖堂、国会議事堂、睡蓮等）が彼にはどうしようもなく存在論的に未完成と見えてしまうのだとして、それならば、未完成性、過程性をまさにそれとの対照において浮かび上がらせる「完成」や「終極」の像は、どこに示されているのか？　どこにもない。モネの絵のどこにも、そのような解釈を許すものはない。モネが次々と連作を描くのは、たとえば睡蓮をいつまでも描き続けるのは、本人にとって、どの「睡蓮」も徹底的に未完成であって、終わりに至ってはいないからだろう。絵としての出来が不本意だ、という意味ではなく、描かれている実在の対象そのものが、存在論的な未完成性の刻印を逃れることができないのだ。たとえば、モネが描いたルーアン大聖堂のことを思い起こすとよい（第8章の図8-1）。一般には、大聖堂ほど強烈な存在感を発散しつつ屹立する物はほとんどないはずだが、モネが描いたそれは、光の海の中から幽霊のようにぼんやりと浮かびあがるだけで、輪郭も不明瞭であり、きわめて儚い印象を与える。それは、確固たる同一性をもった存在者として存在の地の部分からまだ十分に出現しきっていない……と、そのように見えるだろう。

だが、そうだとすると疑問が生ずる。モネのテレイオシスの感覚を触発している、「終極」の像は、どこに提示されているのか。ここで、いささかトリッキーな見方を提案しよう。モネを単体で見ている限りは、疑問は解けない。モネは、彼と双子的で相補的な関係に立ちうる、別の画家とセットにして解釈すべきである。そのような役割を与えることができる画家は、一人しかいない。年齢がモネと二歳弱しか違わず、同時代を歩んできた盟友的な画家、ポール・セザンヌである（モネが一八四〇年生まれで、セザンヌがその前年の生まれ）。考えてみれば、どうして、一九世紀の終わり頃から二〇世紀の初頭に至る時期のフランスの美術の世界で、真に巨匠と見なすべき画家は一人ではなく、二人だったのか。その二人、つまりモネとセザンヌが、ちょうどロシア文学におけるドストエフスキーとトルストイのように、互いに相補的であり、両者一緒になって一つのセットをなしているからではないか。「ドストエフスキーと言えばトルストイ」と同じように、「モネと言えばセザンヌ」「セザンヌと言えばモネ」とでも言いたくなるような関係が二人の間にはあるのだ。

二人の絵は似ているのか。そんなことはない。むしろ、「印象派」を基準にしたとき、両者のポジションは対照的である。「印象派」という名の由来自体が自分の絵にあるモネの場合は、最後まで印象派的なスタイルに内在していた、と言ってよいだろう。セザンヌは違う。若い頃、つまり三十代の頃には、自らも印象派の一員だと見なすほどに、この系列の技法に傾倒した時期もあった。後年、(十歳近く年上の)カミーユ・ピサロの筆触分割の技法に影響を受けたことを回顧的に語った文章の中で、印象派の絵画を「美術館の芸術のように堅固な、長続きするものにしたかった」と語っているほどだ。[*12]

だが、セザンヌは、四十歳に近づいた頃から、はっきりと印象派とは異なる道を歩むようになる。印象派の技法によっては、持続的な同一性をもって安定的に存在している対象を描くことができない。セザンヌは、この点に不満をもったからだと思われる。しかし、セザンヌが、モネをはじめとする印象派のうちにとどまっている画家たちと仲違いしたわけではない。セザンヌは、終生、モネに対して敬意をもっていたに違いない。印象派との関係を回顧する、今しがた引用した同じ文章の中で、「モネは一つの眼だ、絵描き始まって以来の非凡な眼だ。私は彼に脱帽するよ」[*13]とモネを賞賛している。だが、同時に、このセザンヌの言葉は、次のようにも読める。モネは裸の眼で見たが、自分は別のもので見る、と。眼に忠実であるだけならば、モネの絵のように、対象を、存在論的に未完成の状態で提示するほかなくなる。だが、自分は違うのだ、というわけである。

しかし、セザンヌの絵画の最晩年の――六十歳を超えてからの――発展には、不可解な部分がある。その不可解さは、彼の連作に現れている。セザンヌにも、モネの「睡蓮」に匹敵するような連作がある。サント・ヴィクトワール山を描いた連作だ。セザンヌは、四十歳代の半ばから始めて亡くなるまで、油画で四十四点、水彩画で四十三点も、この山を描いた。印象派から自覚的に別れてきたセザンヌが山を主題に選んだことは、かんたんに納得できる。山こそ真に不動で、他の何にもまして確固たる存在感を主張しているからである。石の建造物である大聖堂よりも、大地がそのまま盛り上がった山の方が、さらにいっそう堅固な同一性を呈するだろう。時間的な移ろいゆきに関心をもったモネが「睡蓮」を、完結した存在の持続的な同一性に関心をもったセザンヌが「サント・ヴィクトワール山」を、それぞれ終生の連作の対象として選んだのであり、この対比はとてもわかりやすい。しかし、死までの四年ほどのセザンヌの作品、つまりほんとうの最晩年の作品を見ると、謎が出てくる。描かれている物の形象が崩壊してくるのだ。サント・ヴィクトワール山の輪郭が曖昧になり、色彩的にも背景と連続し、山が周囲に溶け込んでいくように感じられるのだ。その堅固な存在感のゆえに選ばれたはずの「山」がこのように描かれるのだったら、このように見えてしまうのであれば、元も子もないではないか。この最後の転回の謎は、とりあえずカッコに入れておこう。

よく知られているように、セザンヌは、主として二〇世紀の初頭に活躍する若い芸術家たちから、圧倒的と言ってもよいほど、尊敬された。モーリス・ドニは、自分自身を含む、当時の画家や批評家が、セザンヌの静物画を前にして語り合っている、「セザンヌ礼賛」という絵まで描いている。

4 「松と岩」

モネとセザンヌはセットにして解釈しなくてはならない。このように提案した。それがどのようなことを意味するのか、具体的な作品に即して説明しなくてはなるまい。セザンヌが一九〇〇年頃に描いたとされる「松と岩」が、例示に用いるのに最も適当だ（図11－3）。というのも、この作品は、今しがた述べた、最晩年の不可解な転回の直前に位置付けられる作品だからだ。言い換えれば、セザンヌが、印象派から離脱したときの動機に忠実だった時期と最後の劇的な変容との間を繋ぐところに、この作品はあるからだ。

「松と岩」は、タイトルが示すように、ごつごつとした岩場に、三本の――実は四本にも見える――垂直に伸びた松の木を描いている。松の葉や背景の空の部分には、最晩年の作品へと連なる特徴が明白に見て取られると同時に、全体としては、松の木の垂直線をアクセントとした安定した構図を維持してもいる。*14

この絵に関して、まずは注目されるのは、人によっては「刈り跡」と呼んだりもしている、左中央部から右下へと走る帯状の部分である。この部分には、巨礫と岩とが描かれている。この部分だけが、鮮明に、輪郭線がはっきりと見て取りうるように描かれていて、あたかもレリーフのように、周囲から三次元的に浮き上がって見える。この部分は、周囲の不明瞭な部分とあきらかに異なった性質を呈している。この帯状の部分の上方と下方には、光と葉が乱舞するように描かれている。その中に、光や葉を刈っ

図11−3　ポール・セザンヌ「松と岩」（1897年／ニューヨーク近代美術館蔵）

てできあがった空地のように見えるのが、この帯状の部分だ。

この刈り跡の部分が、大きな岩で構成されているのには、おそらく、理由がある。ここでの岩の集まりは、三つの部分に分けられている。左側には、ほぼ立方体の形をした岩があり、右側には円錐状の——女性の乳房のように見える——岩がある。そして両者の中間が窪んで、低い岩層になっている。明らかだろう。この岩は、セザンヌが描き続けたサント・ヴィクトワール山のミニチュアであり、不動性・恒久性の表現になっているのだ。刈り跡は全体としては、右下がりの急勾配の帯になっているので、流れを感じさせるが、その内部に描かれている岩が、漂流を堰き止める碇のように見える。

つまり、「松と岩」は、輪郭のはっきりした形象によって満たされた明瞭な空間（刈り跡）とその周囲の不明確な空間との間の対照をモチーフとしているのである。すると気づくのではないか。後者の空間だけを見ると、つまり光や葉が散乱している、「小さなサント・ヴィクトワール山」の周囲の空間だけならば、それはモネの絵とよく似ていることに、である。この部分は——「空」を「水」に置き換えれば——モネの「睡蓮」のようである。モネが描いた実在は、存在論的な未完成性によって特徴づけられる、と述べておいた。それは「まだ終わっていない」状態として特徴づけられるのだ。何との相関で、終わっていないのか。言い換えれば、来るべき状態とは何なのか。それを明示すれば、「松と岩」の刈り跡になる。このように、セザンヌの絵には、モネの絵が潜在的には目指していながら、ついに確定できていなかったことが、はっきりと描かれているのである。モネはセザンヌと一緒にして理解されなくてはならないとは、このようなことを言う。

「松と岩」は、実際、二種類の空間を接続し、相互の連関を打ち立てることで、われわれのこのような解釈を補強してくれている。二種類の空間を結びつける媒介となっているのが、松（の幹）である。松は、刈り跡の岩場から上方に垂直に伸び、二種類の空間を横断している。この「媒介」という点に着眼すれば、この絵の中で最もたいせつな細部は、左の木の根元にある、ということになるだろう。ここで、立方体の岩が、木の幹の根元の部分をかかえるように囲んでいる。言い換えれば、立方体の岩の裂け目から、木が伸びているように見える。ここで、二種類の空間、堅固な岩に具現されている空間と打ち震える木々や空によって表現されている空間とが、ジグソーパズルのピースのように組み合わせられているのだ。テレイオシスを帯びた空間は、この岩のような同一性を目指しており、実際にそれを獲得することに成功すれば存在論的に完結したものとして受け止められ、承認される。このような解釈が暗示されている。

このような解釈は、木と岩のこのはめこみ構造が喚起するエロチックなイメージによって強化される。岩と木とが、抱き合う身体のように見えるのだ。存在論的に未完成な空間の方からやってきた木を、岩の身体が包み込み、抱きとめ、そして承認しているのである。

1　この「飛矢のパラドクス」は、一般に、矢は、的に到達するまでに、まず射手と的との中間点1に到達しなくてはならず、中間点1に到達するためには、さらに射手と中間点1との間の中間点2に到達しなくてはならず、そして中間点2に到達するには、……といつまでも終わりなく繰り返さざるをえないので、矢は的に到達できない、と説明される。このように定式化すると、「飛矢のパラドクス」は、あからさまに、このすぐ後に紹介する

「アキレスと亀」の特殊ケースになる（的＝亀が不動ではなく、遠ざかるケースが「アキレスと亀」）。「飛矢のパラドクス」は、この標準的な形式の方がおもしろみがあるのだが、ここでは、あえて本文に記したように単純化しておく。その方が、ことがらの本質がより明晰にわかるからである。要するに、矢が的に到達するまでに、矢が踏破すべき点が無限個あることに困難の源泉がある。矢は的に到達するまでに、それらの無限個の点をすべて通過しなくてはならないが、それは不可能だ。どの点の位置を占めているときでも、矢は静止しているからである。

2 パラドクスに対する最も有名な反論は、（公比の絶対値が1未満の）無限級数の和が有限の値に収束するという数学の定理を用いたラッセルの議論だ。しかし、これが、パラドクスが提起した問題をいささかも克服してはいないということは、すでに多くの哲学者に指摘されてきた。ゼノンのパラドクスは、「無限」なるものが経験的な実在性をもたない、ということを衝くものである。それなのに、無限（に続く数列）をはじめから前提にしてしまえば、パラドクスを解いたことにはならない。そのような無限をつくる操作が経験的にはありえない、ということが問題になっているからである。

3 Franz Brentano, *Philosophical Investigations on Space, Time and the Continuum*, translated by B. Smith, Routledge, 1988. Liliana Albertazzi, *Immanent Realism: An introduction to Brentano*, Springer, 2006.

4 新印象派などと分類される画家の絵、たとえばジョルジュ・スーラやポール・シニャックの非常に静的な絵を、モネの絵と比べてみるとよい。スーラの「サーカス」の馬よりもモネの「ルーアン大聖堂」の方が「動き」がある。

5 松浦寿輝『表象と倒錯——エティエンヌ＝ジュール・マレー』筑摩書房、二〇〇一年。

6 同書、Ⅲ—2、Ⅲ—3。

7 『時間と自我』一九九二年。『時間と存在』一九九四年。『時は流れず』一九九六年。すべて青土社。

8 ここで言う「無限」は、厳密には、「実無限 actual infinity（completed infinity）」と呼ばれるものである。「可能無限 potential infinity」ではない。とはいえ、ここは数学的な厳密性を求められる場面ではないので、わざわざ「実無限」とは呼ばずに議論を前に進める。

9 今、自然数の無限は最小の無限である、と述べた。実は、無限にも大きい無限と小さい無限がある。つまり、無限の種類もまた無限にあるのだ（『〈主体〉』第23章第4節で、科学の言説と小説の言説との関係を説明するための隠喩として無限集合を活用した。そこでの解説を思い起こされたい）。こんなことが明らかになるのも、無限が数学的な知性の対象となったからである。晩年のカントールを悩ませ、ついに解けなかった「連続体仮説」とは、この大きさ（濃度）の異なる複数の無限集合の間にどのような関係（序列）があるのか、ということに関係した問題である。とりわけ、最小の無限集合である自然数の無限と、それよりも大きい無限集合である実数の無限（連続体濃度）の間の関係をどのように定めたらよいのか。両者の間に入る中間的な大きさの無限集合は存在するのか、それともそのような無限集合はないのか。今日では、これは解けない問題であることがわかっている。つまり「自然数の無限と実数の無限との間の大きさの無限集合は存在しない」という命題は決定不能命題（証明も反証もできない命題）のひとつであることが証明されている。

10 ここまでならば可能無限。

11 数学に詳しい人は、ペアノの公理のことを思うと、ここでの説明はすぐに理解できるだろう。

12 ジョワシャン・ガスケ『セザンヌ』與謝野文子訳、岩波文庫、二〇〇九年（原著一九二一年）、二四三頁。

13 同書、二四四頁。

14 以下の「松と岩」の解析については、次の文献を参照している。ジョナサン・クレーリー『知覚の宙吊り』岡田温司監訳、平凡社、二〇〇五年（原著一九九九年）、三〇九―三一四頁。もちろん、セザンヌとモネの相補的な関係についての解釈は、われわれ独自のものである。

第12章　注意への注意

1　注意の能力への注目

われわれは、モネの作品の意味は、セザンヌとの組み合わせの中で十全に開示される、と論じてきた。そのセザンヌの絵画を、美術史の研究家マイヤー・シャピロは、音楽作品と類比させながら、「厳粛な注意の芸術」である、と見なしている。[*1] この解釈を継承し、さらに精緻化しているのが、ジョナサン・クレーリーである。[*2]

シャピロが、視覚芸術ではなく、音楽に喩えながら論じているのは、セザンヌが発揮している長時間持続させている注意力が、まるで、（音楽がその中で展開する）時間なるものを超越しているように感じられるからである。つまり、セザンヌの注意力は、時間的に流れる音楽作品を全体として一挙に捉え、音の間の調和と作品としての同一性を認識する作曲家のそれに似ているからである。シャピロの見立てでは、セザンヌは、ある瞬間の注意を時間から引き離し、――転変する（他の）知覚を停止させたうえで――時間軸の上を浮遊させている。そうすることによって、世界の中の諸事象の動的な戯れの中から、明確な輪郭と持続的な同一性をもった対象が復元される、というのだ。前章の最後に分析した、「松と岩」（一九〇〇年頃の作品）を思い起こしておこう。この絵に帯状に並べて描かれた巨礫——これは同時期にセザンヌが描き続けていたサント・ヴィクトワール山の縮小版であった——は、このようにして回復された対象の典型例である。画家の注意は、岩へと差し向けられているのである。

それでは、この絵の他の部分、つまり帯状に連なる岩の上下に広がる部分に対しては、注意が散漫になってしまっているということなのか。この部分では、空や葉や草が、互いの間の境界線があいまいなままに散乱している。ここには十分な注意が向けられていない、ということなのか。確かに、岩の背景にあたる部位に対しては注意が散漫である、という印象は、第一次的な近似としてはあたっている。が、この「散漫」の印象に対する解釈にも、あるひねりが必要だ、とクレーリーは指摘する。それは、単純に注意の欠如の結果ではない。逆である。むしろ、注意の過剰の結果と解すべきである。

ある一ヵ所をじっと注視すると、その一点に置かれた対象は、最初は明晰に見えるだろう。しかし、さらに意識を集中させていくと、やがて逆に、輪郭が周囲に溶けて、対象がぼんやりと見えてくるはずだ。このとき、注意の集中と、その逆であるはずの放心の状態とが合致してしまっている。覚醒状態で注意力を高めているのか、入眠状態へと没入しかけているのか、自分でも区別ができなくなってしまうのだ。「松と岩」における、巨礫の背景部分は、注意と放心の合致に対応した、対象の現れを描いているのである。

要するに、「松と岩」において、画家は、「すべて」を注視しようとしているのだ。その結果として、絵の中に、対象の同一性が明確に浮かび上がる場所と、対象の同一性があいまいになる箇所との分割が生じた、というわけである。

＊

実のところ、「注意」は、一九世紀中盤から後半、そして二〇世紀の初頭にかけての西洋の知が、非常に強い関心を寄せた能力であった。つまり、この時期――とりわけ一九世紀の最後の四半世紀――、突然のように、「注意」が、同時多発的に、学問や実践の諸領域で、最も重要な主題となったのだ。この時代、「注意」そのものが注意の対象となった。この事実に注目し、ここに西洋の精神史・文化史の上での大きな転換の指標を見ようとしたのが、今も参照したジョナサン・クレーリーの『知覚の宙吊り』である。

一九世紀の半ば――一八四〇年代から六〇年代半ばにかけての時期――、精神や思考に統一性を与える原理は何か、ということをめぐる探究が、哲学・心理学・生理学の諸領域で、さかんになされていた。それまでの「心理学」の主流は、連合主義である。連合主義とは、いわゆるイギリス経験論（ロックやヒューム）の流れからくる考え方で、意識内容のさまざまな単位（ユニット）の間の連合によって心理現象を説明した。が、連合主義は、どうして特定の連合が他の連合よりも優勢になるのかを説明する原理をもってはいなかった。探究の果て、知のさまざまな領域で――必ずしも直接の影響関係抜きで――、ほぼ同時に、そのような説明原理として見出されたのが、「注意」の能力である。「注意 attention」という語がさかんに用いられるようになったのは、一八七〇年代だ。

こうした展開を示す印象的な事例を、クレーリーの著作から一つだけ引いておこう。非常に大きな影響力をもった権威ある生理学者ウィリアム・B・カーペンターの教科書がその事例だ。一八四〇年代から八〇年代にかけて、彼の本や論文は、西ヨーロッパと北米で広く読まれた。彼の教科書の一八五三年版とその二十年あまり後の一八七四年版では、「注意」という主題の扱いがまったく異なっている。前者の一八五三年版では、注意は、たった一文――それは「意識が感覚の変化に積極的に向けられた状態」であるとして――で済まされており、それも、観察、反省、内省等の他の精神の能力の中の一つとして論じられているに過ぎない。ところが、後者の一八七四年版の教科書では、注意という話題のために五十頁以上が捧げられている上に、本の全体にわたって繰り返し「注意」への言及がある。一八七四年版のコンテクストでは、注意は、他の精神の能力に並ぶ能力ではなく、すべての能力の上に作用するメタ的な能力だ。すなわち、注意は、「精神活動の主要な形態のそれぞれに」効果を発揮し、「知識の組織的な獲得にとって、情動や感情のコントロールにとって、また行為の規制にとって」なくてはならないものである。[*3]

注意とは何か？　アメリカの哲学者――プラグマティズムの系列に属する代表的な哲学者――ジョン・デューイが、その本質をよく捉えている。彼は、一八八六年のテクストの中で、注意を「光」の比喩で説明する。[*4] すなわち、レンズが光や熱を一点に集中させるように、精神も、意識を、提示されているあらゆる要素に均等に行き渡らせるのではなく、特定の一点に集中させるのだ、と。「そうすればこの一点は、並外れた鮮明さと明瞭さをもって浮かび上がってくる」[*5]。こうした解説から明らかなように、注意とは、知覚における選択――それゆえ排除――の操作にほかならない。

一八七〇年代に入ると、注意をめぐる研究や議論が山のように現れた。一八五〇年代のグスタフ・フェヒナーの有名な仕事、すなわち「最小可知差異」の測定は、注意についての経験的な研究の予兆のようなものであった。この研究で、被験者は、さまざまな大きさの感覚刺激に注意を集中し、どの程度の大きさの刺激間の差異まで知覚できるかを判断するように求められた。「注意」の心理学研究の中心人物は、ヴィルヘルム・ヴントである。ヴントが一八七九年に、ライプツィヒ大学に開設した実験室が、世界初の心理学実験室だとされている。ここで、人工的につくりだされた——それゆえ厳密に統制されている——さまざまな刺激に注意を向ける人間についての研究が行われたのである。クレーリーは、ミシェル・フーコーの言い回しを転用して、この実験室は、近代において人間存在が「みずからが何ものであるかを問題化する」実践と言説の空間の一つとなった、と記している。*6

実験的な研究だけではなく、哲学的な思考の領域においても、「注意」は、中心的な話題である。先にデューイの名を挙げたが、他にエルンスト・マッハやウィリアム・ジェイムズが、注意という能力に特別な意義を認めている。哲学者の系譜については、この後の節でも論ずるので、心理学・生理学の経験的な研究の方にもどるならば、アメリカの心理学者ジェイムズ・M・キャッテルを忘れるわけにはいかない。キャッテルは、ヴントの弟子である。彼は、反応時間の研究で知られている。彼は、視野に与えられた事物を認知可能なものとする速度を高め、反応時間をどこまで短縮することができるのか、実験装置を使って調べた。要するに、注意がその力を発揮できる最小の時間を確定しようとしたのだ。キャッテルの研究にとっては、「エネルギー保存則」の確立で知られているあのヘルムホルツが、一八五〇年代に、生理学の分野で発見したことが前提になっている。ヘルムホルツは、神経伝達速度を測定した。彼は、電気信号が人間の神経系を通るのにあまりにも時間がかかることを明らかにし、当時の人々を驚かせた。伝達速度は、秒速約九〇フィート（時速一〇〇キロメートル弱）だったのだ。
ほかにも、たとえばジャン＝マルタン・シャルコーやアルフレッド・ビネーのような神経学・心理学の専門家が、注意力の病理について論じている。こうした仕事が、一九世紀末から二〇世紀への転換期のフロイトの研究に、まっすぐにつながっている。フロイトは、当時の流行の「注意」研究の申し子だったと言ってよい。

このように、一九世紀の後半、「注意」という能力への注目が急激に高まった。セザンヌの「厳粛な注意の芸術」は、そうした時代の中で生まれた。セザンヌは、もちろん、アカデミックな研究の動向を知っていたわけではない。ただ、セザンヌは、それらの研究と同じ「エピステーメー」に内属していたのだ。

2　受肉した統覚

それにしても、なぜ、一九世紀の後半に入って、注意ということが主題となったのだろうか。なぜ、「注意」という能力について反省せざるをえなくなったのだろうか。

これに答えるために、逆の問いからアプローチしてみよう。一七―一八世紀には、つまり近世にあっては、どうして、「注意」が重要な能力と見なされてはいなかったのだろうか。なぜ、西洋の古典主義時代の人々にとって、注意の能力がさしたる関心の対象とはならなかったのだろうか。この点に答えるためには、古典主義時代の――つまり「表象」の時代の――認識の理想的なモデルが、カメラ・オブスクラ（針穴写真機）であったことを思い起こすとよい。『近世篇』第

17章で述べておいたように、近世の哲学者たちは好んで、カメラ・オブスクラを、あるべき認識の様態を具体化する物質的な隠喩として活用した。さらにまた、フェルメールなど、当時の画家たちは、しばしば、この装置を利用して絵を描いた。この光学装置によって中心遠近法に従った正確な（倒立の）像を得ることができたからである。*7

理想的な認識というものが、カメラ・オブスクラの内側から窓にあたる針穴を通じて世界を覗くことに似ている。そのように理解されていることの意味を考えてみるとよい。このとき、視点は世界の局外に——世界から（小さな穴が空いた）壁によって隔てられたところに——設定されている。とするならば、「注意」ということが問題にはならないことは明らかだ。なぜなら、世界の局外の超越的なところに設定された視点は、世界を一挙に、同時的に捉えるはずだからだ。論理の上では、そのような視点は、世界の特定の場所や特定の対象だけを注視し、他を無視したり、排除したりすることはない。

このカメラ・オブスクラに比しうる視点には、きちんとした哲学的な概念が与えられている。カントの「統覚 Apperzeption、apperception」である。統覚は、カントによって継承されたコギト（我考える）である。カントは、デカルトから「コギト」の概念を引き継ぎ、理論的な洗練をほどこし、「統覚」という超越論的能力に関する概念に鍛え上げたのである。統覚は、主観に対して現れる多様な表象に統一性を——それらがすべて「我」に帰属するという意味での統一性を——与える契機である。統覚は、世界の全体に対峙している。だから、統覚は、世界の特定の部位だけに注意する、などということはありえない。*8

だが、パノプティコンに喩えられるような規律訓練の権力によって個人に強いられる無限回の自己反省（告白）は、その個人の身体に対して独特の効果をもたらすのだった（第17章参照）。反復される自己反省を通じて最終的に、世界の局外にある超越的な視点――抽象化されつくした第三者の審級に担われた視点――が、個人の経験的な身体の〈内面〉に収容されることになるのだ。要するに、権利上――つまり論理の上では――世界から超越していた「統覚」が、世界に内属する個人の具体的な身体に内面化されるのである。このような個人こそが、〈近代的主体〉であった。

こうなったとき、かつて統覚として捉えられていた超越的視点が、身体の状態に――その身体がどの時空的な位置にあり、どのような生理的な条件のもとにあるのかということに、規定されている、ということを認め、自覚せざるをえなくなる。統覚が、世界の外部にあるのではなく、経験的な身体とともにあるのなら、世界を全体として捉えることなど不可能だ。その視野には限界があり、それは世界の内部の特定の局所から世界を偏ったかたちで部分的に認識するしかない。言い換えれば、今やその「統覚」は、世界の中の特定の部分を選び、他を排除（無視）しているのだ。これこそが、「注意」という現象にほかなるまい。要するに、注意とは、カントの統覚が具体的な身体をもったときに見出される能力である。[*9]

本来の「統覚」から「注意」へのこうした転換を、わかりやすく代表しているのが、ショーペンハウアーである。彼は、超越論的な総合の作用の担い手としての統覚の概念を放棄し、これを「意志」に代えた。[*10] ショーペンハウアーによれば、意志こそが、すべての表象を包括する。意志はしかし、選択する作用、つまり何かを取り何かを捨てると決断することである。この場合、意志は注意と同じものだ。

「注意」や、それに類する概念が、哲学的な思考に与えた影響を、もう少し後まで追っておこう。たとえば、エドムント・フッサール。フッサールが「現象学」という哲学の新領域を開拓しつつある時期は、セザンヌの最晩年と重なっている。セザンヌが「松と岩」を描いているとき、フッサールは『論理学研究』を書いていた。現象学の中核概念「志向性」が、「注意」と強く結びついている、ということは誰にでも理解できるだろう。「何ものかについての意識」とは、要するに、意識が常に、「何ものか」に注意を差し向けるという形式でのみ働くということなのだから。

＊

セザンヌの絵に対する最も有名な解釈は、メルロ゠ポンティの評論「セザンヌの懐疑」によって与えられている。[*11] それによると、セザンヌは「押しつけられた人間的秩序の奥に、事物の根源へと直接に達する視覚」を求めている。現象学の用語を用いれば、セザンヌが探求した視覚は、一種の「本質直観」だということになるだろう。メルロ゠ポンティは、こうも述べている。「精神と身体、思考と視覚といった区別と対決することは、ここでは役立たない。というのも、セザンヌは、これらの観念がそこから派生し、これらの観念が分離できない原初的経験へと立ち戻っているからである」。これこそ、まさに現象学的還元ということではあるまいか。こうした解釈を裏付ける言葉を、セザンヌ自身が書いたものから引くこともできる。すなわち、セザンヌが試みていることとは、「私たちの時代以前に現われてきたものの一切を忘れて、私たちが見ているもののイメージを与えること」なのだ、と。[*12]

注意という能力の哲学的な探究という点で、われわれにとって現象学よりも重要なのは、ベルクソンである。一八九六年に出版された『物質と記憶』は、知覚と注意を主題としたテクストである。[*13] この中で、ベルクソンは「純粋知覚」なる概念を提起する。純粋知覚は、実際に存在している知覚ではなく、権利の上でのみ――つまり論理的な極限としてのみ――設定されている知覚だ。ベルクソンは自ら、こう定義する。純粋知覚とは「私のいる場所におり、私同様に生きている存在が、現在の内に没入し、あらゆる形の記憶力を排して、物質の直接的かつ瞬間的な観照を獲得しうる場合にもつであろうような知覚である」と。要するに、純粋知覚は、純粋に現在にのみ限定されている知覚のことである。

ベルクソンは、知覚をこのような意味での純粋性に近づけるべきだ、と述べているわけではない。逆である。純粋知覚は、それが不可能であることを通じて、現実の知覚を特徴づけるための、仮設的な参照点である。すべての知覚は汚染されている。すなわち、ベルクソンによれば、どんな知覚においても、過去が引き伸ばされて現在に入りこんでおり、その意味で、知覚された対象は持続を構成されている。どんなに瞬間的に見える知覚にも、最小限の記憶が混入しているのだ。

知覚についてのこうした把握が、注意についての理論に結びついている。『物質と記憶』では、注意は、二つの基準において作用している、ということが示されている。一つは、当然のことながら、外部からの感覚刺激や事象の流れに注がれる注意がある。もう一つは――こちらに今述べた「純粋知覚」の不可能というテーゼが関係しているのだが――、記憶が現在の知覚と整合しているのか、それとも現在の知覚からずれているのかというときに向けられる注意がある。ベルクソンの考えでは、個々の生命の自律性は、記憶と知覚が交叉する場に生ずる不確定性と相関している。知覚を媒介にした個体の環境に対する反応が、確定的に規定されている程度が大きければ、つまり知覚的反応が、習慣的で反復的であればあるほど、その分だけ、その個体は自由と自律性を欠いた存在である、と見なされる。言い換えれば、生の創造性は、記憶と知覚とが相互浸透する領域で発生する不確定性に相関しているのだ。

このように、ベルクソンは、注意をともなう知覚が常に、過去からの持続によって汚染されている、という点に着目している。ここが、われわれの考察と共鳴する部分である。潜在的な過去をともなったものの知覚とは、結局、前章で導入した概念を用いて言えば、テレイオシスの知覚に他ならないからだ。モネが描こうとしたのは、純粋なテレイオシスである。それを注意をともなった現在の知覚の上に統合したときに現れるのが、セザンヌの「松と岩」のような絵画だ、ということになるだろう。

3　絶対的自我と絶対的神

注意の能力がどうして注目の対象となったのか。その論理を説明してきた。が、真に知りたいこと、知るべきことは、このこと（だけ）ではない。このような論理を駆動させた社会的現実は何だったのか。どのような社会的現実が、こうした論理の展開を説得力あるものとし、注意という現象へのやむにやまれぬ探究心の源泉になっていたのか。この点を解明しなくてはならない。

そのためにはあえて、いささか逆説的な回り道を経由するのがよい。一般には、こうした問いが与えられれば、すぐに、社会的な背景の探索に入るだろう。ここまで、「注意」をめぐる学知や芸術の動きを見てきたわけだが、そこに内在しているだけでは、社会的現実は見えてこない。とすれば、ただちに、こうした知や芸術が流行していたのが、どんな時代だったのか、どんな社会だったのかを見るべきではないか。しかし、ここでは、そうした戦略を取らない。むしろ、まずはもっと徹底して深く、思考・哲学の運動に内在してみたい。なぜ、そんな逆の道を通るのか。そうしないと、知や芸術と社会的現実との間のどんな恣意的な連関に対しても、それらしい理屈を与えることができてしまうからだ。「注意」という主題に結実する思考の運動と社会的現実との間の必然的な結びつきを、その最深部において捉えるためには、まずは、その思考の運動の方にもっと深く入り込んでおく必要がある。

では、どんな思考・哲学の系譜に着眼するのか。述べてきたように、「注意」の源流には、カントの「統覚」がある。そこで、われわれは前節で、カント（統覚）からショーペンハウアー（意志）を経由して、現象学（志向性）やベルクソン（知覚と記憶）へと連なる系譜をごくかんたんに概観したのであった。しかし、この系譜は、「統覚」概念の含意やそこに込められている問題意識を、半分しか継承していない。この系譜は認識論の系譜である。それゆえ、認知をめぐる同時代の経験科学、つまり生理学や神経科学や心理学と——たとえばヴントやヘルムホルツの研究と——緊密に連動し、相互に交流したり、批判しあったりする関係に入ることもできた。

だが、カントにおいて、統覚は、超越論的なものとして特徴づけられていたことを思い起こす必要がある。「超越論的」ということは、経験のすべての領域を規定している、ということである。統覚のこうした側面をも継承しようとすれば、主題は認識論的なものにとどまらない。存在論的問題にも逢着せざるをえないのだ。今日の思弁的実在論が提起している問いを思えば、そのことはすぐにわかるはずだ。われわれが実在として経験するものは、すべて超越論的に構成されている。すなわち、経験されている実在は、超越論的な統覚を担う主観と相関している。とするならば、主観や心から独立した実在はどうなるのか。それは、単なる虚妄として退けられなくてはならないのか。「実在」の存在論的身分をどう定めるべきなのか。

こうした側面をも含んだかたちで、カントが「統覚」という概念のうちに込めた主題は、どのように継承され、乗り越えられていったのか。このような問いの中で系譜を見たときには、認識論と存在論が絡み合うさまが見られるはずだ。この系譜は、ショーペンハウアーの登場よりも前にある。つまり、一九世紀の初頭に展開する。

*

カントの超越論的統覚の概念の継承者として、最初にフィヒテを検討するのがよい。というと、まったく哲学史の教科書通りの展開だが、ここでは、そうした「哲学史の常識」とは別に、フィヒテにまずは注目する理由がある。前節で述べたように、「統覚」が「注意（に類する諸概念）」に転換したのは、統覚の担い手が個人、つまり「自我」であるほかない、ということの自覚に基づいている。この自覚に最初に到達したのは、実際には、フィヒテである。しかも、フィヒテの場合には、超越論的な機能を捨てることなく、自我に担わせてもいる。こうして、フィヒテは、自己定立する絶対的自我（das absolutes Ich, the absolute I）という概念を得る。

フィヒテの哲学では、自我は、まさに絶対的自我であることのゆえに、すべての知を可能にする原理である。いや、絶対的自我の能力はそれ以上であると言うべきだ。フィヒテが斥けようとしているのは、素朴な実在論、カントの「コペルニクス的転回」より前の実在論である。つまり、諸物がそれ自体として、ただそこに無媒介に客観的に実在している、という考え方、これが拒絶されなくてはならない。独立の客観的実在は錯覚の産物であって、存在は、絶対的自我の「認識と不可分に一体化した行為」の相関物として定立される。さらに、絶対的自我自体も、はじめからあるわけではない。それは、絶対的自我自身によって、自発的に自己定立されなくてはならない。自我の自己定立の活動と、対象を定立することにおいてその対象に働きかける自我の行為は、別のものではなく、同じことの二側面である。つまり、絶対的自我の存在と絶対的自我の行為は、ひとつのことに帰するのだ。

自己定立する自我という、このフィヒテのアイデアは、カントの哲学の非常に素直な発展である。カントの述べていることの中で、あいまいで不確かな部分を削ぎ落とし、その精髄だけに絞れば、結局、このフィヒテの哲学になるだろう。たとえば、カントにおいて統覚の主体（主語）は何なのか、と問えば、それは厳密には、「私」以前の、非人称の「それEs, It」であるなどと言われることもあるが、しかし、結局、「それ」によって指し示されているものは「自我」以外にはありえないだろう。フィヒテの自我の哲学は、カントの哲学に順接している。

が、しかし、フィヒテは後に、この「絶対的自我」の概念を放棄してしまう。代わりに、すべての実在の究極の根拠となる「絶対者」を導入する。絶対者は、自我からは独立しており、自我に論理的に先行している。自我の形式、つまり「私はXを知っている」という形式は、絶対者に規定されており、絶対者の現象形態のひとつである。「絶対者」とは、要するに、「神Gott」のことだ。このように、前期のフィヒテと後期のフィヒテの間には、大きな断絶がある。住んでいた場所を指標にして、専門家は、前期を「イエナ期」、後期を「ベルリン期」と呼ぶ。イエナ期は、一七九四年から一七九九年までであり、ベルリン期は、一七九九年から死没した一八一四年までを指す。フィヒテには、『知識学』というタイトルを含むテクストがいくつもあるが、イエナ期に属するテクストとベルリン期に属する同名のテキストとでは、対照的な内容をもっている。*14

フィヒテのこうした転回の理由を理解するのは、難しくない。前期のアイデアは、よく考えてみれば、とてつもないことを含意している。結局、それは、自我が神だと言っているに等しいからだ。この誇大妄想的な結論を避けたければ、自我とは独立の実在を認めなくてはならないが、かといって最初に退けた、客観的実在論に回帰するわけにはいかない。実在は、絶対者に対して現れていると考えることで、そうした撤退を避けることができる。そもそも、前期の説には、論理の上での重大な困難が含まれている。絶対的自我自体はどのようにして定立され、存在を開始するのか。それは、先ほど述べたように、絶対的自我の自己定立によって説明されるほかないのだが、それは、論理的な矛盾ではないか。フィヒテは、スタール夫人のサロンで、彼女に、絶対的自我についての自説を語ったところ、夫人から皮肉たっぷりの反論を受けた、と言われている。スタール夫人は、フィヒテの自我はミュンヒハウゼン男爵のようだ、と応じたのだ。ミュンヒハウゼンは、沼に落ちたとき、自分で自分の髪の毛をひっぱって沼から体を引き揚げた、と語ったとされる、ほら吹きの貴族である。この不合理を回避するためには、自我を存在せしめる、絶対者を前提としておかなくてはならない。フィヒテは、実際、そのように転回したのだ。

＊

だが、世界の究極的な根拠として絶対者を前提にしたことは、別の理論的な課題をフィヒテに与えることになる。絶対者そのものは、直接に現れて、自らの存在を示すことはない。それにもかかわらず、絶対者は存在する……というテーゼを維持するためには、絶対者は、自分自身とはべつの何かを通じて間接的に現れなくてはならない。間接的にすら現れないのだとすれば、絶対者がいる状態といない状態との間の区別はなくなってしまうからだ。「絶対者の存在」というテーゼに実質的な内容を与えるためには、絶対者は、自分自身とは異なる何かを通じて間接的に現れることが必須である。

それゆえ、「現れ」ということには、次のような、自己を引き裂く二重の性質が宿っていなくてはならない、ということになる。一方では、現れはまさに単なる現れであって、それは断じて絶対者そのものではない。しかし、他方では、その現れを通じて、絶対者の存在が透けて見えなくてはならない。現れは、一方では、絶対者から自分を遠ざけ、区別しなくてはならず、他方では、絶対者の存在へと自身を近づけていかなくてはならない。[*15]

繰り返せば、絶対者それ自体は、自らを直接に示すことはない。人は、現れに過ぎないものの向こう側に、直接に絶対者を見ることはない。そうだとすると、次の二つの状況の区別はきわめて困難――というより不可能――であることに気づく。絶対者がほんとうにいて、それが現れているのだろうか。それとも、絶対者がいるかのような現れがある、ということなのだろうか。現れを通じて、絶対者の存在がすでに暗示されてしまっているのだとすれば、これら二つの状況を判別することはできない。だから、フィヒテとしては、その現れが、ほんとうに実在しているところの絶対者の現れである、ということを証明しなくてはならない。それは、単なる現れであって、絶対者そのものではないが、まさにそれゆえに、その向こう側に実在するはずの絶対者の現れである、ということを証明しなくてはならないのだ。

今、フィヒテにとって何が難題になるのか、ということをわざわざ考えているのは、これを鏡にして、われわれにとっては何が課題なのか、示すためである。もともとわれわれとしては、フィヒテの説をそのまま受け入れるわけにはいくまい。神に類する超越的な絶対者を前提におく理論は、拒否されるべきだ。もともと、カントの哲学は、神に言及しないこと、神を根拠にしないことに賭けていた。神に訴えることなく、悟性の認識の普遍的な妥当性を証明できるのか。神を根拠にせずに、普遍的な道徳法則を基礎づけることは可能なのか。カントの批判哲学は、こうした問いに捧げられた苦闘である。カントを継承しようとして、神にあたる超越者・絶対者を前提に組み入れてしまえば、それは完全な退行であり、裏切りでもある。

だが、フィヒテにとって何が困難な問題になるのかということについての考察は、われわれにとっては、課題がフィヒテとはまったく逆のところにある、ということを教えてくれる。神の存在を前提にする必要はないのだ。そうではなく、いかにして現れが、その向こう側に神がいるかのように——絶対に自分を直接には示しはしない神が存在しているかのように——構成されるのだろうか。このことが説明されればよいはずだ。神の存在についての現れが生成される機序を説明すること。実際、フィヒテの継承者たちの思索は、この問いに応えようとする試みだったと解釈することができる。[*16]

4 「主体」としての「精神」

教科書的な整理では、ドイツ観念論は、カントの後、フィヒテ－シェリング－ヘーゲルという順番で展開していることになっている。つまり、カントが切り開いた哲学的な領域が、これら三者によって占められている、というわけだ。普通、主観的観念論のフィヒテ、客観的観念論のシェリング、そして絶対的観念論のヘーゲルが、きれいな三幅対をなしている、とされている。フィヒテが主観的観念論だとされるのは、見てきたように、フィヒテが、「自我の哲学」を構築したからだ。これに対して、シェリングが客観的観念論だとされるのは、彼の哲学の中心に自然哲学があると見なされているからだが、このような評価は、シェリングの仕事の一部しか見ていない。また、ヘーゲルの観念論に付された「絶対的」という語は、主観（自我の精神）と客観（自然）とを媒介する第三の要素が「絶対者」として措定されている、という趣旨だ。「カント以降」の哲学の空間が、「主観的／客観的／絶対的」の三種の観念論の弁証法的な配置によって構造化されている、という解釈は、気持ちがよいほどにわかりやすいが、三人の哲学に対する正当な理解を反映したものとは思えない。

が、いずれにせよ、ここでは、テクストにそって正確かつ緻密に哲学を解釈することが目的ではない。カントの「超越論的統覚」が社会的現実のどの部分に正確に接点をもっているのか、このことを確定することが目的だった。とするならば、フィヒテの「自己定立する自我」から始まった道が、最終的にどこに到達したのかだけを見定めておけば十分だ。この場合、到達点とは、もちろんヘーゲルである。シェリングは、ここでは考察の範囲から除外しておいてもかまうまい。

さて、この論脈で留意すべきヘーゲルの概念は、「精神 Geist」である。「世界精神」等を含む「精神《ガイスト》」は、後期フィヒテの「絶対者」のヘーゲル的な言い換えである……ヘーゲルのテクストは、しばしばこのような印象を与える。「精神」は、つまるところ神のことである、というわけだ。とりわけ、「絶対精神」という語は、その定義から判断しても、まさしく神のことを指しているように見える。「絶対精神」は、自らの外部に根拠をもたない——つまり自分自身だけが根拠である——とされる。とすれば、それが神ではないとしたら一体何だというのか。ヘーゲルに批判的な論者は実際、「精神」を、神か、あるいはそれに類する実体として解釈した上で、ヘーゲルを攻撃する。ここには容認しがたい、非合理的な形而上学の残滓がある、と。いずれにせよ、「精神」や「絶対精神」が、神的な実体であるとすれば、ヘーゲルは、後期のフィヒテの地点からたいして前進していない、ということになるだろう。

だが、ヘーゲルの「精神」に対しては、もう少しましな解釈が可能だ。形而上学的な含みをもたない（ように見える）、そして近代の合理性の感覚とも合致する解釈が、である。「精神」を共同主観性のヘーゲル的な表現と見なすのだ。そうした解釈の典型として、「精神」は、同一の言語を共有する集団、つまり言語共同体である、と見なしたらどうだろうか。このように解釈したときには、どのような理論上の利得があるのか。カント‐（前期）フィヒテにとっては、統覚の担い手は「私＝自我 Ich」、つまり個人であった。この場合、私の経験の条件そのものを私自身が自らの行為を通じて与えなくてはならない、という自己言及の背理を避けることができなくなる（この背理を回避しようとして、後期のフィヒテは、絶対者〔神〕を導入したのであった）。しかし、「精神」を共同主観性と見なすことができるとすれば、事情は異なってくる。今や、統覚「我思う」の「我（私）」は、単なる個人としての私ではない。私は、共同体の一員として、つまり言語に代表される共同主観化された意味の秩序を分有する者として、「思う」のである。このとき、個人としての私にとっては、言語が、超越論的な条件としてあらかじめ与えられている。つまり、言語が、安定的な意味のシステムを用意しており、それをすでに習得している私は、その意味のシステムに規定されることで、実在をどのように経験すべきかを知ることができるのだ。

「精神」を、言語のごとき共同主観的な媒体と関連づけることができれば、フィヒテ的な退行に陥らずにすむ……と言いたくなるが、実際には、この解釈は、見かけほどには合理的ではないし、形而上学から真に自由になっているわけでもない。絶対者（神）の代わりに、あらかじめ存在している意味の秩序が根拠になっているだけだからだ。フィヒテは、絶対者が、自我形式（我思う）を規定しており、自我形式は、絶対者のひとつの現象形態であると論じた。同じように、私の個々の発話は、既存の意味の秩序に規定されており、その具体的な表現である。

結局、ヘーゲルもまた、フィヒテが最終的に行き詰まったところで止まっている、ということなのだろうか。「カント以降」の観念論の展開としては、フィヒテがたどり着いた地点から、大きく前に進むことができない、ということなのだろうか。そうではない。『精神現象学』（一八〇七年）の「序」に記された有名な標語が、ここまでの説明を超えた解釈がありうることを示唆している。「真なるもの」を「実体」としてだけではなく、同様に「主体」として把握し、表現しなくてはならない。ヘーゲルはこう書いていた。したがって、ヘーゲルの観点からは、「精神」は、「実体」であるだけではなく、いやそれ以上に「主体」である。ここで、「実体」にあたるものは、「絶対者」や「神」の系列にはいるものである。既存の、共同主観化されている「言語的な意味の秩序」も、そうした系列に含まれる。では、「実体」ではないところの「主体」とは何なのか。

*

ここで議論を一挙に前進させるために、「援軍」を頼むことにしよう。どこから援軍を呼び寄せるのか。ジャック・ラカンから、である。ラカンの独特の主体の概念は、ヘーゲルの「主体」を継承するものだろう。ラカンをこのように解釈し、ラカン自身よりもはっきりとヘーゲルと関連づけながら、ヘーゲルを読んできたのが、スラヴォイ・ジジェクである。[*17] ラカン－ジジェクの議論を、援軍として活用することにしよう。

ラカンは、主体を奇妙な記号$\cancel{S}$で表記している。われらが援軍によれば、$\cancel{S}$をヘーゲルの「主体」と同一視することができるはずだ。それにしても、$\cancel{S}$は何を指しているのだろうか。ラカンのコンテクストでは、Sは「シニフィアン」の頭文字である。問題は、どうしてここに抹消線が引かれているのか、である。

ここでちょっとした寓話によって解説してみよう。われわれは今、ある言語共同体の一員であるとして、われわれの言語をまったくわからないか、あるいはごくわずかしか理解していない相手に対して、何か特定の語――「ギャヴァガイ」としよう――の意味を教える、という場面を想像してみよう。この設定は、きわめて例外的なコミュニケーションであると思うかもしれないが、そうではないということを先に述べておきたい。かつて柄谷行人が述べていたように、コミュニケーションの原型は、あらかじめ同一の言語を共有している者の間の情報の交換ではなく、言語を共有しない者の間の「教える―学ぶ」の関係にこそある。[*18] この寓話は、こうした示唆に準拠している。

さて、われわれはあの手この手を使って、「ギャヴァガイ」を説明しようとするだろう。別の語に言い換えたり、同義語を出してみたり、この語が使われる状況を記述してみたり、……と。しかし、成功するはずがない。相手は、そもそも、われわれの言語をほとんど知らないのだから。そこで、われわれは、「ギャヴァガイ」が指し示している事物の前に相手を連れてきて、たとえば走っている白ウサギを前にして、「ギャヴァガイ」と発声してみるだろう。しかし、それでもうまくはいかない。相手から見ると、その語が何を指すのか、たとえば「ウサギだ」ということなのか、「白い物」ということなのか、「動いている物」ということなのか、「長い耳」なのか、等を決定できないからである。それを正しく限定するために、われわれはまたしても、言葉での解説に頼らざるをえないが、結局、挫折する。最後に、われわれはさじを投げて、こう叫ぶほかなくなる、「ギャヴァガイはつまりギャヴァガイなんだ！」と。シニフィアンは何かを意味することに失敗しているのだ。

分析哲学を少しでも知っている者は、気づいているだろうが、この寓話は、ここで無から創作されたものではない。これは、分析哲学の領域ではきわめて有名なクワインの論文の中で創作された寓話を少しばかり改造したものである。[*19] クワインは、これを、「根底的翻訳の不確定性」というテーゼを論証するために活用している。根底的翻訳とは、ある言語について何の知識をもっていない状況から出発する、その言語についての翻訳の作業のことである。つまり、今述べた寓話で、われわれが何とか教えようとした他者が、なさなければならなかった翻訳のことだ。クワインによれば、このような翻訳は原理的に不可能である。

が、しかし、ラカンの議論は、さらに先がある。われわれは最後にあきらめて「ギャヴァガイはギャヴァガイだ」と結論づけるのだった。これは敗北の宣言のように聞こえる。が、しかし、実際にそこまで行ったとき、相手はあることを発見するのである。ふしぎなことに、相手は「あっ、そうか。それがギャヴァガイなんだ」ということを、突然、理解するだろう。不可解だと思うかもしれないが、実際に、こういうことは頻繁に、いや常に、起きている、と考えなくてはならない。なぜなら、すべての人が、最初は言語共同体の外にいて、成長の過程を通じて、言語共同体に参入するからである。つまり、この寓話の「教えられる他者」の立場は、すべての人間の出発点である。

どうして、シニフィアンがうまく機能しなかったのに、結局、（しばしば）教えることに成功するのか。それは、逆説的に聞こえるかもしれないが、シニフィアンが機能することに、繰り返し失敗したからである。われわれが教えることに何度も失敗し、あれでもない、これでもない、と試みていくうちに、否定的な仕方で、その語「ギャヴァガイ」のための場所に、境界線が引かれ、定められたのである。このとき、「ギャヴァガイ」というシニフィアンは、シニフィエに到達できてはいない。そうではなく、シニフィアンそれ自体が、シニフィエになっている。「ギャヴァガイとはギャヴァガイ（と呼ばれるもの）である」と。これが、ラカンの言う「シニフィエなきシニフィアン」の一例である。この挫折したシニフィアンの位置が定まったおかげで、言語が獲得されるだろう。つまり根源的翻訳がなされるだろう。

ヘーゲルの「精神」がそれであるところの「主体」とは、このように「意味すること」に失敗する——その失敗を通じて成功への可能性を切り拓く——主体のことではないだろうか。$\not S$という記号は、この「主体」の条件となる意味作用の失敗を表示している。ここで、共同主観的に共有された「意味の秩序」は前提にはなっていない。そうではなく、この「教える—学ぶ」の関係を通じて、奇跡的な仕方で、そのような秩序の体系は生成するのだ。

この議論を社会的現実に着地させるためには、もう少し先まで、ヘーゲルの述べていることを追わなくてはならない。本章の考察の最後に、「注意」ということに立ち戻っておこう。「主体」であるところの「精神」は、他者に、「注意」させることに成功している。教えられた他者は、「ギャヴァガイ」であるところの対象へと注意の目をさしむけるだろう。

1　マイヤー・シャピロ『セザンヌ』黒江光彦訳、美術出版社、一九九一年（原著一九六三年）。
2　ジョナサン・クレーリー『知覚の宙吊り』岡田温司監訳、平凡社、二〇〇五年（原著一九九九年）。
3　同書、二九—三〇頁。
4　同書、三二頁。
5　John Dewey, *Psychology*, New York: Harper and Brothers, 1886, p.134. 引用はクレーリー、前掲書、三二頁から。
6　クレーリー、前掲書、三六頁。ここでクレーリーは、フーコーが『快楽の活用』（田村俶訳、新潮社、一九八六年）で使った表現を踏まえている。

7　ジョナサン・クレーリー『観察者の系譜』遠藤知巳訳、以文社、二〇〇五年（原著一九九〇年）。大澤真幸『美はなぜ乱調にあるのか』、青土社、二〇〇五年、第一章。

8　カントの「統覚」概念については、『〈主体〉』の第15章第3節を参照。

9　ところで、パノプティコンは、それ自体、大きなカメラ・オブスクラである。規律訓練型の制度の中にあるとき、人は、古典主義時代の画家とは逆の位置に、つまりカメラ・オブスクラによって見られる側に置かれている。したがって、次のように言うことができる。カメラ・オブスクラによって恒常的に見られることによって、個人は、注意の主体になるのだ、と。

10　アルトゥル・ショーペンハウアー『意志と表象としての世界』西尾幹二訳、中公クラシックス、二〇〇四年(原著一八一九年、一八四四年)。

11　Maurice Merleau-Ponty, "Le doute de Cézanne," *Sens et non-sens*, Paris: Nagel, 1948. モーリス・メルロ＝ポンティ『意味と無意味』滝浦静雄ほか訳、みすず書房、一九八三年。以下、翻訳は大澤が若干の変更を加えた。

12　ジョアキム・ギャスケ『セザンヌとの対話』成田重郎訳、東出版、一九七五年。クレーリー『知覚の宙吊り』二六五頁から。

13　アンリ・ベルクソン『物質と記憶』（ベルクソン全集2）、田島節夫訳、白水社、二〇〇一年（原著一八九六年)。

14　フィヒテの前期から後期への転換については、ギュンター・ツェラーの解説がわかりやすい。Günter Zöller, "Thinking and Willing in the Later Fichte," Daniel Breazeale and Tom Rockmore eds. *After Jena: New Essays on Fichte's Later Philosophy*, Evanston: Northwestern University Press, 2008.

15　ここに述べたような、真の実在たる絶対者と現れとの間の関係についての論点は、以下の論文から、ヒントを得ている。Johannes Brachtendorf, "The Notion of Being in Fichte's Late Philosophy," D. Breazeale and T. Rockmore eds. op.cit.

16　以上に論じてきたことをもとにすると、「神」とは、結局のところ、「約束」の純粋な潜在性である、というデリダの洞察がいかに的確なものであったか、ということがあらためてわかってくる。デリダが否定しているのは、神がどこかにそれ自体として持続的に存在している、という観念である。この観念が神なるものを正しく捉えていないのだとすれば、どう考えればよいのか。まず神は、間接的な現れとしてだけ暗示されており、決して、直接に到来することはない。つまり、神に関しては、「いつか到来する（いずれ直接現れる）」という約束だけがある。その約束が履行され、今ここで「神の到来」という出来事がほんとうにアクチュアルな現実になることはないのだ。したがって、神は、「約束」という形式を通じてのみ存在が暗示される、純粋な潜在性だ、ということになる。

17　たとえば以下を参照。スラヴォイ・ジジェク『イデオロギーの崇高な対象』鈴木晶訳、河出文庫、二〇一五年（原著一九八九年）。
18　柄谷行人『探究Ⅰ』講談社、一九八六年。
19　W・V・O・クワイン『ことばと対象』大出晁・宮館恵訳、勁草書房、一九八四年（原著一九六〇年）。

第13章　存在論的に未完成な共同体

1 「教える―学ぶ」と「売る―買う」

モネの絵画、とりわけその連作を見ることから始めた第11章以来の展開を、まずここで復習し、整理しておこう。「積みわら」「ルーアン大聖堂」等のモネの連作は、言わば、ゼノンのパラドクスへの（意図せざる）挑戦である、と述べておいた。連作を構成する一つひとつの絵は、「テレイオシス」（ブレンターノ）を描いているのだ。テレイオシスとは、対象に孕まれている潜在的な運動・変化のことである。「静止している矢」と「飛んでいる中のある瞬間の矢」は、どちらも正確に同じ拡がりの空間を占めるわけだが、テレイオシスが異なっている。モネは、テレイオシスを含みもつものとして対象を描こうとした。

テレイオシスを随伴しているということは、その対象が本質的に未完成なものとして見えている、ということである。それは、まだしかるべき場所に到達していない、まだ終極的な状態に至ってはいない、とそのように現前しているのである。モネの絵画が目指している「完成」や「終極」の像は、どこに描かれているのか。モネ自身の手になる絵画の中には、それはない。ではどこにあるのか。セザンヌの絵に、とわれわれは答えておいた。たとえば、セザンヌの「松と岩」に描かれている大きな岩は――したがってまた「サント・ヴィクトワール山」は――、存在論的に未完結なモネ的対象が目指している終極の状態を提示している。

セザンヌの絵画は「注意の芸術」だと言われる。「松と岩」では、画家の注意のまなざしは、岩へと注がれている。この点の確認から、われわれは、セザンヌ（とモネ）の絵画を、美術史のコンテクストから、一九世紀後半の流行の知的主題のコンテクストの中に置き直すことができたのだ。流行の主題とは、まさにその「注意」である。一九世紀の後半から二〇世紀にかけて、「注意」という人間の能力に、突然、関心が集まるようになる。「注意」が注意されるようになったのだ。もちろん、このトレンドをまずリードしたのは、心理学である。フェヒナーやヴィルヘルム・ヴントがこの分野の代表だ。そして、一九世紀末の哲学もまた、同じ知的な流行の中に入っている。フッサールの現象学やベルクソンの「知覚と記憶」の哲学は、この流れに棹さすものである。

どうして、注意の能力が、急激に、知の中心的な主題となったのか。この学問の動きを規定し、これと連動している社会的現実は何なのか。これは、「モネ／セザンヌ」という絵画の出現を最深部で規定している社会現象を探り当てることでもある。われわれはあえて、鉱脈がいかにもありそうな場所とは正反対の方向を掘り進むような大きな迂回路を通って、この問いに挑戦しているのであった。迂回路とは、カント以降のドイツ観念論である。

なぜ、そんな道を通っているのか。「注意」とは、カントの超越論的統覚が、個人の具体的な身体に担われているときに見出される能力だからだ。超越論的統覚を抽象的に、経験が可能であるための論理的な条件としてだけ見なしている間は、「注意」ということは問題にならない。しかし、それが定位されるべき場所が、経験的な個人であることを考慮したとたん、統覚は、「注意」の能力において現実化するほかないことを自覚せざるをえなくなる。

この点に、つまり統覚の実質的な担い手は経験的な個人であるという事実に、直接的に反応したのが、フィヒテの哲学である。フィヒテは、超越論的統覚の担い手を「絶対的自我」として概念化した。が、それはすぐに理論上の困難にぶつかる。絶対的自我の理論は、スタール夫人が指摘していたように、ミュンヒハウゼン男爵のほら話のごときものになってしまう。結局、フィヒテは、超越論的自我を放棄し、自我に論理的に先行する実体として「絶対者(神)」を前提にせざるをえなくなる。これは、カントからの明らかな理論的後退である。

フィヒテの絶対者は、ヘーゲルの「(絶対)精神」によって継承される。一見、それは、後期フィヒテの概念の単なる言い換えに思える。だが、「精神」を「実体」としてではなく「主体」として捉えたときには、まったく異なってくる。「主体」としての「精神」とは何か。われわれはラカン派の示唆を得て、それを$\cancel{S}$――つまり「シニフィエに到達することに失敗したシニフィアン」と解釈したのであった。この解釈が含意していることは、次のようなことである。

言語を共有しない他者に対して、ある言葉(シニフィアン)が何を意味するかを教えるという場面を使って、分析哲学者は「根底的翻訳の不可能性」を証明する。が実際には、まさにその不可能性を通じて、われわれは、言葉の意味を教えているのだ。ある瞬間、人は学ぶのだ。『ギャヴァガイ』はギャヴァガイのことだったんだ!」と。この「教える―学ぶ」の関係において、教える者、つまり「シニフィエなきシニフィアン」によって他者にその言葉を学ばせることに逆説的に成功する者、これこそ、「主体」としての「精神」である。シニフィエがあらかじめ存在していること――(シニフィアンを通じて)シニフィエへと到達すること――を前提にはできないので、「主体」は教えることに成功する保証はない。が、奇跡的にも、教えることができたとき、すなわち他者が学んだとき、「主体」は、そのシニフィアンによって何かを意味していたことになる。このとき「主体」(教える側)はシニフィアンを媒介にして、他者(学ぶ側)に、何らかの対象に対して注意のまなざしを向けさせることに成功している。

＊

ここまでが前章で述べたことである。われわれは、「注意」なるものへの知的関心を規定している社会現象は何であったのか、ということを問うていたのであった。カントが提起した「超越論的統覚」をここまで――ヘーゲルの「主体」としての「精神」まで――追い詰めておけば、「注意」という主題の流行が、どのような社会現象の中で生じているのかを特定することができる。

われわれは、$\mathcal{S}$で表記されうるヘーゲル的「主体」を説明するために、「教える―学ぶ」の関係に準拠したのであった。それは、コミュニケーションは、メッセージの交換としてではなく、「教える―学ぶ」の関係として――この関係を「教える」側の視点から捉えるかたちで――捉えるべきであるとする柄谷行人の主張に基づくものである。ところで、柄谷によれば、「教える―学ぶ」と「売り―買い」との間には、厳密な並行性がある。前者のポイントは、教える「主体」は他者が学ばなければ、何かを意味していたことにはならない、ということにある。これと同様に、商品を売ろうとする者にとっては、貨幣所有者によって買われない限り、その商品は(交換）価値をもつものとして——使用価値としてすら——存在していたことにはならない。もちろん、商品にとって、買われることはあらかじめ保証はされていない。

「売る」立場を〔「教える」立場と〕類推的に考えてみればよい。マルクスがいったように、商品はもし売れなければ（交換されなければ）、価値ではないし、したがって使用価値ですらもない。そして、商品が売れるかどうかは、「命がけの飛躍」である。商品の価値は、前もって内在するのではなく、交換された結果として与えられる。前もって内在する価値が交換によって実現されるのではまったくない。*1

「注意」への関心を規定している社会現象とは何か。それは、「売り—買い」の関係が社会の基底的な交換様式となっている状態である。資本主義、これが回答だ。

＊

ジョナサン・クレーリーもまた、注意という主題が、同時代の資本主義の展開と結びついている、と論じている。二つの点で、資本主義は、注意の能力に関心を向ける。

第一に、生産する労働者を管理する規律的な体制との関係で、注意力は鍵である。生産性をあげるためには、労働者の注意力を最も効率的に方向づける必要があったのだ。たとえば、前章でも論及した、ジェイムズ・M・キャッテルによって主導された「反応時間」の研究は、こうした点で貢献があると——過剰なまでに——期待された。*2 キャッテルの研究の目標は、識別や連合といった、反射に近いごく単純な反応までの時間を測定するだけではなく、判断や意見を形成するのに人間はどのくらい時間がかかるのかを見極めよう、というものであった。さまざまな刺激の強度が増すにつれて、たとえば明度や音量を高めることによって、反応の時間がどのくらい変化するのか。こうしたことについて実験が繰り返され、膨大な量の情報が蓄積された。新たに導入された機械の速度やリズムに対して、人間の適応能力をどこまで高めることができるのか等が明らかになるはずだった。労働から、どこまで高い生産性を引き出すことができるのか。これが研究の最終的に目指すところだった。

資本主義というコンテクストの中でより重要で興味深いのは、「消費」と関連する第二の点である。「注意」という主題は、そのネガティヴな裏面も含めて、資本主義の消費文化と連動している。ここで「ネガティヴな裏面」は、前章で述べたように、注意という現象はその反対物である「散漫」と連続し、隣接しているということ、ひとつのことへの注意が逆に散漫へと転化しうるということ、こうした側面を指している。

資本主義は、生産された商品が最終的に、消費を目的として買われなければ成り立たない。先に引用した柄谷行人の言葉を使えば、商品が次々と「命がけの飛躍」（これ自体、マルクスに由来する表現だ）に成功することが、資本主義を成り立たせるための究極の条件である。そのためには、商品はまず注目されなくてはならないが、それだけでは十分ではない。注意がひとつの商品に固定していてはならず、次々と別の商品へと移っていかなくてはならないのだ。資本主義は、消費者の欲望をある商品へと集中させ、しばらくのちに、注意を別の商品の方へと切り替えていくシステムである。

資本主義は、このように、交換と流通を加速させるために、注意力の集中と散漫を相互に絶えず切り替えていく。その結果として、人間の知覚順応性が作りだされる。クレーリーによれば、ヘルムホルツが『生理光学論』で人間の生来の傾向性として書いていることは、注意の研究が、資本主義を自然なコンテクストとしたことの結果である。ヘルムホルツは、「注意が、あるものから別のものへと逸らされるのは、自然なことである」とし、さらにこう論じ進める。「ひとつの対象への関心が汲み尽くされるやいなや、さらにもはや知覚されるべき新しいものがその対象のなかに何もなければ、われわれの意志に反してでさえ、注意は別の何かに向けられる。われわれが注意をある対象に固定したければ、われわれは、その対象について絶えず何か新しいところを見つけようと努めなければならない[*3]」。こうした見解は、注意の研究が、資本主義のダイナミズムと無意識のうちに共振していたことをよく示しているだろう。

2　反復する終末

それゆえ、われわれはあらためてこう言うことができるだろう。ヘーゲル的な意味での「主体」としての「精神」とは、資本のことなのだ、と。もう少し慎重に言い換えれば、資本の論理を寓意的に表現すれば、ヘーゲルの「精神＝主体」になる。だから、マルクスがヘーゲルの概念を用いて『資本論』を書くことができたのは、ある意味で当然である。

市場において承認されること、つまり買われることが、投資にとって、常にそのたびに「終極的な目的」となる。資本主義社会のもとでは投資はいつまでも繰り返され、商品は次々と市場に投入されるのだが、そのたびに、あの「命がけの飛躍」に成功することが「終極」の目標として設定されているのだ。市場で消費者によって注目され、欲望の対象となることで、商品は、「飛躍」の成功のための条件を整える。前章の最後に、われわれは、Sで表記されるヘーゲル的な「主体」が何であるかを解説するために、われわれと言語を共有しない他者に、ある「語彙」が何を意味するか教えようとしてさまざまに手を尽くす者というイメージを提供した。新奇な商品を市場に提供し、それを売ろうとするとき資本が試みていることも、これと同じである。

柄谷は、前節で引用した部分に続けて、次のように書いている。

言葉についても同じことがいえる。「教える」側からみれば、私が言葉で何かを「意味している」ということ自体、他者がそう認めなければ成立しない。私自身のなかに「意味している」という内的過程などない。しかも、私が何かを意味しているとしたら、他者がそう認める何かであるほかなく、それに対して私は原理的に否定できない。私的な意味（規則）は存在しえないのである。[*4]

ここで「同じこと」というのは、もちろん「商品の場合と同じ」という趣旨である。「資本」は、言葉を教える「精神＝主体」と同じように、商品を売ろうとする。

ここで、本シリーズですでに述べてきたこととのつながりを確認しておこう。資本主義に関しては、ここに述べているような終極への態度の原型は、予定説への信仰に認めることができる。すなわち、「命がけの飛躍」に成功し、商品が売れることとは、終末の日に神に祝福され、神の国に迎え入れられることに比定することができる。商品が「命がけの飛躍」に成功する保証がないのと同様に、予定説の設定では、人間にとって、（神に）救済されるかどうかは、まったく不確実で予見することができない。しかし、にもかかわらず、予定説を信じる者は、「命がけの飛躍」の成功（救済）があたかも既定の事実であるかのように前提にして、[*5] 行動するのであった。信者は、最後の審判の時点の、想定された（神の）視点から遡及的に見返し、その視点に映っている（だろうような）自分自身を演じ、実現する。もし最後の審判において祝福されたとすれば、その信者には、神から（肯定的な《ポジティヴ》）「注意」のまなざしが注がれていたことになる。[*6]

　予定説においては、もちろん、救済は真の終末のときに一回なされるだけだ。そして、これと同じことを、投資のたびに反復すれば、資本となる。もう一度確認しておけば、投資が（剰余価値を伴って）回収される瞬間が、終末（の救済）のときに対応する。今度は、終末は、そのたびに、さらに先に再設定され、繰り返されることになる。予定説において、本来は不確実であるはずの救済が、「事実」であるかのように先取り的に前提にされたのと同様に、理念型的には、（資本主義下の）投資家は、投資が成功し、「命がけの飛躍」が成就することを既定的な事実であるかのごとく確信して行動する。あるいはそのような確信があるがゆえに、彼は冒険的な――いや無謀でさえある――投資をなしうる。

　モネとセザンヌの絵に立ち戻っておこう。セザンヌの「松と岩」で、いわゆる「刈り跡」の部分に描かれた岩は、終極の対象の像、言わば終極の視点の前に立ち現れる対象の姿である。それは、輪郭がくっきりとした形象として描かれる。これに対して、「松と岩」で「刈り跡」の背景に描かれた光や葉の散乱は、そしてまたこれとよく似ている「睡蓮」をはじめとするモネの連作絵画は、終極へと向かう過程のうちにある対象である。それらは、「まだ終わっていない」という未定性を印象づけるように描かれている。

このように、予定説、資本の運動、あるいは「モネとセザンヌ」のセットは、同一の論理の形式を反復している。この論理が適用されている素材には、圧倒的な違いがあるにもかかわらず、だ。

＊

モネの連作の一つずつの絵画は、過程のうちにあるものとして対象を提示している。「未だ……ない」から「今まさに……」を経て「すでに……ない」へと連なる過程の中にあるものとして、つまりこれら三つの様相が同時に重なった状態で、対象が描かれているのだ。これを、われわれはブレンターノの語を借りて、「テレイオシスが孕まれている」と記述したのであった。対象にこうした過程性が宿るのは、対象がそこへと向かっている終極の側から対象を遡及的に見返しているからだ。繰り返せば、その終極の方を描いたのが、セザンヌである。

モネの絵画、つまりテレイオシスを孕んだ絵画について、われわれは次のように言ってもよいだろう。それは、時間を空間の中に書き込むものだ、と。一般に、空間は三つの次元によって構成される。それに加えて、空間の第四の次元として時間が現前しているように見えるとき、その対象はテレイオシスを帯びたものとして提示される。

終極への過程の中にある――テレイオシスを孕む――対象の様相を理解する上で、ジル・ドゥルーズの「純粋過去」の概念が役に立つ。[*7] 純粋過去を、ジェイムズ・ウィリアムズは、ドゥルーズ論で次のように解説している。それは、「すべての出来事が、跡形もなく沈み込んでしまった出来事を含むすべての出来事が、去り行くものとして蓄積され記憶されている絶対的過去」である。[*8] このような結論的な定義から（だけで）理解しようとすると、純粋過去は、神話的なもので、すべての出来事が記された幻想の書物のようなものに思えるだろう。しかし、これは、堅実な概念、分析哲学の生まじめな考察にも堪えるような手堅い概念である。純粋過去とは、どのような意味なのか。

今まさに起こりつつある出来事を記述するとしよう。たとえば「私は今、『資本主義の父殺し』の第13章の原稿を書いている」と。ここには、まさに今のこの現在のことだけが書かれているように見えるが、すでに、ほんのわずかであれ、回想というモードが含まれている。今書かれているこの文章が、『資本主義の父殺し』の第13章」と認定されるのは、これを書き終えた後である。とすれば、この言明は、書き終えた後からの回想という前提の中でしか意味をもちえない。言明が帰属する視点は、この評論の執筆の事後に設定されているのだ。

このように、現在の出来事は、自らを「過去」の一部として知覚する、まさにその限りにおいて、現在の出来事である自己自身を認知することができるのだ。もちろん、同じことは、かつての現在の出来事（過去の出来事）、やがて現在になる出来事（未来の出来事）についても言える。どの出来事も、自らを、「過去」の一部として認知するほかない。このカギカッコで記した「過去」こそが、純粋過去、あらゆる出来事の認定を可能にするアプリオリな形式としての過去である。[*9]

このように、現在の出来事には純粋過去が随伴している。現在の出来事をまさにそのようなものとして捉える視点が、常に、未だ到来していない事後に設定されているからである。その上で、この事後の視点の「事後性」を強化し、より未来の方へと先送りしたらどうなるだろうか。ここで「事後性」を強化するというのは、視点をより遠くの未来に置くという意味ではなく、真の「終わり」という意味を付加するということだ。質的な断絶もなくどこまでも均質に続く過程の中のひとつの出来事の「事後」ということではなく、「すべての出来事の事後」という含意を含む場所からの回顧だったらどうなるか。このとき、現在の出来事を記述する言明に随伴する回想も、より大きな時間的深度をもつだろう。これも、「よりはるかな過去の回想」という含意ではなく、回想の中に、「始源」への暗黙の参照が入る、という意味だ。

資本の循環は、今しがた述べたように、(真の)「終わり」を反復することである。客観的に見れば、反復される以上は、それは、ほんとうはまだ終わりではないのだが、資本は、そのたびに、「終わり」への過程を――それこそ終わることなく――繰り返すことで循環するのだ。[*10] 投資した貨幣が剰余価値とともに回収されるとき、つまり資本の循環公式〝G(貨幣)―W(商品)―G'(貨幣)〟の中のG'は、一種の「最後の審判」だからである。

西洋の近代(一九世紀)において、対象のテレイオシスを敏感に検知する認識と態度が波及し、定着した。われわれが考察のきっかけに活用した、モネやセザンヌの絵画は、そうした傾向を代表する実例である。こうした認識や態度はどうして出てきたのか。その原因は、「資本主義」にある。これが、ここに提起している仮説である。

3 「人間」の知

今、対象のテレイオシスに対して極端に過敏な認識や態度が、近代において普及している、と述べた。この事実認定が妥当であるということを、さらなる実例を通じて確認しておきたい。ここで活用するのは、このシリーズの中ですでに何度も言及し、引用してきた、ミシェル・フーコーの『言葉と物』である。[*11] よく知られているように、この書物は、「表象」を中心においた近世（古典主義時代）の知から、近代（一九世紀）の「人間」の学への、西洋のエピステーメー（認識の枠組み）の非連続的な転換を記述している。

フーコーは、知の三つの分野における変化を見ることで、「表象」から「人間」への転換があったということを証明しようとしている。三つの分野とは、古典主義時代に関しては、博物学、富の分析、一般文法である。これらは、近代における生物学、経済学、そして文献学に対応している。

博物学における中心概念は、「特徴《カラクテール》」である。自然物を分類し、自然物について語ることを可能なものにするのは、自然の連続性や錯綜状態に境界線を引く「特徴」だ。富の分析において、中心的な役割を果たすのは、交換手段としての「貨幣」である。何が価値を生み出すかということよりも、すでに存在している価値の間の等価な交換に関心が向けられている。一般文法にとって最も重要なのは、事物の「名」である。博物学も富の分析も一般文法もすべて「記号《シーニュ》」の学となっている。自然物の「特徴」は記号によって分析され、「貨幣」は商品に対する一種の記号である。そして「名」が記号であることは言うまでもあるまい。記号こそが、人間の知覚を可能にし、思考を可能にする、という前提がここにはある。フーコーによれば、結局、古典主義時代の知は、記号がその上で配置されることによって実効的なものになる「タブロー」の学である。

近代の三つの知の分野はどうなのか。(近代の) 生物学をもたらしたのは、「生命」の概念である。「組織(化)」への注目を媒介にして、「生命」がひとつの概念として成立する。経済学を誕生させた概念は、フーコーによれば、「労働」である。労働とは、人間の生命を消耗し、生を磨耗させる営みである。近代の文献学では、「名」の優位は完全に崩れている。近代的な言語学である文献学の関心は、言語の歴史分析だ。そこでとりわけ着目されることは、語尾の「屈折」であり、そして、「動詞」である。整理すると次のような転換があったことになる。

古典主義時代		近代
特徴(博物学)	→	生命(生物学)
交換価値(富の分析)	→	労働(経済学)
名(一般文法)	→	屈折・動詞(文献学)

こうして並べれば誰でもすぐに気づくはずだ。古典主義時代の三つの概念はすべて共時的であり、時間に対して無関与である。近代の知で中心的な役割を果たす三つの概念は、時間性、あるいは歴史性に関係している。生命は、死に抗しつつ、しかし死へと向かう過程である。さらに――『言葉と物』ではさして重要な主題になってはいないが――、一九世紀の後半には、生物学は――自然の領域に一種の「歴史」をもち込み――「進化」の概念を導入することになる。経済学の労働概念が時間と深く結びついていることは明らかであろう。労働は、肉体に不可避に疲労

をもたらし、死へと漸近することでもあるが、まさにそれゆえに、死の支配への（無駄な）抵抗でもある。経済学は、生産に投入される労働の時間こそが、価値の源泉であると見なした。文献学が語尾の屈折に興味をもつのは、それが言語の歴史の指標となるからである。また、人間は、動詞において、欲望について語り、自らの行動を規定している意志を——つまりどのような目的へと指向しているかを表出する。近代の言語学が「名」よりも「動詞」を重視するのはこのためである。

つまり「人間」の学を規定している概念は、いずれも、終極＝目的へと向かう時間的な過程に関連している。古典主義時代の記号の学が共時的な差異の体系を分析しているのとは、対照的である。次のように言ってもよいだろう。古典主義時代の知は、本来の空間的な次元しかもたないが、近代の知は、時間の次元をまた、空間と並ぶ次元として——それ自体もう一つの空間的な次元として——組み込んでいるのだ、と。

ここまでは、事実上『言葉と物』で論じていることの要約だが、これにわれわれが仮説として付け加えておきたいことは、次のことである。知のレベルでのこうした転換は、資本主義の様態の変化と対応しているのではないか。

空間の差異から剰余価値を得る商人資本が中心である段階は、「表象」や「記号」の知と親和性が高い。剰余価値は、商品がひとつの価値体系から別の価値体系へ、ひとつのタブローから別のタブローへと移動させられたときに発生する。異なる価値体系、複数のタブローは、それ自体、共時的に並存している。商人資本がそれらを媒介するのである。

価値体系の間の時間的な差異を通じて剰余価値を得るタイプの資本主義、つまりは産業資本の段階はまちがいなく、近代の知、フーコーが言う「人間学」と結びついている。このタイプの資本主義では、価値は――したがって剰余価値は――、労働を投入する生産の過程から発生しているかのように見える。どうして生産の過程から価値が発生している（ように見える）のか、このからくりを説明したのが、『資本論』である。

4　新しいのに古く見える共同体

資本――とりわけ産業資本――なるものを可能にした機制を通じて、テレイオシスを帯びた実在が発見される。このような仮説を展開している。テレイオシスを帯びているということは、その対象が終わりへと向かう過程にある――それゆえまだ終わっていない――ということである。それは存在論的に未完成なのだ。前節では、そのような存在論的な未完成性を帯びた対象が、学知の体系の中にいくつも現れる、ということを『言葉と物』を概観しながら指摘してきた。しかし、われわれは未だ、近代社会（一九世紀）を代表していると言ってよいほどの顕著なマクロ的対象で、まさにこの同じ性質――存在論的な未完成性――を本質的な条件として存立している歴史的実体については何も論じてはいない。それは、「ネーション（国民）」である。

多くの歴史学者や社会科学者が述べてきたように、ネーションは近代の産物である。近代より前には、われわれが今日当たり前のように前提にしているネーションは存在していなかった。最も古いネーションでも、一八世紀の後半よりも過去には遡ることはない。ネーションとは何であり、それがどのようにして生まれたのか、ということについて、私はかつて徹底的に論じたことがあるので、本書で再論するつもりはない[*12]。ただ、目下論じている論点（存在論的な未完成性と時間性）に関係しているネーションの奇妙な性格に関してだけ、それがもたらされるメカニズムを検討しておく必要がある。

だが、その前に確認しておかねばならない。ネーションやナショナリズムは、ほんとうに近代的な現象なのか、疑念をもつ者もいるだろう。「ナショナリズム」という語は、一九世紀の終わりにならなければ、辞書には現れない。だが、「Natio（ラテン語）」という語は、古くからある。しかし、その指示対象は、「国民」や「民族」とは関係がない。一七七六年に出版された、アダム・スミスの *Wealth of Nations* の"Nation"さえも、単に「社会」とか「人々の集合」という意味であって、国民・民族としての連帯をいささかも含意していない。近代的な意味でのネーション、われわれが今日「ネーション」と呼ぶ社会的実体は、少なくとも四つの（必要）条件を満たしている[*13]。

第一に、どんなに小さなネーションでも、これを構成する個々人は、他の大多数のメンバーに直接会ったことがなく、互いを間接的な仕方で知ることすらない。ネーションのメンバーは他のほとんどのメンバーを知らず、一生互いに会話を交わすことも、会うことすらもないと思っている。ネーションは、このような圧倒的に多くの未知のメンバーを含む共同性として成立している。したがって、ネーションの連帯は、直接の関係性によって支持されているわけではない。互いの間にいかなる直接的な関係もないメンバーの間に強い同胞愛が育った例は、ネーションの前にはまったくなかった。

ネーションは、だから、多数のメンバーを含む大規模な共同体ではあるが、しかし、いかなるネーションも、自分自身を「限られたもの」と見なしている。これが第二の条件だ。ネーションは、空間的な限界（国境）をもち、社会的な限界（国籍）をもつ。そして、どのネーションも、自分の外に、自らと対等の異なるネーションが存在していることを積極的に容認している。どんなに傲慢なネーションでも、いつの日か人類全体を自らの内に包摂するという夢を抱くことはないし、そうなるべきだとも考えていない。

第三に、ネーションは、水平的な同志愛を特徴としている。つまり、ネーションは、メンバーが互いに平等であるということへの強いこだわりがある。現実に平等が確保されているとは限らない。にもかかわらずネーションの内部では、平等が確保されるべきだという強い規範的な意識が存在するのだ。ネーションは、身分的な序列やカーストにはなじまない。

第四に、ネーションは、主権をもとうとする。ネーションは基本的には生活様式や言語などの共通性に基づく文化的な共同体である。しかし、文化に自足できないところにネーションの特徴がある。文化的な単位である自らが同時に政治的な単位でもあることをネーションは強く要求する。[*14]

こうした諸条件を満たすネーションは、近代に登場した。その上で、ここで注目しておきたいことは、次のことだ。どのネーションも、自らのアイデンティティの規定の中に、自身の過去と自身の未来とを組み込んでいる。ネーションは、過去から継続し、現在においても未完成であり、将来においてこそ完成するものである、と自分自身を想像するのだ。要するに、ネーションの特徴は、その存在論的な未完成性である。

だから、ネーションとともに、歴史（学）が突然、重要な知になる。考えてみれば、中世の西洋の大学は、歴史学をとりたてて重視してはいない。だが、今日では、歴史学は、大学で教えられる最も重要な学問のひとつである。いつからそうなったのか。一九世紀に、である。一九世紀になると、われわれが今日でも繰り返し参照するような偉大な歴史学者が次々と生まれる。ランケやミシュレ、トクヴィル、そしてマルクスやブルクハルト……。さらに付け加えるならばヘーゲル。すべて一九世紀に活躍した学者である。ヨーロッパの主要な大学に、歴史学の講座が創設されたのは、一九世紀の前半である（ベルリン大学では一八一〇年、ソルボンヌでは一八一二年）。ヨーロッパでは、一九世紀の中盤までの短い期間に、歴史学は、正式な学科としての地位を確立し、専門誌までもつようになったのだ。

一九世紀は、だから、歴史学の世紀である。どうしてそうなったのか。一九世紀にネーションが次々と誕生し、ナショナリズムが流行したからである。ネーションの自己意識と歴史（学）とは深く結びついていたのだ。逆に言えば、ネーション以前の共同体は、自己同一性を確認するために、今日、われわれが依拠しているような意味での実証的な歴史（学）を必要としてはいなかった、ということになる。ネーションが、歴史という知を要請するのは、述べてきたように、ネーションが、存在論的に未完成な対象の一つだからである。

＊

だが、ネーションの歴史意識には、奇妙な錯覚が必ずともなっている。ベネディクト・アンダーソンは、それをネーションをめぐる（三つの）パラドクスのうちの一つとして挙げている。簡単に言えば、ネーションは客観的には新しいのに、主観的にはとてつもなく古いものとして理解されるのだ。[15] 述べてきたように、歴史家や社会科学者の客観的な眼には、国民（ネーション）は近代的な現象である。しかし、ネーションの内部にいる者たち、つまりナショナリストの主観的な眼には、はるかな古代から続いている実体として現れる。そして、ナショナリストは、ネーションができるだけ古いものであることを欲するのだ。

ナショナリズムという観念に内在する人々は、ネーションの起源を、はるかな過去に求めたがる。ネーションの「古代的な起源」についての幻想は、ネーションの本質を象徴すると見なされている遺跡や歴史的事実の内に対象化されている。これは、ヨーロッパのネーションに限られたことではない。たとえば日本の場合には、伊勢神宮やあるいは吉野ヶ里遺跡が、そのような象徴として社会的には機能する。どのネーションも、類似の象徴を所有している。カール大帝の詔勅、マグナ＝カルタ、オルホン碑文（中国北方に八世紀にトルコ民族がいたことを証明するとされている遺跡）、ピラミッド等々が、そのような象徴である。考古学的発掘への注目は、しばしば、ナショナリスティックな情熱に由来する。

どうしてネーションは新しいのに古く見えるのか。こんな不整合は、他の共同体や集団では生じない。他の共同体や集団では、その歴史的な起源の時間的な深度に関して、客観的な認定と主観的な了解とが（ほぼ）一致している。しかし、ネーションに関しては、両者が著しく乖離する。どうして、近代的で新しい共同体であるネーションは、自身の古代的な起源に執着するのか。

1　柄谷行人『探究Ⅰ』講談社、一九八六年、六―一七頁。

2　ジョナサン・クレーリー『知覚の宙吊り』岡田温司監訳、平凡社、二〇〇五年（原著一九九九年）、二九〇頁。

3　同書、三六頁。

4　柄谷、前掲書、七頁。

5　実際、神にとっては、その個人が救済されているということ（あるいは呪われているということ）が既定の事実であるがゆえに、信者はこのように前提にできるのだった。

6　もっとも神はすべてを注意している。その視野から外れているものは何もない。神の注意はこのように完全に普遍化されているがゆえに、否定される。

7　ジル・ドゥルーズ『差異と反復』上・下、財津理訳、河出文庫、二〇〇七年（原著一九六八年）。

8　James Williams, *Gilles Deleuze's Difference and Repetition: A Critical Introduction and Guide*, Edinburgh: Edinburgh University Press, 2003, p.94.

9　ドゥルーズの「純粋過去」の概念は、以下の論文で、マクタガートの時間論との対比で、より詳細に検討されている。大澤真幸「時間の実在性」『Thinking「O」』一五号、二〇一八年。

10　つまり、「終わりへの過程」自体が無限に反復されるがゆえに終わりがない、という逆説がここにはある。

11　ミシェル・フーコー『言葉と物』渡辺一民・佐々木明訳、新潮社、一九七四年（原著一九六六年）。

12　大澤真幸『ナショナリズムの由来』講談社、二〇〇七年。

13　ベネディクト・アンダーソン『定本　想像の共同体』白石隆・白石さや訳、書籍工房早山、二〇〇七年（原著二〇〇六年）、二四―二六頁。大澤、前掲書、七四頁、八八―九八頁。

14　アーネスト・ゲルナーは、この点に着眼してネーションを定義している。『民族とナショナリズム』加藤節監訳、岩波書店、二〇〇〇年（原著一九八三年）。

15　アンダーソンが挙げている他の二つのパラドクスは以下の通りである。まず文化的概念としてのナショナリティは形式的には普遍的なのに、具体的に見ていくと、ひとつずつそれぞれに特殊で手のほどこしようがないほど多様である（たとえば、「日本人であること」と「ギリシア人であること」の間にどこか似ているところなどない）。そして、ナショナリズムは、近代が生み出したどの「…イズム（主義）」より大きな政治的影響力をもったのに、哲学的には最も貧困で、しばしば支離滅裂である（アンダーソン、前掲書、二二―二三頁）。

第14章　「Anno Domini（主の年）」から「A.D./B.C.」へ

1　新しいことはわかっている、しかし……古くなくてはならない

一八世紀後半から一九世紀末までの期間の中で、「国民《ネーション》」は、西ヨーロッパと南北アメリカで、次々と誕生した。およそ近代的と見なされるすべての要素は、西ヨーロッパで発生したのだが、ネーションだけは変則的だ。というのも、それは、西ヨーロッパから見ると後進的で、産業化という点でもはるかに遅れをとっていた南北アメリカで、すなわち西ヨーロッパの最強国が大西洋の向こう側にもっていた植民地で、西ヨーロッパとほぼ同時に、いやむしろ西ヨーロッパに幾分か先立って、産声をあげたからだ。[*1] どうして、「国民」という実体に関しては、このような変則が生ずるのか。興味深い社会学的主題だが、ここでは問わぬことにしよう。[*2]

ともあれ、われわれが注目してきたのは、ネーションは生まれるとすぐに、自分たちはずっと前からいた、はるかな昔に実際には生まれたのだ、と見なすようになるという事実だ。ネーションの客観的な時間の深度と、ナショナリストの眼に映ずる主観的な時間の深度の間には、大きな乖離がある。どうしてこうした乖離が生ずるのか。ネーションは、国家《ステート》のような制度とは違い、（全面的に）自覚的に設立するものではないので、いつ始まったかを正確に特定することは一般

に難しい。がこのことを勘案しても、ネーションの主観的な起源と客観的な起源との間の時間的な距離はあまりにも大きい。ネーションは、できるだけ深い過去に、しばしば古代に、自らの起源を想定する。どうして、ネーションは、自らの現在よりもはるかに時間的に隔たった過去に、自身の起源があると思いたがるのか。なぜ、ネーションの主観的な起源と客観的な起源との間には極端な乖離が生ずるのか。

これが、ネーションに固有なことだということは、ヨーロッパにおけるネーション以前の重要な共同体が、自らの起源をどのように想像したかを振り返れば、明らかになる。「重要な共同体」とは、もちろん、聖なる共同体、つまり教会である。教会が自らの源泉と見なす出来事は、まずは、「楽園追放」等の旧約聖書のエピソードであり、それ以上に、福音書に記されたイエス・キリストの生涯であろう。聖なる共同体は、それら起源に関連することがらを、主として視覚的な表現によって提示した。それは、文字を読むことができない民衆のためのものだったからである。

たとえば中世のステンドグラスでは、「起源」はどう描かれていたろうか。もっと時代を近代に近づけたものでもかまわない。初期ルネサンスやフランドル派の絵画で、受胎告知、イエスの誕生、最後の晩餐、ピエタ（キリストの遺体を前にして嘆く聖母）等がどのように描かれていたか。今日のわれわれがこれらを見たときに覚える最初の違和感は、「時代考証」がまったくなされていない、ということである。*3 聖母にせよ、東方の三博士にせよ、マグダラのマリアにせよ、イエスと使徒たちにせよ、一般に、絵画が描かれた地方の同時代の容姿をもち、同時代の衣装を着ている。ヤン・ファン・エイクの「受胎告知」を例にとってみよう（図14－1）。この絵の中の天使ガブリエルの豪華なマントもマリアの青いローブも、どう見ても一世紀のセム族のものではなく、画家が当時仕えていた宮廷があるブルゴーニュ地方の貴族の装いだろう。二人がいる神殿は、ゴシック様式だということがわかる。当時、絵画には、しばしば、その制作を依頼したパトロンの関係者が一登場人物として描かれているのだが、「受胎告知」では、マリアが、ブルゴーニュ公フィリップ三世の妃イザベルだと推定されている。

こうした事実からわかるだろう。ネーション以前の「聖なる共同体」は、自分たちの起源をできるだけ古いものに見せようなどという意欲を微塵ももってはいないのだ。起源が古いことに何か誇らしいものがあるという意識が、ここにはまったくない。そのため、ネーションの場合とは正反対の不一致が生ずる。客観的に見れば、受胎告知やイエスの磔刑などは、絵が描かれた時点からは千何百年も遡る、それなりに古い出来事だが、主観的な観点のもとでは、この時間的な乖離は無視され、出来事は同時代的に描かれる。述べてきたように、ネーションの場合には、これとは反対方向の逆立が生じている。前者（聖なる共同体）の不一致が起きる理由はかんたんに説明できるが、後者（ネーション）における不一致は、不可解である。聖なる共同体では、起源と現在との間の生活様式の差異は——現在の方に引き寄せられるかたちで——無視される傾向がある。逆に、ネーションでは、現在の自分たちと過去の自分たち（祖先）の間の差異が、ことさら強調されていることになる。

たとえば、ギリシアの初期のナショナリスト、アダマンティオス・コラエスは、一八〇三年に、彼を支援してくれているパリの人々を前に、次のように演説した。[*4]

はじめて［ギリシア］国民は、その無知のおぞましい姿を見まわし、その目で祖先の栄光と己を分かつ距離を測って身震いする。しかし、この苦痛に満ちた発見は、ギリシア人を絶望に突き落としはしない。我々はギリシアの末裔である。かれらはみずからに言う、我々は再びこの名にふさわしい存在となるべく努めなければならない、さもなくば、この名をになってはならない。

ここでコラエスによって、栄光に満ちた祖先として指示されているのは、もちろん、哲学や悲劇や民主主義を生んだ古典古代のギリシア人である。コラエスは、現在の自分たちの状態と古代のギリシア人の状態との間の大きな差異を自覚していて、それに身震いしたり、苦痛を感じたりしている。が、そうした差異にもかかわらず、古代のギリシア人はわれわれの「祖先」であり、われわれは彼らの「末裔」なのだ。「差異」は、「われわれ」という同一性を確立する上で障害に

図 14-1　ヤン・ファン・エイク　受胎告知（1434-36 年／ワシントン・ナショナル・ギャラリー蔵）

はなっておらず、かえってその同一性に生命を吹き込み、「われわれ」に活力を与えているように見える。

実際のところ、一九世紀のギリシア人と紀元前五世紀のギリシア人が、DNAのレベルでどの程度、深いつながりがあったか、疑わしいところだ。このコラエスよりも極端で、ほとんど滑稽にすら見えるのは、一九世紀中盤以降に、メキシコ以南のアメリカの諸国のナショナリストが唱えた「先住民主義《インディヘニスモ》」であろう。たとえばメキシコでは、コロンブスがやってくる前の文明こそが、自分たちの原点であると主張された。こう言っているのは、生き残った先住民ではなく、彼らのことを「インド人」と呼んだクレオールたちである。もちろん、これらメキシコ・ナショナリストは、先住民の言葉を知らないので、スペイン語で（すでに亡くなっている）先住民を「代弁」し、先住民主義を唱えている。

この先住民主義の主唱者たちを、彼らより二世代ほど前に属するフェルミン・デ・バルガスと対比しているところに、ベネディクト・アンダーソンの洞察の深さが現れている。[*5] フェルミンは、コロンビアの「自由主義者」で、一九世紀の初頭に「蛮人に関する政策」なるものを提案した。それによると、インディオは、「怠惰と愚鈍」、「人間の努力へのその無関心」等から判断して「退化した劣種」であるに違いないが、彼らと白人との雑婚を進めれば——あわせて貢納の義務から解放してやったり彼らにも私有財産を認めてやったりすれば——、絶滅させることができる。フェルミンは、インディオを自分たちスペイン人の仲間だとは思っておらず、自らがインディオの継承者だという意識をほんのわずかももたないが、同時に、インディオの女に白人の精液を繰り返し注入することで、彼らと自分たちとの間の差異をだんだん小さくし、やがて消し去ることができると思っていた。これに対して、フェルミンの孫世代に属する先住民主義者たちは、インディオとの間の差異をはっきりと自覚しているが、その差異を超えて——あるいはその差異のゆえに——、インディオと自分たちの間には歴史的な連続性があると主張する。フェルミンとその孫世代を隔てる一九世紀の前半のごく短期間に、メキシコその他のラテンアメリカの諸国は、スペインの行政区から国民へと転化したのである。

*

ネーションは新しいのに、当事者には非常に古くから存在していたかのように現れる。このねじれがとりわけ奇妙に思えるのは、ネーションの誕生に立ち会った者たちは、同時に、自分たちがまったく新しい時代に入った、まったく新しいことを始めている、という先鋭な自覚をももっていたからである。先に引用したコラエスの演説の中にも、それが現れている。彼は、ギリシア人が自尊の感情をもち、同時に自らの現状の惨めさを嘆くようになったのは、「はじめて」のことだと、述べている。それと同時に、彼は、「ギリシア人」はソクラテスの時代にはすでに確立されていた古い共同体だとも見なしているのだ。「新しい」という自覚と「古い」という信念とが、その緊張関係を意識されることなく共存していることになる。

草創期の国民たちが、自分たちの未曾有の新しさを強く意識していたということは、北米十三植民地の独立宣言や、フランス革命の中で発せられたいくつもの宣言の中にとりわけはっきりと表明されている。中でも、後者の革命の最中に制定された「革命暦」は、自分たちが始めようとしていることと過去との間の強い断絶の意識のこれ以上ありえないほどあからさまな表現である。一七九三年十月五日のフランス国民公会[*6]は、それまでずっと使ってきたキリスト教暦を廃棄し、共和国宣言が出された一七九二年九月二十二日を「元日」とする新しい暦を採用すると決定したのだ。[*7]

すると疑問はますます深まることになる。初期のナショナリストは、自分たちが創造したものの斬新さをよく知ってもいたのだ。彼らは、時間の経過を測る暦そのものを取り替えなければならないと思うほど、「新しい時代」を生き始めたという実感をもった。それなのに、ナショナリストは、どうして、ネーションの起源を、はるかに深い過去に見ようとするのか。ネーションの起源は非常に古いという観念とネーションの誕生とともに新しい時代が始まったという認識とは、矛盾するように見える。

アンダーソンは、独立革命やフランス革命を実際に遂行するか、あるいは革命に同時代的に立ち会った世代と、それよりも一世代から二世代あとの者たちとを分け、ネーション誕生の瞬間に遅れをとった後者において、実際の起源の忘却が生じ、「ネーションの古い起源」という見方が現れた、という説明を示唆している。しかし、こうした説明では、われわれが今見ている逆説が解けないことは明らかだ。第一に、――今しがた言及したコラエスのケースでもそうだが――しばしば、ネーションの新しさを自覚しているその同一の人物が、ネーションの古い起源に執着している。第二に、仮に革命に一世代ほど遅れた者たちにネーションの起源への歴史的な関心が強かったという点を認めるにしても、その起源が、実際の誕生の日付をはるかに超えて古いところに設定されるのはどうしてなのか。結局、革命後の第二世代・第三世代に基準を置いたとしても、疑問は少しも小さくならない。

ネーションは客観的には新しいのに、主観的には古く見えるのは――いや古くなければならないとされるのは、どうしてなのか。新しさの自覚をもっていたナショナリストさえも、古い起源に強い愛着をもつのはどうしてなのか。

2　抽象的で無限の時間

この問題は、歴史学への関心の高まりという現象との関連で解くべきだ、ということを前章で示唆した。古代インドを見れば明らかなように、全ての文明が歴史に興味をもつわけではないが、西洋は、その始まりから、「歴史」という物の見方をもった文明の一つである。ヘロドトスの『歴史』を思えばよい。あるいは旧約聖書もその大部分は、一種の歴史の記述である。このように、歴史への関心は、西洋文明のひとつの特徴ではある。しかし、その西洋でも、歴史は、周辺的な知に過ぎず、神学や法学や医学のように、中世の大学に学部をもったわけでもないし、リベラルアーツの中に含まれていたわけでもない。が、一九世紀に突然、歴史学が、知の真ん中に躍り出る。歴史学が主要な大学で本格的に教えられるようになり、優れた実証的な歴史学者が次々と登場し、また（ヘーゲルにおいて）「歴史哲学」というジャンルも確立された。*8

ネーションの歴史だけが研究されたわけではないが――もちろんそれは中心的な主題ではあった――、ネーションの起源を古代に見出そうとする欲望が切り開いた時間と歴史への関心が、近代の実証的な歴史学の隆盛をもたらしたのではないか。次のように問うてみるとよい。一九世紀に、ネーションが人々を排他的かつ包括的に分類する標準的な共同体として創出されていなかったならば、それまで周辺的な知だった歴史が、同じ時期に、いきなり諸学の中心を占めるほどに重要性を獲得しえただろうか、と。一九世紀における歴史学の突然の繁栄は、この時期に西洋で吹き荒れたナショナリズムの嵐と連動し、それに規定されていたに違いない。誰もが、自らの国民的帰属への自覚を媒介にして、自身の古く深い起源を探し求めるようになる。そのような希求の波及と定着の中で、歴史学が要請され、重視されるようになったのであろう。

*

さて、まずは次のことから指摘しておこう。一八世紀終盤から一九世紀にかけて、西洋では、厳密に実証的な歴史学の前提となるような、時間の観念が民衆的なレベルにまで波及し、定着した。数直線のような、抽象的で（先／後に）無限に持続する時間という観念がそれである。[*9] この時間は、どの時点も特権的ではないという意味で均質であり、どのような出来事もその中のいずれかの時点に位置づけることができる空虚な容器のようなものとして働く。この抽象的で無限の時間は、宇宙の中に存在するすべてのものの容器として、それらの間の同時性――あるいは時間的な同時進行――を保証するのだ。このような時間の観念が、実証的な歴史学に必要なことは明らかであろう。これがなければ、クロニクルが、つまり出来事をそれが生起した時点を基準にして記述することが不可能だからだ。

この時間の観念は、自然科学の領域では、科学革命のときに――ニュートンの「絶対時間」として――すでに導入されていた。しかし、このような時間が、一般の人々の生活実感として浸透し、定着したのは、一八世紀の終わりから一九世紀にかけての時期である。このような認定の証拠となる多くの事実が、すでに幾人もの研究者によって指摘されている。[*10] その中から、わかりやすいことをいくつか拾っておこう。デイヴィッド・ランデスによれば、一八世紀の最後の四半世紀で、ヨーロッパでは夥しい数の機械時計が毎年製造されていた。[*11] イギリスだけで、一年あたり十五万個から二十万個の時計が（主に輸出向けに）製造され、ヨーロッパ全体では、毎年五十万個が製造されたという。人が何をしていようが、また昼であろうと夜であろうと一定の速度で時を刻む機械時計こそ、抽象的で均質な時間の物質化である。

機械時計が普及するのは、もちろん、生活のさまざまな場面で、そして仕事の上で、それが必要となっていたからだ。機械時計の有用性を強く印象づける一九世紀の出来事のひとつとして、鉄道標準時の確立がある。鉄道が敷設される前は、互いに空間的に隔てられている諸地域は、それぞれ独自の時間をもっていた。たとえば、ロンドンの時間は、レディングの時間より四分早く、ブリッジウォーターの時間より十四分早かった。これでは、しかし、これらの地域をつなぐ列車のダイヤを組むことはできない。そこで最初は、鉄道会社ごとに、やがては鉄道会社間で共通の――したがってナショナルなレベルの――標準時が定められた。[*12] この鉄道標準時は、互いに直接には交流できないほど隔たった地域の人々が同一の抽象的な時間の中で同時性を体験している、ということを誰にでもわかるかたちで実感させたに違いない。[*13]

均質で抽象的な時間を人々に実感させたもうひとつの事実を挙げれば、定期刊行物の普及を挙げることができるだろう。定期刊行物の中で最も重要で、広く普及したものは、言うまでもなく新聞である。毎朝、同じペースで発行される新聞は、時間の数直線の上の自然数のようなものとして機能しただろう。同じ「日付」を付された紙面には、互いに関係がないいくつもの出来事が共存している。このことが読者に、これらの出来事の、同じ抽象的な時間の中での「同時性」を印象づけることになる。ヨーロッパにおける最初の新聞は――何を新聞と定義するかにもよるが――、一七世紀にまで遡ることができるらしい。しかし、新聞が普及し、影響力をもつようになるのは一八世紀である。一九世紀には、ヘーゲルが、新聞を読むことが近代人の朝の礼拝だ、と言うほど、新聞は人々の生活に浸透していた。

抽象的で無限の時間という観念を最も直截に体現している事実、そして歴史学にとってきわめて重要な意義をもった事実は、「B.C.」という概念が西暦のうちに導入されたことであろう。先にフランス革命のときの「革命暦」について述べたが、その革命暦が取って代わろうとした西暦には、本来、A.D. しかなかった。いや、定義上、西暦は、A.D. のみで構成されるほかない、と言ってよいだろう。A.D. は、「Anno Domini（主の年）」の略である。絶対的に超越的な神が被造物の世界に介入するという決定的な出来事を起点として、時間の経過が測られているのである。その前と後とでは、同じ時間が流れているはずがない。しかし――一八世紀頃から――、Anno Domini は、そのラテン語の由来を消し去るかのように A.D. という略号に置き換えられ、英語の――ということは俗語の―― B.C.（キリスト以前）と一緒に使われるようになる。[*14] こうなると、時間を超越した「永遠なるもの（神）」の現世的時間への介入という途方もない出来事の特権性は剝奪され、この出来事の前と後とを均質な時間が流れていることになる。キリストの生誕は、その均質な時間を計測するための便宜上のメルクマールに過ぎないからだ。

B.C. の採用は、数字の世界への「0」の導入に、さらに、それに引き続く「負の数」の導入に似ている。もともと、数字の起点は「1」である。「何かがある」ということが、還元不可能な認識の出発点だ。だが、やがて、「何もない」ということもまた一種の数ではないか――「何もないという状態がある」ということではないか――という認識の転換が生じ、「0」が発明される。[*15] さらに、0が、1や2と同格の数であるならば、1が0に後続するように、0もまた何かに後続しているはずだ。ここから0から負の方向へと進行する数が見出される。こうして、正負の方向に無限に延びる数直線が成立した。数直線の上で、どの特定の数字も、他の数字を圧倒して「偉い」ということはない。

Anno Dominiの時間からA.D./B.C.の時間への転換は、このような数直線の成立と類比的である。この転換がもたらした飛躍は、まことに大きい。この点に関して、またしてもアンダーソンが実に気の利いたコメントを付している。すなわち、この転換が飛び越えた深淵の深さを実感するには、仏教世界やイスラーム世界では、「ゴータマ・ブッダ以前」とか「ヒジュラ（聖遷）以前」で指示されるような時代の観念をもたなかった、ということを思えばよい、と。現在「いずれも［仏教世界もイスラーム世界も］外来のB.C.の二字でぎこちなく間に合わせている」。[*16]

3 「ヒジュラ以前」と「キリスト以前」

それにしても、どうして、西洋で――西洋の近代に――、抽象的で無限の時間が成立し、いちはやく民衆的なレベルでも普及し、定着したのか。機械時計の普及とか、新聞を毎朝読む習慣の確立とかといったささいな事実からでは、全生活と宇宙観の（無意識の）前提になるこうした態度の根本的な転換を説明することはできない。こうした諸事実は、原因というより、説明されるべき現象（抽象的な時間の普及）の一部である。

ここで、今引いたばかりのアンダーソンのコメントが啓示を含んでいる。仏教世界やイスラーム世界には、「B.C.」に当たるものがない。これは、しかし、実にふしぎなことである。というのも、キリスト教世界こそ、抽象的で、均質に無限に続く時間という観念に対して、最も親和性が低いように思えるからだ。こうした時間の観念の対極にあるのは、特異点をもつ時間であり、特異点の中の極端なケースこそ、始点と終点である。つまり、始点と終点をもつ——したがって必然的に有限であるしかない——終末論的な時間は、抽象的で無限の時間と真っ向から対立している。ところが、キリスト教こそ、まさに、そのような終末論をもっているではないか。実際、かつて『近世篇』（第11章）で論じたように、中世のカトリック世界では、時間は本質的に有限なものとされ、たとえば「時間は始まりも終わりもなく永遠に続く」などと主張すれば、異端として断罪された。そう考えると、無限の抽象的な時間という観念は、それに最もふさわしくない場所で生まれたことになる。どうしてなのか。

ごく素朴に考えれば、どこまでも均質な時間が続くという観念に最も適合性が高そうなのは、仏教世界や、その背景にあるインド文明である。永遠に続く輪廻転生は、こうした時間を背景にしたとき、理解しやすいものになるだろう。イスラーム教は、やはり終末論を前提にしているので、無限の時間という観念を受け入れることは難しい。

とはいえ、イスラーム教は、キリスト教よりはそうした観念に親和性が高く、妥協もできたはずだ。「特異点」をもつ時間を、均質な時間へと平準化することは難しいはずだ、と先ほど述べたが、イスラーム教の時間のうちに含まれる特異点は、キリスト教の時間におけるそれと比べれば、その「特異性」の程度が小さい。キリスト教では、神の宇宙創造（始まり）や最後の審判（終わり）とは別に、神の受肉が特異点となっている。この神の受肉の瞬間を起点とする暦法（Anno Domini）が、「A.D./B.C.」という暦法に置き換わり、神の受肉の出来事の特異性が相対化された、と述べてきたわけだが、イスラーム教の方にも、いくつか特異的な出来事、聖なる出来事がある。たとえば、ムハンマドが、メッカ郊外のヒラー山の洞窟で、（天使ガブリエルを媒介にして）神からの啓示を受けたこととか、ムハンマドたちがメッカからメディナへ移動したことなどが、特異点となりうる出来事だ。実際、後者の出来事（ヒジュラ）を起点とした暦を、イスラーム教徒は使っている。だが、彼らは「ヒジュラ以前」という時代をもつことはなかった、というのがわれわれの注目していることであった。

　だが、考えてみれば、ムハンマドへの啓示とか聖遷とかは、イエス・キリストの誕生に比べれば、特異な出来事だったとは言えない。それらは結局、現世的時間の中での出来事、被造物である人間に関する出来事だからだ。それに対して、「キリスト」は、一神教的な設定においては本来ありえないこと、つまり「神の永遠」の「時間」への不可解な侵入である。こう考えると疑問はどんどん深くなっていく。イスラーム教徒にとって、「ヒジュラ以前」という概念すらも不自然で受け入れがたいものだったのだ。どうして、キリスト教徒は、それよりもはるかにラディカルな含意をもつ「キリスト以前（B.C.）」という概念を得ることになったのか。

4　終末論の自己超克

こういうときには、発想を逆転させなくてはならない。キリスト教の終末論的な時間は、無限に続く均質な時間という観念にとって障害になっている……と、そのように見てきたわけだが、おそらく実際は逆なのだ。では、前者の時間はどのようにして後者の時間へと転換したのか。その論理は、本書の中でこれまで用意してきた理論的な装置を用いて導きだすことができる。以下は、純粋な仮説である。

まずは、キリスト教と資本主義との関係について考察したことをあらためて振り返っておこう。われわれは、ヴェーバーの有名な研究に依拠したのであった。ヴェーバーがとりわけ重視したのは、プロテスタントの（しばしばカルヴァン派と結びつけられている）予定説である。彼は予定説こそが、「資本主義の精神」の最も重要な源泉と見なしたのだ。予定説はもちろん、終末論を前提にした教義である。終末論の原理を一神教の論理（神の被造物に対する超越性）に忠実に準拠するかたちで徹底させると、つまり、終末論を、極限にまで合理化（脱呪術化）すると、予定説が得られる。予定説と資本主義の精神とは、どう関係しているのか。前者はどうして後者へと変容しうるのか。

予定説は、意図せざるかたちで、資本主義に適合的な行動と、たとえば投資の活動と親和性があるのだ。予定説を前提にした生活と繰り返しなされる投資とは、行為として同じ形式を共有している。どういうことか、あらためて説明しよう。予定説によるならば、個々の信者は、自分が

——終末のときに——救われるのか呪われるのか、まったくわからない。しかし、どちらなのかは神によってすでに決められている（予定されている）。このとき信者は、自らが救われているということを、既定の事実として前提にして行動することになる。信者は、救済が決まっている者が為すはずのことを為すのだ。[*17]

投資、大胆な投資は、この予定説のもとでの信者の行動と同じ原理によって可能になる。投資者は、「救済」を、既定の事実として前提にする。この場合、「救済」にあたるのは、投資した資本が、剰余価値をともなって回収されること、つまり投資者が市場に送り出した商品が実際に買われることである。投資が成功するかどうかは、ほんとうはわからない。にもかかわらず、投資の成功をまるで事実であるかのように想定できるとき、つまり、事実を直知したときと同等の確度で成功を確信できるとき、人は、思い切った投資を実行することができる。このようなかたちで、予定説は資本主義的な行動と結びついている。

ここで、しかし、予定説的な態度が、資本主義の精神へと転用されたとき、基本的な設定に重要な変更が生じている。「終わり」が、（世俗の）時間の中に組み込まれ、いつまでも反復されることになるのだ。投資に回される。投資した資本が回収されても、そこで完結してしまうわけではない。回収された資本は再び、投資に回される。回収されるたびに「終わり」を迎えるのだが、その「終わり」は直ちに、次の「終わり」を目的とする行動の「始まり」になる。こうして、終末論的＝目的論的な時間が反復され、接続されていく。これが資本の循環である。[*18]

このように、終わりが繰り返されるとき、ここからどのような時間の形態が得られるだろうか。特異点をたくさんもつ、つまり多くの断絶を含む、言ってみれば、でこぼこした時間であろう。マルクスの資本の循環公式を使えば、〝G―W―G〟という単位の連接、つまりG―W―G―W―G……が得られることになる。ここで「終わり」であると同時に「始まり」をも意味するGが特異点だ。こうして出現した時間は、どこにも特異点をもたず、なめらかに均質に持続する時間とは対照的である。「無限性」は、目的論的な過程の反復によって得られている。しかし、そこには「均質性」がない。

だが、ここまでの論理をさらに前に進めたらどうなるだろうか。「終わり」が反復されるということは、本来は、時間的な持続の外部にあった「終わり」が、時間的な過程の内在的な要素となる、ということを含意する。そうであるとすれば、今や、すべての時点が、潜在的には「終わり＝始まり」になりうる、ということであろう。循環G―W―Gの速度をあげ、反復の頻度を高めれば、ますます、任意の点が特異点（終わりでありかつ始まり）である、と言ってもよい状態に近づいていくことになる。

いくつかの特異点を含む時間は、均質な時間ではない。しかし、もしすべての点が特異点だったらどうだろうか。そこで再び均質性が得られている、と言うべきではないか。キリスト教の終末論的な時間から、抽象的な無限の時間――均質性をもち先後にどこまでも持続している時間――は、以上のような機制を通じて導かれるのではあるまいか。

この機制を、次のように説明しても同じことである。「終わり」がそのたびに再設定され、反復されるということは、結局、終わらないということ、〈終わり〉は無限に先送りされ、決して到達されることはない、ということを意味している。このとき、時間は、特異点＝〈終わり〉を排除した、均質的な過程として現れることになる。要するに、同じ事態を、「任意の点が特異点になった」と記述することもできるし、逆に、「特異点が完全に排除された」と記述することもできるのだが、いずれにせよ、終末論的な時間は、そこに内包されている論理を徹底させることで、自らを否定し、無限の抽象的な時間へと変容するのだ。

ここで誤解が生じないように、付け加えておこう。ここに述べてきた仮説は、資本主義が、抽象的で無限の時間をもたらした、という趣旨ではない。そうではなく、近代的な資本主義を可能なものにしたのと同一の機制が、「無限の抽象的な時間」の観念の成立をももたらした、ということである。資本主義は原因ではない。資本主義もまた、同じ機制の結果のひとつである。ただ、資本主義において、その機制が働く様態がわかりやすく現れている。資本という現象に言及しながら、説明してきたのは、そのためである。[*19]

*

しかし、数直線のように無限に続く均質な時間という観念は、近代の実証的な歴史学の成立にとって必要条件ではあるが、十分条件ではない。これは、客観的には新しいはずのネーションが、どうして主観的には古いものとして現れるのか、ナショナリストが「古い起源」に執着するのはどうしてなのか、という問いに答えるものではない。確かに、このような時間の観念をもてば、ネーションの古さの尺度にはなる。「起源」として指定された出来事が、現在からどのくらい離れているかを、客観的に測定するには、こうした時間の観念が必要だ。しかし、このことから、古さへの情熱が説明できるわけではない。

われわれは本章で、ネーション以前の聖なる共同体が自身の起源に対してもつ感触は、ネーションの起源への意識とはまったく異なったものらしい、ということを確認することから始めた。聖なる共同体は、起源を、時間的な深みにおいて捉えようとはしていない(そのため、今日のわれわれには「時代考証の欠如」のように感じられる)。ネーションに先立つ共同体とネーションとのこうした点での相違を、正確に概念化することから、さらなる考察のための手がかりを得ることができる。

相違を記述するための適切な概念は、思わぬところにある。クロード・レヴィ゠ストロースが『野生の思考』のなかで提起した、「冷い社会/熱い社会」という有名なダイコトミーが、それである。

1 これはあからさまな事実だが、ほとんどの研究者が、ネーションの発祥地を西ヨーロッパにあるとしている。ネーションの端緒の時期については意見の相違があるが、誕生の地については、西ヨーロッパだという点でほとんど合意しているのだ。ネーションが新大陸で先行して生まれたということを強調している欧米の研究者は、自分自身も西洋の外(中国の昆明)で生まれ、母方がアイルランド系で、訛りのある英語のせいで常に自身の周辺性を思い知らされ、そして植民地(インドネシア)の研究を専門としていたベネディクト・アンダーソンだけである。中間的な立場をとっているのが、ライア・グリーンフェルトだ。彼女は、ナショナリズムを伴う近代へと至った、独立性の高い五つの歴史的な経路があったとしており、そのうちの一つが、「合衆国」である(他の四つは、イングランド、フランス、ドイツ、ロシアで、最も古いのは一六世紀に萌芽があったイングランドであるとされている)。Liah Greenfeld, *Nationalism: Five Roads to Modernity*, Cambridge, Mass: Harvard University Press, 1992.

2 この疑問については、以下で論じている。大澤真幸『ナショナリズムの由来』(講談社、二〇〇七年)三三二

—三五二頁。

3　ベネディクト・アンダーソン『定本　想像の共同体』白石隆・白石さや訳、書籍工房早山、二〇〇七年（原著二〇〇六年）、四七—四八頁。

4　同書、一二六頁。

5　同書、三三五頁。

6　国民公会Convention nationale。フランス革命は、“nation”や“national”という語が今日的な意味で使われた最初の出来事である。アメリカ独立革命では、この語はほとんど現れてはいない。独立革命でより重要だったのは、“people”という語である。なお、フランス革命でも、この語——フランス語では“peuple”——は、特別な含みをもつ語として繰り返し使用された。

7　フランス人は、これをヨーロッパ中に普及させるつもりだったのだろうが、実際には、十二年間の使用のあと、革命暦は放棄された。

8　歴史に無関心な文明と歴史に関心をもった文明がある。ヨーロッパよりもさらに「歴史」が重要だったのは、中国である。中国では、ヨーロッパとは違い、文明としての基礎をもち始めた当初の段階から、「歴史」が——いわゆる「正史」が——まるで聖書のように重要だった。もっとも、中国人の「歴史」は、西洋の「歴史」とはまったく異なる態度のもとで書かれている。詳しくは、『東洋篇』第23章を参照。

9　真木悠介『時間の比較社会学』岩波書店、一九八一年。

10　David S. Landes, *Revolution in Time: Clocks and the Making of the Modern World*, Cambridge, Mass: Harvard University Press, 1983. モイシェ・ポストン『時間・労働・支配』野尻英一ほか訳、筑摩書房、二〇一二年（原著一九九三年）。

11　Landes, op.cit. pp.230-231, 442-443. アンダーソン、前掲書、三一九頁。

12　大澤真幸、前掲書、一八五—一八六頁。

13　この鉄道標準時は、そのまま、一八八〇年に公式のイギリスの標準時として採用された。言うまでもなく、この延長線上には、二〇世紀に導入された世界標準時——地球規模で同期化された時間——がある。

14 藪内清『歴史はいつ始まったか——年代学入門』中公新書、一九八〇年、一七一頁。
15 吉田洋一『零の発見』岩波新書、一九三九年。
16 アンダーソン、前掲書、三三八—三三九頁。
17 予定説を受け入れている者にとっては、この前提には、ただの「賭」ということ以上の合理性がある点に注意されたい。彼または彼女が、終末のときに救われるのだとすれば、予定説によると、それは、実際にすでに決まっているはずだ。つまり、彼または彼女がもし救われるのだとすれば、まだ終末のときに至ってはいないこの時点において、それは、「既定の事実」である。神の「予定」という設定がなければ、こうした前提、つまり「救済」を確定した事実として先取りする前提は不可能だった。
18 ここで述べたことは、前章の第2節で論じたことの再確認でもある。前章で私は、投資された資本が回収される度に到達する「終わり」は、単に、ひとつの出来事の終わりという意味での暫定的な終わりではなく、真の「終わり」——「すべての出来事の事後」——という含意をもつのであって、資本という現象においては、まさにその真の「終わり」が反復されていると解釈しなくてはならない、と論じた。このことの真意は、資本の循環G—W—G'における「終わり」が、予定説の終末論的な構成に由来していることを考慮にいれれば、理解しやすいだろう。
19 近代における「終わり」の反復という現象については、『〈主体〉』の序盤で、「スポーツ」に着眼して、論じている（第6章）。同じ形式の論理をもつ機制が、生活のさまざまな局面で作用しているのである。

第15章　構造と歴史

1　冷い社会と熱い社会

国民《ネーション》は客観的には新しいのに、主観的には――ナショナリストの主観的な目には――古く見える。ネーションの誕生に立ち会った世代は、自分たちが始めたことの圧倒的な新しさを自覚していたにもかかわらず、同時に、自分たちの起源ははるかな昔にあるという観念に執着したのである。どうしてだろうか。近代的な現象であるネーションに古代的な起源を見出すという、時間的な視線のこの倒錯の中で、「歴史」が、急に、他にも増して重要な学問と見なされるようになったと考えられる。したがって、どうしてネーションは、客観的な事実に抗して――しかもその事実を一方では十分に自覚しているのに――、自らの起源の古さに固執するのか、と問うことは、一九世紀の西洋において、歴史（学）への関心が突然高まった理由を探究することでもある。このように論じてきた。

ここで、レヴィ＝ストロースが導入した、冷い社会と熱い社会という区別が、われわれの考察にとってヒントになるかもしれない。熱い社会は、歴史に敏感な社会、歴史的な進歩という現象へと自らを方向づけようとしている社会のことだからだ。レヴィ＝ストロース自身の説明を引こう。

冷い社会は、自ら創り出した制度によって、歴史的要因が社会の安定と連続性に及ぼす影響をほとんど自動的に消去しようとする。熱い社会の方は、歴史的生成を自己のうちに取り込んで、それを発展の原動力とする。[*1]

冷い社会とは、いわゆる伝統社会であり、レヴィ＝ストロースの念頭にあるのは、とりわけ「未開社会」――新石器時代の段階にあるような無文字社会――である。それに対して、熱い社会は近代社会であり、一九世紀の西欧は、言わば沸点に達した社会だと言えるだろう。レヴィ＝ストロースは、この社会の二類型を、さらに「構造／出来事」という対立から導き出している。冷い社会は、出来事を構造に還元しようとする社会であり、熱い社会は、出来事の構造からの自律性を強調する社会ということになるだろう。

熱い社会について理解するためには、まずその対立項である冷い社会とは何かをきちんと把握することから始めた方がよい。というのも、レヴィ＝ストロースの研究の主題は、当然のことながら、冷い社会の方にあるからだ。冷い社会とはどういうことなのか、具体的に説明するために、典型的な例を紹介しよう。

オーストラリア中部の先住民の一人ひとりは、「チューリンガ」と呼ばれる木か石で作られた物体をもっている。[*2]それは、細長い楕円形をしており、たいてい、表面には象徴記号のようなものが彫り込まれているが、ときには何も加工されていない木片や石ころである。チューリンガは、「それぞれきまったある一人の先祖の肉体を表わす」のだという。「そして代々、その先祖の生れ変わりと考えられる生者に厳かに授けられる」ことで継承されてきたらしい。チューリンガを与えられた者は、それを、人目から離れた自然の岩陰などに積んで隠しておき、定期的に取り出して、手でその感触を確かめたりする。

チューリンガは、レヴィ＝ストロースを引用しつつ真木悠介が述べているように、その共同体の中に新たに生まれた一人の人間が、ある先祖の生まれ変わりであることを確証するためのよすがである。したがって、チューリンガを媒介にして、個人は、祖先から現在の自分、そして子孫へと連なる同じ人間の再現として、自らを意識することになる。つまり、人は、現在する個我を超えたアイデンティティを、チューリンガを通じて得る。[*3] そのアイデンティティは、永続する親族の「構造」の中で、その人物が占める位置である。このようにして、一人の人間が新たに生まれ死んでいくという出来事が、永続する構造の中で意味づけられ、その新奇性は最小限に抑制される。これが、出来事が構造へと還元される、ということである。

レヴィ＝ストロースが参照元としている、民族学者のストレーロウ——彼はこの地域に生まれ育った——の次の証言は、「チューリンガ」の意義を、さらに広いコンテクストの中に解き放つもので、興味深い。

山や小川や泉や沼は、原住民にとっては単なる美しい景色や興味ある景観にとどまるものではない……。それらはいずれも彼の先祖の誰かが作り出したものなのである。自分を取り巻く景観の中に、彼は敬愛する不滅の存在〔祖先〕の功業を読みとる。これらの存在はいまも、ごく短期間、人間の形をとることができ、その多くを彼は父や祖父や兄弟や母や姉妹として直接的経験で知っている。その土地全体が彼にとっては、昔からあって今も生きている一つの家系図のようなものである。[*4]

つまり――真木悠介に基づいて言うが――自然的な景観がそれ自体、大きなチューリンガ、展開されたチューリンガとして、人々の歴史を超えたアイデンティティの基盤をなしている、ということだ。私が同一化の対象となるような祖先は、まさに目の前に、その景観として現在しているのだ。「今日、白人が（中略）先祖の土地を汚したことを語るとき、彼〔北アランダ族の男〕の目には涙が浮かぶ」理由がここから納得できる。[*5]

*

さて、われわれの関心の中心は、レヴィ＝ストロースとは逆に、熱い社会の方にあるのだった。冷い社会が、出来事を構造へと還元しようとするのだとすれば、これと逆の操作によって特徴づけられるのが、熱い社会である。すなわち、「構造→出来事」というヴェクトルによって特徴づけられる操作に重心があるのが、熱い社会だということになる。このことが、そのまま、レヴィ＝ストロースの「歴史」についての理解に直結している。『神話論理』の第Ⅱ巻にあたる『蜜から灰へ』の結末の文章は、構造主義と歴史との関係をめぐる彼のアイデアを要約した部分として、しばしば引用されてきた。

構造分析は（中略）歴史を認めないわけではない。そうではなく、構造分析はもっとも重要な位置を歴史に認めている。それは、他のものには還元できない偶発事が当然占めるべき位置である。偶発事が占める位置なしには、必然というものを構想できないであろう。構造分析は人間社会にはっきりとある多様性の手前を探り、基本にある共通の特性を明らかにすると主張する。構造分析は、差異の誕生を支配する不変の法則を個々の民族誌的コンテクストの中で特定することで説明できる特定の差異に関しては、自らの守備範囲とするが、しかし、論理的にはありうるはずの潜在的なすべての差異が経験的に確認されるわけではなく、その中の一部のみが現実化しているということに関しては、その原因の説明を断念する。*6

（後略）

構造分析が解明する「構造」は、ここで「必然」「基本にある共通の特性」「不変の法則」等と言われているものに対応する。構造は、理念的には、可能なすべての出来事の変異版《ヴァリアント》を産出できるマトリックスのようなものとして与えられる。このマトリックスに偶発性が外から加わることで、可能なヴァリアントのうちのいくつかが——すべてではなくいくつかが——現実の出来事となる。この現実の出来事が、歴史の素材である。この引用によれば、構造分析は、どうしてこのヴァリアントは現実になり、他のヴァリアントは——論理的には可能なのに——現実にならないかをすべて説明することまでは任務としてはいない。

レヴィ＝ストロースの「構造」は、カントの超越論的（先験的）なカテゴリーに似ている。超越論的なカテゴリーは、経験を可能なものにする前提条件である。同様に、レヴィ＝ストロースによれば、構造は一種の超越論的で形式的な条件となって、歴史という集合的な経験——固有の内容をもった経験——を可能なものとしている。だから、レヴィ＝ストロースの立場は「超越論的主観なきカント主義」と呼ばれた。

だが、もし「歴史」を、レヴィ＝ストロースが主張する通りのものとして把握しうるのだとしても、このような理解から直ちに、われわれの疑問への回答が導き出されるわけではない。われわれが問いたいことは、熱い社会はどうして熱い社会になったのか、ということである。レヴィ＝ストロースの図式に基づいて言えば、われわれの疑問は、近代社会が、構造という形式から偶発的な歴史という内容を導き出すのに熱心であり、かつその出来事の影響にとりたてて敏感に反応するのはどうしてなのかという点にある。歴史をめぐるレヴィ＝ストロースの説明の中には、答えは含まれてはいない。

＊

もっとも、以上はレヴィ＝ストロースの「公式見解」であって、彼はときに、歴史と構造との関係をもっと繊細で複雑なものとして捉えようとしていたようにも見える。公式見解に従ったときには、構造は、はじめから、ア・プリオリに——言わば永遠の過去として——存在していなくてはならない。あるいは、それは、あるとき突然、一挙に一揃いで、まるで「はじめからあった」かのように出現しなくてはならない。だが、レヴィ＝ストロースが、シニフィアンの秩序——「構造」に対応する——の成立条件を理論化することに意欲を示したときもある。ここで念頭に置いているのは、「マルセル・モース論文集への序文」の中での、非常に有名な議論だ。*7モースがメラネシア人たちの語彙をそのまま用いて「マナ」と呼んだものを、レヴィ＝ストロースは、理論的概念へと鍛え直し、「浮遊するシニフィアン」「ゼロ・シニフィアン」等と呼んだ。浮遊するシニフィアンは、何か特定の意味をもたないシニフィアン、シニフィエなきシニフィアンである。レヴィ＝ストロースによれば、それは、意味一般を——あるいは意味そのものの出現を——表現するシニフィアンだ。シニフィアンのアイデンティティは一般に、シニフィアンの体系の中で認識される、他のシニフィアンとの差異以外の何ものでもない。そうであるとすれば、最終的には、この体系の全体性を代表する、自己指示的なシニフィアンがなくては、どのシニフィアンも機能しえないということになる。その自己指示的なシニフィアンが浮遊するシニフィアンである。

モースを紹介しながら、このような理論を示唆することで、レヴィ＝ストロースは、構造そのものの成立条件の探究に関心は示した。しかし、それを十分に発展させることはなかった。[*8]

2 メタヒストリー

ゆえに、われわれは、レヴィ＝ストロースが公式に提示した「歴史と構造」の関係についての図式から再出発しなくてはならない。この図式において、問題の中核は、歴史と構造との接続部分にある。形式的で超越論的な構造から偶発的な歴史的内容がどのように紡ぎ出されてくるのか。言い換えれば、歴史的内容が超越論的形式にどのように書き込まれるのか。そして、一九世紀の西洋が、このような書き込みをいかにして可能にし、また駆り立てたのか。まさにこのような問いに捧げられていると解釈できる研究がある。ヘイドン・ホワイトの『メタヒストリー』

——「一九世紀ヨーロッパにおける歴史的想像力」の副題をもつ大著——がそれである。[*9]

歴史（学）は、もちろん、過去の出来事や過程を類別し、それらが何であったかを説明するものなのだが、ホワイトの最も基本的な洞察は、歴史学的仕事の本質は、ある特定の形式をもった言説だ、と見なしたところにある。特定の形式とは、物語的な構成をもった散文である。言い換えれば、歴史はすべて——西洋という文明が物した歴史はすべて——、潜在的には終末論的な形式をとらざるをえない。物語とは、終わり（＝目的）への経過ということだからだ。物語は、必ず「始まり」と「終わり」をもつのであり、それゆえに必然的にその中間に「経過」を分節する。

ここでわれわれは立ち止まって反省しておく必要がある。『近代篇』のこれまでの探究の中で繰り返し、時間の同じ形式に——つまり終末論的な形式に——出会ってきたからである。一九世紀後半の絵画（モネ、セザンヌ）の中にさえも、微分化された終末論が孕まれていた。それをわれわれは、ブレンターノの「テレイオシス」という概念を借りて、抽出したのであった（第11章）。一九世紀における歴史的視線というこの主題の起点にあるのは、目的論的＝終末論的な時間感覚の中で「存在論的な未完成性」を呈するネーションの特徴であった（第13章）。

そして何より、資本の循環が、終末論の反復として遂行されているのであった（前章）。資本の起源には、終末論の中の終末論とも言うべきキリスト教の終末論——とりわけプロテスタントのそれ（予定説）——があった。定義上、一回起的であるはずの終末が、資本においては反復されるのは、流通における本来の目的（終わり）が過程に、そして過程の方が目的に反転したからである。つまり、W—G—W'（商品W'の入手が究極の目的になっている）が、G—W—G'（貨幣の増殖が目的になっている）へと反転したからである。すると、終末論的な時間が、その反対物の外観で、つまり終わらない過程として現れることになる。同じことは、歴史（学）に関しても言える。歴史家は、客観的に過去の過程を記述しているだけだ、と主張する。だが、その「過程」は、一種の終末論の適用によって現れるものだ、というのがホワイトの見出したことである。資本の循環に関しては、視線は未来に向かい、歴史においては、視線は過去に向かっている。しかし、どちらの視線も時間の同じ形式によって規定されているのかもしれない。

歴史の本質は物語的な言説であると主張することで、ホワイトが言わんとしたことは、歴史家は単に歴史を発見しているわけではない、ということだ。歴史家は、すでに起きたいくつかの出来事を取り上げ、そこからストーリーを作り上げている。つまり、彼はある出来事を選び、ある出来事を排除する。また、ある出来事を別の出来事よりも重視し、後者を前者に従属させたりもする。このようにして物語的な言説を組み立てる方法が、三つに類型化できる、というのが、ホワイトの論点である。

『メタヒストリー』では、ヘーゲルが、全篇の露払いのように論じられたあと、七人の学者・思想家が取り上げられる。まず、一九世紀のただ中に活躍した、四人のリアリズムの歴史家が検討される。ミシュレ、ランケ、トクヴィル、ブルクハルトの四人だ。ついで、歴史学のリアリズムに懐疑的な目を向け、リアリズムを拒否した、一九世紀後半（から二〇世紀前半）の三人の思想家、マルクス、ニーチェ、クローチェが論じられる。以上の七人に関して、『メタヒストリー』で何が論じられているか、詳しく検討する必要はないだろう。ホワイトの見立てでは、彼らは説明において、三つの類型を駆使している。各類型がどのような論法を指しているのか、概観しておけば十分だ。*10

＊

ホワイトによれば、歴史学的な言説が構成されるステップは、五つの段階に区別できる。まず、クロニクル（出来事や事件がいつ起きたかの記録）がある。それが、物語（ストーリー）へと組み立てられる。この二段階については、今しがた述べたばかりだ。この後、さらに、三つの段階があり、それが、歴史的な説明の三つの類型を構成している。すなわち、物語的な叙述は、「プロット化の様式」、「論証の様式」、そして「イデオロギー的意味の様式」という順序を経て、次第に完成に向かっていく。各類型に対して、すべて四つの形式があり、歴史家はその四つの中からいずれかを選んで活用している、とされる。

まずは、プロット化の様式。ホワイトによれば、どんな歴史も、何らかの意味で、演劇的に筋立て（プロット化）されている。プロット化の形式は四つある。「ロマンス」は、自己肯定的・予定調和的な劇であって、典型的には悪に対する主人公の勝利で終わる。「悲劇」は、不幸な終局に向かう。しかし、それまでの挫折と試練を通じて主人公は（そして観客も）学習し、世界の限界（運命）を、断念とともに受け入れる。「喜劇」は、悲劇とは逆に、祝福を呼ぶような幸福で調和的な結果に至る。そして、最後の「風刺劇」は、ロマンスの対極であり、また悲劇や喜劇を含む三つの形式のすべてとゆるやかな意味で対立している。というのも、他の三つの形式は、主人公と世界との間の広義の和解の認識へと向かっているのだが、風刺劇では、人々は、最後まで混乱した世界の囚われの身のままだからだ。

ついで、歴史叙述は、論証の様式に進む。つまり、プロットを描かれたことが、なぜそうであるのかを説明する段階へと向かう。論証の様式もまた四つの形式をもつ。「個性記述論的説明」は、対象を分類し、カテゴリー化することを通じて、その対象の固有性を同定する作業を指している。*11「有機体論的説明」は、部分の総和を超える全体を、たとえば「民族」とか「時代精神」とかといった全体を、主体として想定する説明である。「機械論的説明」は、人間の活動を支配する、因果関係についての法則を発見することである。そして「コンテクスト主義的説明」は、出来事をコンテクストとの関連で説明することだ。

最後に、歴史家の倫理や政治的立場を反映した段階がある。イデオロギー的意味の様式がそれである。ユートピアへの態度に応じて、これも四つの選択肢がある。「保守主義」(自然のリズムに応じた漸進的変化)、「自由主義」(進歩への信頼)、「ラディカリズム」(切迫したユートピアへの革命)、「アナーキズム」(国家はすべて腐敗している)の四つである。

このように、歴史的叙述の三つの段階(類型)は、すべて四つの選択肢(形式)で構成されている。ホワイトによれば、四つになることには理由がある。歴史的な記述が、四つの喩法(詩的着想)の中のいずれかに基づいて展開されるからである。四つの喩法とは、隠喩、換喩、提喩、そしてアイロニーだ。歴史家は、隅々まで明晰に語義が定義されているような散文で記述したとき、「それはちょっと違うぞ」という違和感をもたざるをえないような、歴史的経験を前にしている。こんなとき、歴史家は、比喩的に――つまり一種のイメージによって――その経験を把握し、意識的な理解のための(半ば無意識の)下準備をしている。この下準備において活用されているのが、喩法である。

最も基本的な喩法は隠喩 metaphor である。それは、一つの現象を類比・類似の相のもとで他

プロット化の様式	論証の様式	イデオロギー的意味の様式
ロマンティック	個性記述論的	アナーキスト
悲劇的	機械論的	ラディカル
喜劇的	有機体論的	保守的
風刺劇的	コンテクスト主義的	自由主義

表 15−1

の現象と比較することだ（例：惜しみない愛を太陽に比する）。第二の喩法の換喩 metonymy は、部分によって全体を表すことで、隣接性の原理に基づく（例：「帆」で「船」を表す）。逆に、全体によって部分を表せば、第三の喩法、提喩 synecdoche になる（例：「公儀」という一般概念で特定のイエ「徳川家」を指す）。最後にアイロニーは、ある表現によって、字義通りの意味ではなく、それとは異なること、むしろ正反対のことを含意することである。逆説を用いる撞着語法（例：「輝く闇」）や明らかに不合理な表現によって効果をもたらす濫喩（例：「盲目の口」）がアイロニーに含まれる。結論的には、隠喩は代理的（ある現象が別の現象を代理する）、換喩は還元的（全体を部分へ）、提喩は統合的（部分を全体へ）、アイロニーは否定的である、とされる。

喩法が四つであることに規定されて、歴史叙述の三つの類型（段階）が、すべて四つの形式をもつことになる。一つの喩法が、一つの形式を強く決定するわけではないが、しかし、喩法と形式の間には、ゆるやかな親和的な関係がある（アイロニーは、風刺劇的なプロット、コンテクスト主義的な論証と親和性がある、等）。歴史叙述の三つの類型の四つの形式を整理すると、結局、表15－1のようになる。*12

これこそ、カントの「純粋悟性概念」の歴史叙述版ではなかろうか。レヴィ＝ストロースは、歴史の記述がそこから派生するような超越論的な「構造」があるはずだ、という構想を提案していた。ホワイトが整理したこの表こそ、まさにその構造ではあるまいか。この表に基づいて、ミシュレのリアリズムはロマンティックであり、ランケのそれは喜劇的、トクヴィルの場合は悲劇的、そしてブルクハルトは風刺劇的、等のことが導かれることになる。あるいは、マルクスの史的唯物論にあっては、換喩的な還元が——社会構成体の全体が経済的土台という部分へと還元する説明が——支配的であるとされる。

*

しかし、ヘイドン・ホワイトのこの理論に対しては、繰り返されてきた批判がある。これは、歴史についての相対主義ではないか、と。ホワイトによれば、歴史家は、歴史的な事実を単に発見しているわけではない。歴史的な事実は構築されているのだ。ホワイトが見出したのは、この構築を導いている超越論的な制約である。歴史家は、特定の喩法に導かれ、その喩法と親和性の高いプロットに基づいて歴史的過程を描写し、論証がなされ、政治的イデオロギーに基づく判断がくだされる。そうだとすると、複数の歴史叙述が与えられたとして、どれが真実に近いのか、どれが実際に起きたことを適切に表現しているのか、と問うことが無意味になってしまうのではないか。それぞれの喩法や図式に規定されて構築された叙述があるだけだ、ということになるからだ。

ホロコーストの実在を否認する歴史修正主義的な主張があったとき、ホワイトのメタヒストリーに準拠した場合には、これを「事実に反する」として斥けることができなくなる。「事実の反映」という真理観自体を、脱構築してしまっているからだ。こうして、メタヒストリーの心は、ポストモダンな（悪しき）相対主義のように見えてくる。

ホワイト自身はもちろん、この批判を受け入れてはいないが、しかし、いくら抗弁しても、相対主義的であるというメタヒストリーへの評価は、否定し難い。ホワイトへの批判は、今日、カントをその頂点とする「相関主義」（カンタン・メイヤスー）に対する、思弁的実在論による批判の先取りである。相関主義とは、思考と世界とは相関関係の中にあり、思考と独立したなまの「実在」なるものを積極的には認めない立場である。ホワイトの理説は、歴史（学）における相関主義の徹底化と解釈することができる。

カントが「素朴な実在論」を根本から拒否したように、ホワイトのメタヒストリーは、歴史についての素朴な実証主義を斥けた。そのことによって、歴史の真実への通路を失ってしまった……というのが、ここまで述べてきたことだが、しかし、よく反省してみれば、ホワイトの構図は、ホワイト自身が意図していない仕方で、つまり否定的な仕方で、歴史の真実への窓を開いてもいるのだ。どういうことか。

たとえば、ホロコーストについての歴史を叙述するとして、どのプロット化の様式が適切だろうか、と考えてみよ。「悲劇」だろうか。だが、悲劇としての叙述でさえも、ホロコーストに対しては冒瀆的で、その現実を裏切っているように見える。悲劇という物語は、主人公が苦難に満ちた運命を引き受けるまでの過程を描いているのであって、その意味で、主人公と世界との最小限の和解を「終わり」に想定している。しかし、ホロコーストを、そのような和解の物語として描くことは不可能だ。もちろん、悲劇以外のどのプロット化の様式も、ホロコーストには適合しない。だが、このように認識するときはじめて、われわれはホロコーストの真実に触れている、のではないか。

つまりこういうことだ。メタヒストリーの表は、可能な物語的な叙述のパターンをすべて収容したマトリックスになっている。そのパターンのどれを用いても不適切になってしまう、という不可能性の体験を通じて、歴史の真実が開示されているのである。メタヒストリーの超越論的構造を挫折に導く障害物こそが、歴史の真実だということになる。

3　二つの村落平面図

このように議論してくると、われわれの考察の歩みは、レヴィ＝ストロースの方へと差し戻されることになる。『構造人類学』に収録されている一つの論文、「双分組織は実在するか」というふしぎなタイトルの論文の方へと、である。[*13] なぜこの論文なのかというと、ここに、「構造」の破綻を媒介にして露出する真実という主題が、きわめて端的なかたちで現れているからである。レヴィ＝ストロースのこの論文の意義を見出したのは、スラヴォイ・ジジェクである。われわれはここで、ジジェクの解釈に依拠しながら考察を進める。[*14]

双分組織とは、共同体（村）が二つのグループ——半族と呼ぶ——に分割されているケースである。多くの場合、それぞれの半族は外婚的な単位になっており、両者の間で、女性の交換がある。レヴィ＝ストロースは、双分組織を、居住場所の配置のようなものではなく、むしろ、共同体のメンバーの観念として保有されている、共同体の形成原理と見なしている。つまり、それは、彼が言う意味での「構造」の一種である。[*15]

さて、レヴィ＝ストロースの情報源は、ポール・ラディンによるウィンネバゴ族の個別研究である。ウィンネバゴ族は、アメリカ大湖地域の種族だ。彼らの共同体は、かつて二つの半族に分かたれており、それぞれが、「高くにいるもの」、「地上にいるもの（低いもの）」と呼ばれていた。半族は外婚的で、相互に権利と義務が規定されており、それぞれの半族が他方の半族のメンバーの葬式に関与しなくてはならなかった。

ラディンは、インフォーマントに書いてもらった村落の構造の平面図に、奇妙な不一致があることに気づいた。ある者たちは、村落を円形に描いた上で、この円形を二つの半円に分割する直径を入れ、直径の両側にいくつもの住居を配分した。そして、一方の半円が低い半族の領域、他方の半円が高い半族の領域だと主張した。ところが、一部の者が、この平面図に激しく反発し、まったく別の図を描いたのだ。その図は、村落の外縁が円である点では、前の図と同じだったが、直径によって分割されてはおらず、中に小さな円を入れており、全体として二つの同心円になっていた。円の中心に半族の首長の小舎があり、その周辺にほぼ均等に家々が分散している。よく調べてみると、前者の配置図は、高い方の半族のメンバーによって描かれ、後者の配置図は、低い方の半族のメンバーによって描かれていたことがわかる。

それぞれのメンバーが、自分たちの社会の構造をまったく異なったかたちで知覚していることがわかる。前者にとっては、共同体は、見えない境界線によって分割されていて、対立する二つのグループから成る。後者にとっては、共同体は、中心をもち、それを原点にして、おおむねシンメトリカルに（平等に）人々を分散させている。

どうしてこのような違いが出るのか。レヴィ＝ストロースは、二つの平面図のうちどちらが真実に近いか、を決定しようとはしていない。また、レヴィ＝ストロースは、「相対主義」によって解決できるとも見なしていない。相対主義とは、この場合には、所属グループごとの視点の相違から、平面図の違いが生じているという解釈だが、このように解釈できるためには、それぞれの視点に対して別様に現れるひとつの客観的な事実——ほんとうの村落の平面構造——が存在していなければならないが、これほど大きく乖離した二つの平面図を通約するような一つの構造はありえない。では、どう考えればよいのか。

鋭く対立する相関的な二つの知覚への分裂は、ある一つの隠れた参照項を含意していることは確かだが、それは、客観的な実際の建物の配置のようなものではない。その参照項は、ある意味では「空無」である。なぜなら、それを描こうとすると、どうしても、互いに両立できない二つの平面図に分裂せざるをえないからだ。言い換えれば、この村のメンバーたちは、それを直接に象徴化することができない。レヴィ＝ストロース流に言えば、その隠れた参照項は、社会の「構造」を形成する集合の一つの項（ヴァリアント）として収めることが不可能なのだ。

*

ここから何がわかるのか。直ちにわれわれが推測しうることは——ジジェクによれば——、この共同体にきわめて深い敵対関係が内在している、ということである。この敵対関係が、排他的な二つの平面図へと展開しているのだ。一見、半円に分割された円として村落を描いた者たちは、葛藤を直視しており、同心円の平面図を描いた者たちは、葛藤を見ていない、と言いたくなるのだが、そうではない。どちらの平面図による知覚も、敵対関係を馴致しようとする（無意識の）努力の産物であり、現実の深い敵対関係を、共通の利害や平面を前提にした均衡関係に置き換え、敵対関係がもたらす傷を隠蔽している。両立できない二つの平面図への分解は、どちらの平面図による了解もそれに対する裏切りや誤認になってしまうような、深刻な敵対関係の存在を含意している。

これがどのような事態を指しているのか、イメージを与えるために、厳密には正しくはないが――つまり正確さを大幅に犠牲にして――、現代人にも理解しやすいかんたんな事例で解説してみよう。英語の〝Man〟という語は、「男」を意味すると同時に、男Manと女Womanの区別を超えた「人間」一般をも意味している。それゆえ、次のような等式を作ることができる。

Man = {Man, Woman}　………E

この等式Eは矛盾している。集合の全体Manが、右辺に見るように、自分自身の要素になっているからだ。自分自身を要素として含む集合の禁止は、バートランド・ラッセルが、「矛盾」を避けるために集合論に課した最も重要なルールである。それゆえ、この等式Eは、不可能な等式だ。ウィンネバゴ族の二つの平面図と同じで、この等式Eの右辺と左辺は、ほんとうは通約不可能だ。

等式Eの左辺のManは、男と女という差異に無関係な均質な「人間」という空間がありうることを表現している。これは、ウィンネバゴ族の「同心円」の平面図に似ている。右辺の方は、ManとWomanが、一つの集合の中の対等な二つの要素として対決していることを表現しているので、ウィンネバゴ族の「直径によって二つの半円に分割された円」を連想させる。

ここで、右辺のことをもう少し考えてみよう。ManとWomanが同一の集合に属しているということは、両者が対決していたとしても、なおその前提に共通性がある、ということである。それゆえ、この右辺が含意している、ManとWomanの葛藤は、スポーツのゲームと同じで、共通なものを前提にした上での競争である。たとえば、賃金の格差をめぐる闘争とか、昇進をめぐる差別を解消せよという闘争などは、その種の競争だ。

だが、Eのような等式が作られてしまうということは、言い換えれば、要素の中の一つManだけが、同時に（その要素を一部に含む）集合の全体をも代表してしまうという極端な不均衡が生ずるということは、男Manと女Womanの間に、「共通の土俵の上で生じているアンバランス（賃金の格差とか昇進の速度の差別とか）」には還元できない、もっとはるかに深刻な葛藤がある、ということを意味しているだろう。男女の間に同一の賃金体系と共通の昇進のルールが確立されても、性的差異のうちに内在している葛藤は解消されない。葛藤は、明らかに「それだけではない」のだ。

では、男Manと女Womanの間にある葛藤とは何なのか。それは、等式Eの左辺によっても、右辺によっても表現されてはいない。そこにある深刻な葛藤、深刻な敵対関係は、Eの等式の不可能性によって、つまり右辺と左辺をほんとうは等号で結ぶことができないという不可能性によって、間接的に暗示されているだけだ。

同じことは、ウィンネバゴ族に関しても言える。どちらの村落の平面図も、真の敵対関係を馴致し、その深刻度を縮減して表現している。しかし、敵対関係の真実は、二つの平面図の間の矛盾を通じて示されてもいるのだ。

ここで、それぞれの平面図によって表現されているような村落空間の知覚の集合を、レヴィ＝

ストロースが「構造」と呼ぶものと見なしてみよう。それぞれの知覚の様式が、構造を構成するヴァリアントである。レヴィ＝ストロースは、類似の神話のさまざまなヴァージョンを、同じもの諸ヴァリアントとして分析するが、それと同じように、ここでは、村落構造の複数の知覚が、ヴァリアントである。レヴィ＝ストロースによる構造の定義は、（ヴァリアントの間の）変換を通じて同一であるもの、ということだ。では、このウィンネバゴ族の二つの平面図を関係づける変換の手順はあるか。そんなものはない。両者は端的に矛盾しており、それゆえ、両者の間の変換を通じて保たれる同一性とは――先にも述べたように――空無である。しかし、その空無こそが、共同体の真実を告げ知らせている。この共同体に、実に深刻な、言語化したり、イメージに投影したりすることができないような敵対関係が内在している、という真実を、である。

4　「それを忘れ去らなくてはならない」

さて、以上のような考察が、われわれの探究、われわれの主題にどう関係しているというのか。われわれの「歴史」という知についての問いは、ネーションが己の起源に差し向けるまなざしの、不可解な倒錯という点を確認するところから始まっていた。ネーションは、ほんとうは新しいのに、自分を非常に古いと認識しないではいられない。一九世紀において、歴史的な知の地位が、突如として急に向上したという現象は、このネーションの、自己の歴史への関心という主題に従属している。

ところで、ネーションは、実は、ウィンネバゴ族と同じ課題に直面していた、と言える。ネーションが取り組んでいた課題の方が複雑で大規模ではあるが、ネーションがまさにネーションとして成立するために解決しなければならなかったことの基本は、ウィンネバゴ族が解決しなければならなかったことと同じである。どういう意味なのか。

ベネディクト・アンダーソンは、エルネスト・ルナンの『国民とはなにか』から次の言葉を引用している。

さて、国民の本質とは、すべての個々の国民が多くのことを共有しており、そしてまた、多くのことをおたがいすっかり忘れてしまっているということにある。〔中略〕フランス市民はすべてサン・バルテルミー〔の虐殺〕、一三世紀の南フランスの〔異端の〕虐殺を忘れ去っていてしまわなければならない。*16

ルナンが、この演説を出版したのは一八八二年で、アメリカの独立革命からすでに一世紀以上が過ぎ、偉大な歴史家ミシュレの没後八年のときである。ここで、ルナンは、「サン・バルテルミー」とか「一三世紀の南フランスの虐殺」とかについて、とりたてて解説しなくても、聴衆や読者がただちにそれを理解することを前提にしている。このことは、ルナンが、「フランス人」という実体が確固として実在し、彼らに呼びかけているということに何の疑問ももたなかったことを示している。フランス人としての教育を受けていなければ、「サン・バルテルミー」が何なのかを知らないからだ。たとえば日本人ならば、「関ヶ原」と言うだけで、何を指しているのか直ちに理解するのと同じである。

だが、今、問題にしたいのはこのことではない。ルナンが、サン・バルテルミーや南フランスの虐殺に関して、フランス人はそれを「忘れ去ってしまわなくてはならない」と述べている逆説が興味深いのだ。どちらも、凄惨な結果を生んだ、深刻な敵対関係を指している。前者は、ヴァロア朝シャルル九世とその母が、一五七二年八月二十四日に始めた、ユグノー（フランスのカルヴァン派）の大虐殺のことである。後者は、イノケンティウス三世の命令によってなされた、カタリ派（アルビジョア派）の撲滅運動である。カタリ派は、当時、フランス南部からイタリア北部の民衆の間に広く分布していたキリスト教異端だ。この運動は、驚異的な「成果」をあげ、カタリ派をほんとうに殲滅してしまった。

どちらにも、多くの殺した者がいて、もっと大量の殺された者がいた。ルナンによれば、フランス市民は、これを忘れ去らなくてはならない。フランス人の間に、これほど深刻な争いがあったことを忘れなくてはならない、というのがルナンの趣旨だ。しかし、この呼びかけは、変ではないか。それを忘れろ、という命令は矛盾している。そう言ったとたんに、むしろ、それを想起させ、記憶させることになるからだ。

ということは、ほんとうは、その種の敵対関係を忘れない、むしろ記憶している、ということでもある。記憶してはいるが、しかし、まさにその記憶を通じて、無害化されてもいるのだ。フランス人としての同一性は損なわれてはいない――むしろ強化されている――のだから。ウィンネバゴ族のことをもう一度、振り返ってみよう。彼らもまた、共同体に内在している深い敵対関係を馴致しようとしていた。彼らは、自らの社会の構成についての空間イメージを規定する「構造」によって、それを馴致しようとした（そして実は破綻している）。ネーションもまた、やはり自身のうちに孕まれている敵対関係を処理しなくてはならない。ウィンネバゴ族が共時的な構造を通じて実現しようとしていたことを、ネーションは、通時的な手段を介して果たそうとした。その通時的な手段こそ、起源への愛着を含む歴史という形態をとるのだ。どうして、「歴史」によって、その敵対関係が安全なものへと転換されるのか。どうして、「歴史」という手段でなくてはならなかったのか。もう少し言葉を費やす必要がある。

1　クロード・レヴィ＝ストロース『野生の思考』大橋保夫訳、みすず書房、一九七六年（原著一九六二年）、二八〇頁。

2　同書、二八四―二九三頁。

3　真木悠介『時間の比較社会学』岩波書店、一九八一年、二二一―二二三頁。

4　レヴィ＝ストロース、前掲書、二九二頁。

5　ここでストレーロウやレヴィ＝ストロースが注目している現象は、二一世紀の人類学者がパースペクティヴィズムという語で表現していることの先取りである。パースペクティヴィズムとは、個我を超えたまなざしの交錯、ときには種の障壁を超え、非人間にまでおよぶまなざしの交錯だ。ストレーロウの引用が示すように、オーストラリアの先住民は、山や川や沼との間でまなざしを交錯させている。このまなざしの交錯は、私が「遠心化」と呼んできた現象の一種である。なお、パースペクティヴィズムについては、以下を参照。エドゥアルド・ヴィヴェイロス・デ・カストロ『食人の形而上学』檜垣立哉ほか訳、洛北出版、二〇一五年（原著二〇〇九年）。エドゥアルド・コーン『森は考える』奥野克巳ほか訳、亜紀書房、二〇一六年（原著二〇一三年）。石川義正『政治的動物』河出書房新社、二〇二〇年、I-四。

6　C・レヴィ＝ストロース『神話論理II――蜜から灰へ』早水洋太郎訳、みすず書房、二〇〇七年（原著一九六六年）、五四七―五四八頁。訳文を一部変更した。

7 C・レヴィ＝ストロース「マルセル・モース論文集への序文」（原著一九五〇年）、マルセル・モース『社会学と人類学Ⅰ』（有地亨ほか訳、弘文堂、一九七三年）所収。Claude Lévi-Strauss, *Introduction to the Work of Marcel Mauss*, London: Routledge, Kegan & Paul, 1987.

8 レヴィ＝ストロースが示唆したこのアイデアは、しかし、後の理論家や哲学者に対して多くの霊感を与えた。これを継承した最も重要な展開は、ジル・ドゥルーズの『意味の論理学』の中に見ることができる。

9 ヘイドン・ホワイト『メタヒストリー——一九世紀ヨーロッパにおける歴史的想像力』岩崎稔監訳、作品社、二〇一七年（原著一九七三年）。

10 同書、序論。

11 邦訳者は、“formist”という語に「個性記述論的」という訳語を与えている。適切な翻訳だと思う。ホワイトが、この説明を「形式的」と呼んだのは、対象の個別性を確定するためには、その対象に「形相 form」的なもの（類型や範疇やラベルなど）を何段階も適用するしかないから、つまり多様な基準によって細かく分類する中で対象の個性を浮かび上がらせるしかないからである。

12 ホワイト、前掲書、九二頁。

13 C・レヴィ＝ストロース「双分組織は実在するか」『構造人類学』生松敬三ほか訳、みすず書房、一九七二年（原著一九五八年）、一四八—一七九頁。この論文が最初に発表されたのは、一九五六年のことである。

14 Slavoj Žižek, *Enjoy Your Symptom!: Jacques Lacan in Hollywood and out* (Revised Edition), New York and London: Routledge, 2001, pp. 221-222.

15 渡辺公三『レヴィ＝ストロース　構造（現代思想の冒険者たち Select）』講談社、二〇〇三年、一〇九頁。

16 ベネディクト・アンダーソン『定本　想像の共同体』白石隆・白石さや訳、書籍工房早山、二〇〇七年（原著二〇〇六年）、三二六頁。

第16章　国民の「起源」

1　「兄弟殺し」の記憶

エルネスト・ルナンは、普仏戦争の敗北から十年ほど経過したときに、国民であるためには、つまりフランス市民であるためには、「サン・バルテルミー」や「一三世紀の南フランスの虐殺」を忘れ去ってしまわなければならない、と訴えた。日本人であるためには、源平の争乱や関ヶ原の合戦や西南戦争を忘れ去ってしまわなければならない、と言うのと同じである。あるいはアメリカ人であるためには、南北戦争を忘れ去ってしまわなければならない、というわけだ。ルナンが言いたいことが何かは、理解しがたいことではない。フランス人として連帯し、自分たちを単一の共同体として想像するためには、その内部にかつてあった深刻な対立を不問に付さなくてはならない。これがルナンの述べたことである。

ベネディクト・アンダーソンは、ルナン本人が十分に自覚していない部分までもあえて明示し、いささか意地悪く、この主張の意義を解説する。[*1] たとえば〝Saint-Barthélemy〟と（フランス語の）単数名詞——というか固有名詞——を用いることによって、殺した者たちがいて殺された者たちがいたという、解消しがたい複数性が締め出されている。このとき戦ったカトリック教徒とプロテスタントは、互いを同じ「フランス人」とは考えていなかっただろう。あるいは、アルビジョア派（カタリ派）を殲滅しようとする運動を、〝le Midi（南フランス）〟で起きた虐殺と呼び、フランス性を前面に出すことで、犠牲者と暗殺者の間の亀裂は見えにくくなる。このときの殺害者と被害者はどちらも、客観的には、かなり緩やかな意味で解釈しても「フランス人」と見なすことは難しい。南フランスにあたる地域に暮らしていたアルビジョア派の人々は、フランス語を話さず——プロヴァンス語やカタロニア語を話し——、彼らを暗殺した人々の多くは、西ヨーロッパの別の地域からやってきていたからだ。ルナンの演説では、修辞の効果によって、中世・近世のヨーロッパで起きた大規模で悲惨な宗教紛争が、フランス人の内輪の争いとして、つまり——「微笑ましい」と言ったら言い過ぎだが——究極的には安心できる兄弟間のけんかとして示されている。

アンダーソンのこうした解釈に誤りがあるわけではないが、しかし、これはまだ、ルナンの演説の最も奇妙な部分を説明できてはいない。前章の最後に示唆したように、ルナンの呼びかけには、矛盾がある。「これを忘れなさい」という執行文（命令）は、嘘つきのパラドックスに似た矛盾を含むのだ。忘れるべきことを指定することは、それが記憶に留められることを前提にしているからだ。実際、ルナンは、聴衆や読者であるフランス人が、「サン・バルテルミー」とか「一三世紀の南フランスの虐殺」とかという間接的なほのめかしだけで、それらが何を指しているのかをただちに理解できるほどにこれらの紛争をしっかりと記憶しているということを自明のこととして話している。したがって、ルナンは、意識のレベルでは、フランス人はそれらのうちに紛争を忘れていなくてはならないと述べてはいるが、同時に、行動のレベルでは（無意識のうちに）、フランス人はそれらの葛藤を――そこに孕まれている闘争の鋭さを大幅に減殺させた上ではあるとしても――記憶に留めておくべきだ、とも主張しているのである。語られたこと（内容）の意味していることと、語るという行為（言語行為としての形式）が全体として意味していることとの間に矛盾があるのだ。[*2] この矛盾をどう理解したらよいのか。

アンダーソンは――そしてルナンも――、かつて深刻な争いがあったということが、現在のフランス人が連帯する上での障害になっている、と考えている。「争いがないに越したことはないが、あったのならば仕方がない。だが、できるだけ小さな争いに、真に憎み合った敵対関係ではなく、兄弟の間のもめごとのように見せておこう」というわけだ。しかし、この前提は妥当だろうか。争いについての記憶は、ほんとうにネーションの連帯にとってネガティヴな要因なのだろうか。

反省してみると、幸福な過去に関する記憶よりも、悲劇的な過去についての記憶の方が、ネーションの成員たちをより強く団結させる傾向がある。さらに「かつてわれわれの間にも悲惨な葛藤があった」という記憶は、少なくともその葛藤の深さがある「閾値」を超えていなければ、またその葛藤との時間的な距離がある程度確保された頃には、ネーションの結束力を高めるように作用するのではないか。たとえば、南北戦争を乗り越えたという記憶は、合衆国のナショナリズムにとってポジティヴな意味も担っているのではないか。まったく葛藤がなかった、われわれは一度も争い合うことはなかったということの確認よりも、かつてわれわれの間に争いや亀裂があったという記憶の方が、ナショナリズムへのコミットメントを強化するのではないか。どうしてそうなるのかを説明するのは簡単ではないが、事実は、まさにそうではないか。少なくとも、ルナンは、サン・バルテルミーやアルビジョア派の虐殺を忘れ去ってしまわなければならないと語るまさにそのことによって、それらを記憶するように、フランス人を導いている。そして、この行動は、彼の意識的な前提（葛藤の記憶はナショナリズムを毀損する）を裏切っている。

さらに疑問を付け加えておこう。アンダーソンが述べるように、一三世紀においてはもちろんのこと、サン・バルテルミーの虐殺があった一六世紀においてもまだ「フランス人」という国民は存在していないのだとすれば、*3 ルナンは、どうして、わざわざ時間的な視野を深くとって、その古い葛藤を「忘れてしまっているべきだ」などと言っているのだろうか。ルナンは、フランス人の始まりを実際よりも古いところに見ているため、「フランス人」という共同性にとっては不利になる——と少なくとも自分ではそう思っている——出来事を無視することができなくなり、それらの扱いに苦労しているのだ。一三世紀に、ピレネー山脈から西アルプスに至る広い範囲に暮らしていたアルビジョア派の人々を、カトリック教徒は異端として殺害したわけだが、このとき虐殺に関与した者も犠牲になった者もフランス人ではないのだとすれば、フランス人としての連帯にとって、この悲惨な出来事はよくも悪くもない。彼らをわざわざフランス人のうちに包摂するために、この出来事は、忘れなくてはならないものになる——いや「忘れるべきもの」として記憶しなくてはならなくなるのだ。これはいささか滑稽なことではないか。

とすると、われわれは、本来の問いに再会することになる。ネーションは客観的には新しいのに、ナショナリストは、どうして、それよりはるかに古いところにその起源を見たがるのか。このことが、すでに述べたように、一九世紀を歴史（学）の世紀にした。ネーションの客観的な新しさと主観的な古さとの間の著しい不一致はどうして生ずるのだろうか。

＊

ここで、前章で、レヴィ＝ストロースの「双分組織は実在するか」という論文をもとに論じたことを再確認しておきたい。ウィンネバゴ族のインフォーマントは、自分たちの村落の空間構造に関して、二つの半族のうちのどちらのメンバーかによってまったく異なる――互いに両立できない――二つの平面図を提供するのであった。同一の空間に対する二つの平面図の関係を、われわれは、次のような形式の方程式で表現した。

m ＝ {m, w} ………E

方程式Eの右辺は「直径で分割された円」に、左辺は「同心円」に、それぞれ対応している。表面的には、二つの異なる要素（分割された二つの半円に対応）を含む右辺には、この社会に孕まれている葛藤が表現されており、単一のシニフィアン（単一の同心円に対応）によって表示される左辺は、この社会の統合性が表現されているように見える。しかし、ジジェクの示唆に従いながら前章で述べたように、左辺はもとより右辺でさえも、ウィンネバゴ族の社会に内在している葛藤を言わば飼いならし、葛藤の深刻度を小さくした上で表象するものでしかない。この社会には、もっと深刻な敵対関係が存在していると推測することができる。その敵対関係は、（特定のひとつの平面図によっては）表象されえない。その対立は、同一の社会のメンバーが描く平面図が、両立不能な二種類に分解されてしまう、というその事実によってこそ示されている。

ここで前章での議論を復習したのは、今ルナンの有名な演説をもとに述べてきたことと、ウィンネバゴ族に即して示したこととの間に類比的な関係を認めることができるからだ。もとには、きわめて深刻な敵対関係がある。カトリックの主流とアルビジョア派の間（一三世紀の南フランスの虐殺）の、あるいはカトリックとプロテスタントとの間（サン・バルテルミーの虐殺）の血なまぐさい敵対関係が、である。それを、ルナンは、ひとつのネーション（m）に所属する兄弟（mとw）の間の安全なけんかのように――つまり方程式Eに対応するかたちで――提示している。

ほんとうは、Eは成り立たない方程式、不可能な方程式である。というのも、集合の全体mが、自らの内的な要素にもなっていて、矛盾しているからである。しかし、ここに時間という契機が導入されたらどうだろうか。つまり、方程式Eが時間化されたらどうか。すると、方程式Eは、実際に成立可能なものになる……厳密には、成立可能なものに見えてくる。それこそが、ネーションの歴史である。この断定は、しかし、拙速に過ぎる。もうすこしていねいに説明する必要があるだろう。

2　無名戦士の墓と碑

別の角度から、問題に迫ってみよう。またしても、ベネディクト・アンダーソンが指摘していることが手掛かりを与えてくれる。アンダーソンの考えでは、ナショナリズムが近代の文化現象であることを示す最も見事な表象は、「無名戦士の墓と碑」である。こういうものは、近代になって初めて出現したもので、それ以前にはなかった。

これらの記念碑は、故意にからっぽであるか、あるいはそこにだれがねむっているのかだれも知らない。そしてまさにその故に、これらの碑には、公共的、儀礼的敬意が払われる。これはかつてまったく例のないことであった。それがどれほど近代的なことかは、どこかのでしゃばりが無名戦士の名前を「発見」したとか、記念碑に本物の骨をいれようと言いはったとして、一般の人々がどんな反応をするか、ちょっと想像してみればわかるだろう。奇妙な、近代的冒瀆！　しかし、これらの墓には、だれと特定しうる死骸や不死の魂こそないとはいえ、やはり鬼気せまる国民的想像力が満ちている。[*4]

墓の下に遺体や遺骨がなかったり、誰がそこにねむっているのか定かではなかったり、ということは、通常、墓にとっては致命的な欠陥である。墓としての要件を満たしていないように思える。ところが、ナショナリズムにとっては、これらのことは問題にならない。それどころか、ネーションのために死んだ者の墓が空《から》である方が、あるいはその死者が匿名のままである方が、そうでない場合よりいっそう激しく人々の感情を揺さぶり、国民的想像力を鼓舞する。[*5]　どうしてなのか。この事実から、ナショナリズムの性質に関して、ふたつのことを導き出すことができる。[*6]

第一に、墓碑の匿名性は次のことを含意している。すなわち、人は、ネーションに所属し、そのために献身する限りにおいて、抽象的で形式的な個人として主題化される、ということを、である。抽象的な形式としての個人は、誰でもありうるのであって、原理的には、それによって代表しうる者の範囲をどこまでも広げ、普遍化することができる。が、同時に、墓の中の不在の住民の国民的帰属《ナショナリティ》を疑う者はいない。そこにいる彼／彼女はまぎれもなく、フランス人であったり、アメリカ人であったり、フィリピン人であったり……する。

ここに、ひとつの緊張関係が孕まれていることに気づかなくてはならない。匿名の個人は、誰をも代入しうる変数のようなものであって、そこに参入しうる者の資格は人間一般へと普遍化されている。このことと、墓の住民を特殊に閉じられた国民的な共同体のメンバーに限定することとは、正反対の指向性をもっていることになる。一方は、普遍化へ、他方は、特殊化へと向かうベクトルによって規定されている。両者を合成したところに、何が見出されるのか。結局、ナショナリズムを規定しているのは、フランス人等の特定の国民である、まさにそのことにおいて抽象的な個人が実現される、という感覚だった、ということになるはずだ。

第二に、墓碑が教えることは、ナショナリズムが、死についての、そしてまたその反面である不死についての観念と結びついているということである。墓碑は、葬られている人物を、その生の有限性を超えた連続性——言わば時間的な普遍性——へと接続し、その中で意味づける。このことと、ネーションのための殉死者が匿名的なままで記念されうるということとを合わせて考えると、次のようなことが結論される。ネーションへの帰属ということは、時間的なはるか彼方で、すでになされてしまった選択のようなものとして現れるということ、これである。ネーションは、生の時間幅を超えたところで、そもそも任意の時間の有限な幅を超えたところで、選択されてしまっている……かのように扱われている。殉死者が匿名であった方がネーションにふさわしいと感じられるのは、人がこの世界で具体的な何者かになる前に、そのネーションに所属する選択を完了している、と見なされるからである。哲学の用語を用いて表現するならば、ネーションへの帰属を決定する選択は、言わば、超越論的（先験的）な選択なのである。

だが、それは、ナショナリティということが、社会学者の言う「生得的地位 ascribed status」のようなものになっている、ということとは異なっている。社会学は、地位を、先天的に決定されている生得的地位と、後天的に選択され、そして達成された獲得的地位 achieved status とに分割するが、ナショナリティは、この二分割を横断してしまうのだ。ナショナリティは、選択されたものなのだが、その選択は、生の時間幅を超えたところにすでに完了してしまっているかのように扱われるからである。

選択されたものでなくては、人は、それのために殉ずることはできない。たとえば、単に女であるとか、アフリカ系であるとかという性質だけのために殉死するなどということは、意味をなさない。フェミニズムとか、反人種主義とか、マルクス主義などのために殉死することはできるが、それが可能なのは、これらの思想がその殉死した当の人物によって、選択されたものだからである。ネーションのために殉死できるのは、殉死者が、ナショナリティを選択し、そのことによってネーションの存続や大義にコミットしたと解釈されているからである。

しかし、他方で、——アンダーソンが述べていることだが——、無名フェミニストの墓とか、無名反人種主義者の墓、無名マルクス主義者の墓などといったものは、まったく滑稽である。なぜ滑稽なのか？　フェミニズムや反人種主義やマルクス主義は、個人の生の内部にある選択、つまり意識的・自覚的な選択——経験的な選択——に服しており、したがって、それについて特定の誰彼に責任帰属させることができるのであって、それが誰でもありえない匿名的な身体に担われるなどということはありえないからである。ところが、ネーションのためならば、匿名のまま殉死することができる。いや、ネーションに関しては、名も知れぬ戦死者こそ、真に純粋な殉死者と見なされるのだ。なぜそうなるのかと言えば、ネーションへの帰属が、超越論的な選択の構成をとるからだ。今しがた述べたように、この経験的な世界で特定の誰彼になる前に、つまり超越論的なレベルで、選択はすでに完了しているかのように感受されているのだ。

このことは、ナショナリティ（国民的帰属）が、「強いられた選択」のように扱われる、ということでもある。ここで言う「強いられた選択」とは、他を選択しえない限りにおいて許容されている選択ということである。これは逆説的な選択である。一方では、それが「選択」でありうるのは、最後に選ばれた「これ」とは異なる他をとることも可能だったときだけである。しかし、他方で、「強いられた選択」は、実際には、「他」が選ばれない限りでのみ機能する。

それゆえ、強いられた選択は、自己否定的な選択に見えるが、われわれは、ときに、この種の選択に出会っている。たとえば、結婚式や入会儀礼における宣誓のようなものを思うとよい。結婚式で、あなたは、パートナーを終生の伴侶とするか、と問われる。わざわざ問われるのは、それが選択可能なもののひとつに過ぎず、原理的には、他も——目の前の相手を伴侶としないことも——可能だからだ。しかし、もしほんとうにあなたがその「他の選択肢」をとったら、結婚式は大混乱に陥るだろう。あなたは、「他の選択肢」を実際には選ばない限りにおいて、この結婚を選択することができるのである。ネーションの帰属に関しても同じである。ネーションを、人は、これしかないものとして、強いられたもののように選択する。[*7] そのようになるのは、ネーションへの帰属は、経験に先立つ次元で、つまり先験的なレベルですでに終わっている、かのように扱われるからである。[*8]

今、個人のネーションへの帰属が、超越論的な選択としての構成をとっている、と述べてきた。このことの純粋に論理的な帰結として、ネーションそのものを設立する行為もまた、超越論的な選択として性格づけられることになる。ネーションは、もちろん、一群の人々が集合的に、互いに連帯感をもちつつ、同じネーションのメンバーとしての自覚をもつことから始まる。だが、それは、新しい会社を設立するのとはまったく異なった様相を呈する。述べてきたように、人が自らをネーションの一員として自覚するとき、所属の選択を「すでに終えていること」として意識する。こうした意識は、ネーションは、経験的な出発に先立ってすでにあったし、すでに先験的なレベルで設立されていた、ということを前提にしている。

アンダーソンは、哲学者レジス・ドブレの勇ましい言葉を引用している。「しかり、わたしがフランス人に生まれたのはまったくの偶然である。されどフランスは不滅である」[*9] ここで「フランス」は、まるで無限の過去から無限の未来にまで持続する実体であるかのように思い描かれている。つまり、経験的な時間から独立した実体であるかのように、である。このことが、ネーションの歴史に対する感覚、著しく古い起源という感覚と結びついている、という直観は働くだろう。しかし、まだミッシングリンクがある。ここまでの議論の中で見定められているのは、ネーションの超越論的な端緒であり、あらゆる経験に対する論理的な意味での先行性《プライオリティ》である。しかし、歴史学が見るのは、ネーションの経験的な起源だ。

＊

では、実際に、西ヨーロッパにおいて、ネーションが始まった瞬間に目を向けておこう。"nation" という語が最初に、現代的な意味で――「国民」を指す語として――使われたのは、フランス革命のときである。[10] この革命の序盤の山場、そして革命の思想的かつ政治的な意義が集約されている場面は、一七八九年の人権宣言にある。この宣言には、タイトルそのもののうちにも刻まれている両義性がある。その両義性は、われわれが今「無名戦士の墓と碑」から引き出してきた二重性――ナショナリズムの性質に関する二つの論点のうちの最初のもの――と対応している。

人権宣言の正式の名称は、La déclaration des droits de l'homme et du citoyen（人間と市民の権利の宣言）である。とすると、ここで謳われているのは、人間 homme の権利なのか、それとも市民 citoyen ――フランス市民として資格づけられた者――の権利なのか。「人間」と「市民」。両者は異なる実体として名指されているが、同時に、一緒になってひとつのまとまりをなすかのように見なされてもいる。人間と市民の関係ははっきりしない。この両義性は、先に「無名戦士の墓と碑」に見出した、対立的な指向性に規定されている二つのベクトルに対応している。空っぽの匿名の墓は、人間一般にまで普遍化しうる抽象的な個人を連想させるが、同時に、その墓は、特定の国籍を有する市民が眠っているということを自明の前提ともしている。無名戦士の墓に孕まれている緊張関係は、人権宣言の中にすでに現れていたことになる。エドマンド・バークが、フランス革命を批判する中で、自分は人間の不可侵の権利よりも「英国人の権利」の方を好むと述べたとき、彼は、人権宣言のこのあいまいさを突いていたのである。[11]

ミシェル・フーコーの「生政治」の理論を独自に改訂することを通じて、西洋の「主権」概念がどこから来たのかを探究したジョルジョ・アガンベンは、人権宣言に着眼している。[12] アガンベンの見るところ、「むき出しの生」が国家の正統性と主権の地上的な（「神」に頼らない）基礎になったのは、この宣言においてである。このことは、われわれが今まさに問題にしている両義性が、宣言の条文の中にどのように書き込まれているのか、ということのうちによく示されている。まず、第一条で前面に出ているのは、「人間」の方である。ここで人間（自然的な生）の権利における自由と平等が謳われる。第二条では、人間の権利が、政治的な「市民」の中に吸収される。すべての政治的結社の目的が、人間の権利の保存にあるとされるからだ。そして、第三条で、両者を総合する契機として「国民 Nation」が登場する。主権の原理はもっぱら国民に存する、というわけだ。アガンベンの見立てでは、この国民という形式こそ、「むき出しの生」が近代の政治の中でとった姿である。実際、"nation" という語は、語源的には、（人間の）生まれ nascere に由来している。ここでわれわれが確保しておきたいポイントは、主権国家を有するネーションと、「人間」の名のもとで要求されている権利との間の本質的な結びつきである。[*13]

3　ヘーゲルの「世界史＝普遍史」

つまり、ナショナリズムにおいて究極の目標になっているのは、抽象的な個人という形態をとる「人間」である。ヘーゲルの概念を用いるならば、それは「抽象的な普遍性」の一例だ。順を追って説明しよう。人はみな、最初は、特定の具体的な生活共同体の中に生まれる。すなわち人は最初は、家族や（その家族を包摂する）地域共同体の中に組み込まれている。そのような生活共同体を、社会学では、「ゲマインシャフト」と呼んできた。このような原初的なゲマインシャフトとの紐帯を絶って、自律的で自由であるということだけを条件とするような「個人」（アガンベンはこれを「むき出しの生」「自然的な生」等と呼んだ）になること、ナショナリズムにおいてまずは賭けられているのはこのことである。このような個人を、われわれは〈主体〉と呼んできた。そして、〈主体〉がどのようにして創出されるのか、という機制については、かつてていねいに論じておいた（『〈主体〉』第17章）。ナショナリズムは、実のところ、〈主体〉を生み出すさまざまな社会的な装置の一つだと言ってよい。*14

　だから、ネーションは、第一次的には、抽象的で自律的な個人の集合よりなる市民社会である。ネーションは、ゲマインシャフトの一種として思い描かれるが、しかし、第一次的にはゲゼルシャフトだ、ということをまずは理解しておかなくてはならない。しかもそれは、理念的には、「人間」をメンバーとする普遍的なゲゼルシャフトである。

　と、ここまで説明すると、それは明らかにおかしい、と直ちに反論が出ることだろう。「フランス人」とか「日本人」とかという国民《ネーション》は、限られた共同体であって、「類」とは合致しないことにこそ、その本質があるのではないか。キリスト教会のような宗教共同体やあるいはかつての世界帝国は、人類を全体として包摂する共同体になろうとする野望を抱いたことがあるが、これらと違ってネーションは、国境の向こうに他のネーションがあることを認めており、自らが人類全体と同一になるなどということは夢想だにしない……はずではないか。

　その通りである。だから、慎重に、「第一次的には」という限定を付してきたのだ。すぐ後に述べるように、普遍的なゲゼルシャフトへの志向が、限られた特殊なゲマインシャフトへの志向によって媒介されることにこそ、ネーションの特徴がある。しかし、その前にまずは、ネーションは、基底的な条件として、自律的な人間であることだけをメンバーの要件とするような普遍的なゲゼルシャフトであろうとする欲望を有している。先に、このことを理解しておく必要がある。ネーションが唱えた「フランス市民」の権利が、「人間」の権利でもあったことをもう一度、思い起こしておこう。

＊

さて、まずこの状況に適合する歴史を考えたらどうなるだろうか。つまり、類的な広がりをもつ普遍的な共同体の歴史というものを構想したら、それはどのようなものになるだろうか。類としての人間の条件が何に由来し、人間がどこへと向かうかを説くものになるはずだ。人間の特定の共同体や集団の歴史ではなく、人間一般の由来と行き先を明らかにする歴史。人間的な〈主体〉の成立と命運を説明する歴史である。

そのような歴史を描くためには、「人間の歴史そのものに先立つ超越論的な起源」とそれに対応する「歴史を超えた究極目的」が想定される必要があるだろう。このようなタイプの歴史の理論は、実際に存在した。それこそ、ヘーゲルの歴史哲学にほかなるまい。*15 ヘーゲルが目指したのは、世界史（人類の歴史）の統一的な把握である。そのためには——とヘーゲルは論じているのだが——、今しがた述べた要件、つまり歴史に先立つ条件でもあれば、その究極目的でもあるような「理念」を想定する必要がある。

その理念は、「歴史における理性」と呼ばれている。それは精神が自己自身を認識している状態を指しているのだが、ヘーゲルは、この過程を、キリスト教の三位一体をモデルに考えている。すなわち、起源には単純な実体としての「父なる神」があり、それが主体として「子」を外化することで分裂し、自己対象化する過程を経て、最終的には「精神＝聖霊」という再統一の形態において自己把握へと到達する、というわけだ。したがって、人間の自己認識の歴史は、神であるところの精神の自己認識の過程として、あるいはそのような過程との類比ではじめて描かれうるものになっている。

ヘーゲルはまた、自由の概念に、世界史の超越論的な条件と目的とを認める議論も展開している。この議論は、「歴史における理性」の理念をベースにした説明と大きく異なるわけではない。ヘーゲルの「自由」は、自分自身を知るという思考活動に、つまり自己認識に基礎をもっているとされているからだ。世界史は、人間が人間であるための超越論的な条件が、まさにそれとして認識されていく過程である。かくして、一人だけが——専制君主だけが——自由だと知っている段階（オリエント世界）から、若干の者が自由だと知る段階（ギリシア・ローマ世界）を経て、人間がみな本来的に自由だと認識する段階（ゲルマン世界）へと至る、という有名な世界史の解釈が提起される。

ヘイドン・ホワイトは、『メタヒストリー』で、ミシュレ、ランケ、トクヴィル、ブルクハルトといった、固有の意味での歴史学者について論ずる章の前に、ヘーゲルについての章を置いている。ヘーゲルの歴史哲学が、一九世紀の歴史学の原点だからである。後者は、前者の転換のように見えてくるのだ。しかし、ヘーゲルの歴史哲学は——いくつもの興味深い洞察を含んでいるとはいえ——、そのまま実証的な歴史学になるわけではない。転換には、何か媒介が必要だ。

4 起源への衝動

ネーションがそれになろうと指向している、普遍的な市民社会《ゲゼルシャフト》は、人為的に媒介されたものである。つまり、その内部の関係性は、自由で独立した〈主体〉の活動によって構築され、意識的（対自的）に媒介されたものであって、自然発生的（即自的）なものではない。たとえば、それは、（互酬的な贈与交換ではなく）契約に裏打ちされた市場交換であったり、（地域の自然発生的な共同体ではなく）複雑な官僚機構による統治であったり、（親方と徒弟の間のパーソナルな関係ではなく）大きな企業での雇用関係であったりする。

しかし、こうした関係性は、それ自体ではまったく機能しない。なぜか。それは、あまりに抽象的で、〈主体〉にとって疎遠で、魅力がないからだ。そうした関係性は、〈主体〉の観点からは、拘束力のない外的な枠組みでしかない。〈主体〉は、原初的なゲマインシャフト（家族や地域共同体等）への愛着を絶ち、その愛着を市民社会的な関係の中に移し替え、そうした関係の中であらためて、自らの「実体」を、つまり自己同一性《アイデンティティ》を見出さなくてはならないのだった。しかし、〈主体〉にそのような愛着対象の移し替えを促すような引力が、抽象的な市民社会的な関係性の方には備わってはいない。つまり市民社会的な関係性は、〈主体〉のそこへの同一化を誘発することができない。

このとき、しかし、さらに追加的なメカニズムが働き、「ゲマインシャフトへの同一化」の「ゲゼルシャフトへの同一化」への移行を可能にする。何が生ずるのか。ゲゼルシャフトそのものが、具体的に想像可能なゲマインシャフトとしての外観を獲得するのだ。われわれが通常理解する意味でのネーション——国民・民族——とは、このゲマインシャフト（としての外観）である。ゲゼルシャフトの見せかけとして回帰してくるゲマインシャフトは、まさにゲマインシャフトとしての本性のゆえに、二つの条件を満たしていなくてはならない。第一に、自然発生的であると想定されている文化を——たとえば俗語を——、共同体の同一性の根幹にすえること。第二に、無際限に包摂的に拡大するものではなく、特殊に限定されていることによって具体的に想像しうる共同体であること。そのようなゲマインシャフトであれば、〈主体〉は愛着を覚え、自らの同一化の対象と見なすことができる。こうしたゲマインシャフト（内の関係性）への同一化を媒介にして、普遍的な市民社会への同一化が、間接的に果たされるのだ。要するに、よきフランス人——よきドイツ人、アメリカ人、フィリピン人、日本人……等々——であること、そのことによってこそ、あるべき自律的な個人（理想的な〈主体〉）が実現する、というわけだ。ヘーゲル的に言えば、ゲゼルシャフトの「抽象的な普遍性」が、ネーションによって「具体的な普遍性」へと変換されたことになる。[*16]

　したがって、ナショナリズムを成り立たせているのは、二重のコミットメント——ひとつに統合された二重のコミットメント——である。まず、潜在的には、「人間」たちの普遍的な市民社会《ゲゼルシャフト》へのコミットメントがある。しかし、これは単独ではまったく働かず、〈主体〉を動かすことのない空虚な理念である。このコミットメントは、ゲマインシャフトの見せかけをもつ具体的なネーションへのコミットメントと一体化したとき、はじめて、実質をもったものになる（「人間の権利」が「フランス人の権利」「イギリス人の権利」等の形態でのみ実質があったのと同じように）。このような一体化によって、忠誠の対象となっている共同性は、不可避的に変質する。早い話が、「フランス人」等の共同性は、類の普遍的な共同体ではない。

だが、同時に、それら特殊な国民・民族が、ただ直接に愛着されているわけではなく、それらが同一化の対象として指向されているときには、その指向性は、普遍主義的な指向性によっても規定されている――言わば重層決定されている――ということを考慮に入れなくては、ナショナリズムという社会現象の本質を捉え損なうことになる。つまり、ナショナリズムを、「身近なものには愛情を感じるものだ」という人間の自然な傾向性の一種、郷土愛の一形態と誤解してしまうのだ。よく見るとよい。ネーションのメンバーは、互いにちっとも身近ではない。客観的にはまったく身近でもない者たちを、親密な同胞のように感じさせる魔術こそが、ナショナリズムである。

「ネーション」が、社会学の最も重視する社会分類「ゲマインシャフト／ゲゼルシャフト」を混乱させてしまう原因もここにある。ネーションやナショナリズムは、近代化が進捗し、十分に都市化が進んだ社会に出現する。その意味で、客観的には、ネーションはゲゼルシャフトである。しかし、当事者には、ネーションは、巨大な家族や村落共同体のようなものとして想像されている。つまりそれは、主観的には典型的なゲマインシャフトだ。

*

われわれの問いの主題は、ナショナリズムに随伴する歴史感覚だった。結論を先に言えば、今、共時的・社会的なレベルで作用していたのと同じメカニズムが、通時的・時間的な次元で働くと、ネーションに固有の歴史感覚が導かれるのだ。われわれは、社会的に普遍的な共同性への指向性が、特殊な限定的共同体への指向性という外観を得ることで——変質を被りながら——実現する、と論じてきた。同じことが通時的な軸にそって生じるとどうなるか。

人類の普遍的な共同体に関しては、その起源は、歴史に先立つ超越論的な次元に想定するほかない。つまり、人類の共同体に関して、それがはじめから普遍的な連帯へと方向づけられるような運命をもっていると仮定するならば、たとえば「すべての人間たちの自由」とか「世界精神の実現」とかといった普遍的な連帯を含意する究極目的へと方向づけられていると仮定するならば、その運命を選択する端緒の行為は、超越論的な次元にあったと見なさなくてはならない。このときにのみ、整合的な物語を得ることができるはずだ。実際、前節で見たとおり、ヘーゲルの歴史哲学はそのような結構をもっている。

だが、先験的なレベルに想定されている行為、言わば神に帰属する選択など、あまりに抽象的・観念的に過ぎ、それゆえ、現在の生ける〈主体〉が自らをそこへと投げ入れ、選択を想像的に追体験することは不可能だ。ちょうど、抽象的で普遍的な市民社会が、〈主体〉にとって疎遠な枠組みで、同一化の対象とはなりえなかったのと同じである。しかし、この抽象的な枠組みは、ゲマインシャフトの外観を帯びるようになる。このとき、歴史の語りにどのような影響が出るだろうか。

普遍的な人類共同体ではなく、特殊な限定された共同体であれば、その起源を、経験的な時間のうちに認めることができる。いや、それは、人間の歴史の端緒からずっと存続していた共同体ではないのだから、ある限定的な時間幅の中に存在していた有限の共同体なのだから、その起源は、人類が歩んできた経験的な時間のうちのどこかに認めなくてはならない。こうして、ネーションが、ゲマインシャフトとしての見かけを得たのと並行して、ネーションの歴史的な起源を、経験的な時間のうちに見出すことが可能になる。こうして、歴史の論理的で超越論的な起源が、ネーションの経験的な起源へと転換される。

しかし注意しなくてはならない。この「起源」に関しては、対立的な二つの条件が課せられている。第一に、繰り返し言っておけば、その起源は、経験的な出来事、歴史の実証的なまなざしが同定できるような経験的な出来事でなくてはならない。論理的にのみ想定されるような超越論的な条件や、あるいは神話的な世界に属するものであってはならないのだ。なぜなら、その起源は、現在の国民が、自らの自由な主体性をそこへと投射できるポイントになっているということこそが重要だからだ。このような過去への投射によって、国民は、そこにあったはずの（先祖たちの）最初の決断や選択を想像的に追体験するのだ。論理的な前提や神々の所業に、現在の国民は、自分を投射することはできない。第二に、起源は、あくまで超越論的（先験的）な水準にあるはずのものの代理物だということが重要である。第2節で「無名戦士の墓と碑」をもとに論じたことを思い起こしてほしい。起源の選択は、本来は、超越論的なものだったということの痕跡は消え去りはしない。

これら二条件が課せられたとき、ネーションの起源はどのように見出されることになるだろうか。それは、可能な限り奥深い過去に――ネーションの客観的な誕生の日付をはるかに超えた過去に――発見されることになるだろう。ネーションの起源が経験的な時間の領域を超えて、神々の世界にまで入ってしまうことはない。ただ歴史の実証に耐えうる限りで、できる限り深い過去に起源を見出したいという欲求は抑えがたいはずだ。起源を、超越論的なものへと漸近させようとする衝動が働くからである。

起源の人々は、現在の「われわれ」から時間的に遠く隔たっているので、われわれとあまり似てはいない。似ていなくてもよいのだ。いや似ていない方がよいくらいだ。死者は、われわれとかけ離れていればますます、「われわれの死者」である。国民は、その方が想像力がかきたてられ、そこから勇気をもらえるような気分になる。ネーションにあっては、共時的には、直接的にはおよそ親密な関係にない者たちが互いを同胞と認め合う。通時的には、はるかに隔たった相貌の死者たちを、われわれの先祖と見るようになる。

そのような起源から現在までの物語として、ネーションの歴史が構想される。さらに、そうした歴史の一般化として、一九世紀には、歴史学が繁栄する。要するに、ネーションとともに、歴史への関心が強化され、歴史学は人文的な知の王者の地位にまで押し上げられることになったのだ。

5　死者を代弁する

本章の最初の節で論じたことを説明しておこう。ルナンの演説とそれに対するアンダーソンの解釈を批判的に検討しながら、次のように述べた。かつて、われわれの間に葛藤や紛争があったという記憶は、ネーションの連帯にとってポジティヴな効果をもつようだ、と。確かに、そうした葛藤や紛争は、修辞の助けを借りて、実際にあったものよりははるかに深刻度が小さい、内輪の揉め事へと変換されてはいるが、しかし、それらを記憶にとどめることは、ネーションの結束力を強めこそすれ、弱めることはない。どうしてなのか。

　これは、ナショナリズムを構成している二重のコミットメントのことを考慮すると、説明が可能だ。ゲマインシャフトとしてのネーションは、社会的に普遍的な包摂性をもった共同体の代理物である。そうであるとすれば、かつて葛藤があり、それを克服したということ、方程式Eの右辺{m,w}を左辺mへと転換したということは、まったく葛藤がなかったということよりもはるかに価値があることのはずだ。なぜなら、そうした葛藤の克服こそが、普遍的な包摂性への過程そのものだからだ。もし、葛藤がずっとなかったとすれば、ネーションは特殊な限定的共同体にとどまり続けている、ということになる。ネーションは、葛藤を馴致した上で、記憶のうちに保存することを好むのだ。

*

ネーションは、近代の産物であるということを繰り返し述べてきた。これは、多くの研究者の共通の見解である。だが、一部の研究者はこれに反対している。ネーションのもとになるような共同体は、近代よりもずっと前から存在していた、というのだ。このように主張する論者の中で、最も有力な研究者は、アントニー・スミスである。[*17] スミスによれば、ネーションの素材となったのは、「エトニーethnie」である。

　エトニーは、要するにエスニックな共同体のことである。厳密には、エトニーは、次のような諸特徴によって定義される。①名前をもつこと。②共通の血統神話。③歴史の共有（とりわけ黄金時代の記憶の共有)。④独自の文化(言語、慣習、宗教等)の共有。⑤ある特定の領域(聖地や故郷など)との結びつき。⑥連帯感。エトニーは、人類の歴史のどの段階にも存在しており、めずらしいものではない。スミスによれば、ネーションはエトニーから自然に発生した。

詳しい説明は省くが、この説は間違っている。第13章第4節で解説したような諸特徴を有する共同体としてのネーションは、エトニーとはまったく断絶したところに生まれたものである。だが、スミスの説には利点もある。客観的な学説としては間違っているが、ナショナリストの主観的な認知とはよく合致するからだ。

実のところ、本章で述べてきたことをもとにすれば、われわれは次のように言うことができるはずだ。エトニーがネーションの歴史的な源泉であるとするスミスの説は誤りだが、それを反転させると、正しい説になる、と。つまり、ネーションこそが、エトニーの論理的な原因になっているのだ。ネーションは、自分自身の歴史的な起源を、エトニーとして措定するのである。何のために？　エトニーの位置に、現在の自分たちの「自由」を代入し、起源にあったと想定されている初発の選択を反復するためである。そうすることで、ネーションそれ自体が主体化され、「われわれ」のものになる。エトニーはネーションの起源ではないが、ネーションが、そのような起源を欲することには理由がある。

*

歴史学者が、ネーションの起源を、客観的な事実に反するかたちで、はるかな過去に見たときには、しかし、彼は、ひとつの問題にぶつかることになる。過去の「われわれの死者たち」は、自分たちを「われわれ国民」とは思っていない、ということだ。彼らは、フランス人だとか、ドイツ人だとか、アメリカ人だとかといった自己認知をもたない。実証的な歴史学者は、もちろん、そのことをよく知っている。彼は、この事実にどう対応するのか。

驚くべきレトリックが編み出される。ミシュレが典型的である。アンダーソンの説明から引用しよう。ミシュレは、歴史家を、ローマ法の「司法官」に喩えながら次のように書く。

死者とは、ローマ法の用語を使えば、司法官が名誉にかけて気遣わねばならない憐レムベキ人である。私は生涯ただ一度もこの歴史家の義務を見失ったことはない。私はあまりにも忘れられた多くの死者たちにやがていつの日か私自身必要とするであろう助力を与えてきた。私は「かれらに」第二の生を与えるため、かれらを掘り起こしてきた。[*18]

ミシュレは、どのように死者を助けたのだろうか。この死者とは、ミシュレの解釈では、フランス革命におけるフランス人の国民的自覚をもたらした者たちだ。とはいえ、彼らは、革命よりも前の犠牲者であって、自分たちをフランス人だとは思ってはいない。それなのに、どうして、フランス人の国民的な自覚に貢献したと言えるのか。ミシュレは、こう考える。彼らは、自分たちが何者であり、自分の行為がどんな意味をもつのか理解していなかったのだ、と。ということは、彼らは、そうとは自覚はしていないが、実はすでにフランス人なのであり、フランス革命に貢献している、ということになる。ミシュレが死者たちに差し向けた援助とは、彼らが理解していなかったことを教えることである。ミシュレが駆使したレトリックは、一種の腹話術だ。沈黙している死者に声を与えているのだから。

ミシュレは、そうまでして歴史を語らずにはいられなかった。ミシュレが発掘しているのは、死者たちの無意識である。すると、ここには、次の世紀への転換期に現れる新しい知の予感が秘められていることにもなる。新しい知とは、精神分析である。ミシュレが、歴史家を、オイディプスに——精神分析においてとりわけ重要な意味をもつことになる神話的形象に——喩えているのは、この意味でまことに暗示的である。*19

1　ベネディクト・アンダーソン『定本　想像の共同体』白石隆・白石さや訳、書籍工房早山、二〇〇七年（原著二〇〇六年）、三二七—三二八頁。

2　このことは忘れろ、と言われれば、人は絶対にそれを忘れないだろう。

3　もちろん、これは客観的な事実である。

4　アンダーソン、前掲書、三二頁。

5　ここで、前章においてレヴィ＝ストロースの『野生の思考』から引用した、オーストラリア先住民の「チューリンガ」の例を思い起こすとよい。チューリンガも、その所有者を死者と結びつける。しかし、その死者（先祖）は固有名をもっている。だからこそ、生者にとって、深い愛情や尊敬の対象となっているのだ。ネーションの殉死者のケースとは、まったく対照的である。

6　大澤真幸『ナショナリズムの由来』講談社、二〇〇七年、六四—六八頁。

7　強いられていて、他にどうしようもない選択、仕方なしに行った選択だから、選ばれた対象に対して、深く関わることができない……ということにはならない。逆である。むしろ、人が真に深くコミットできるものは、一般に、他を選択しえないこと（として選択されたもの）である。人が、激しい恋に落ちたときに感じることもこれである。人は、誰かを恋したとき、出会いは宿命的に（先験的に）定められており、こうなるほかなかった、他の人を選ぶことなど不可能だった、かのように感じる。

8　法的には、もちろん、国籍を選ぶことができる。が、まさに、その国籍の法的な扱いのうちに、「超越論的な選択（であるかのように見なされること）」としての性格が反映している。多くの国家の法律のもとで——何らかの条件を満足すれば——原理的には国籍は選択可能（つまり「帰化することができる」）だが、しかし、それは、さまざまに制限されている。つまり、国籍の変更は非常に困難である。国籍の選択に課せられた法的な制限は、言ってみれば、国籍ということの選択を個人の生の以前へと引き戻そうとする力のようなものだと、解することができる。

9　アンダーソン、前掲書、三四頁。

10　第14章注6参照。

11　エドマンド・バーク『フランス革命の省察』半澤孝麿訳、みすず書房、新装版一九九七年（原著一七九〇年）。

12　Giorgio Agamben, *Homo Sacer: Sovereign Power and Bare Life*, tr. Daniel Heller-Roazen, Redwood City: Stanford University Press, 1998, pp.126-128.

13　この結びつきにアガンベンより前に注目したのはハンナ・アーレントである。アーレントは、『全体主義の起原』第2巻にあたる「帝国主義」をあつかった本の最終章に、「国民国家の没落と人間の権利の終わり」というタイトルを掲げている。この章でアーレントが論じているのは、難民の問題である。人間の権利という概念は、逆説的にも、この権利の擁護者たちが、この権利以外のすべてを失った者（難民）を前にしたとき——言い換えれば理念的な想定の上では「人間の権利」だけはもっているはずの者を前にしたとき——瓦解した、と（『全体主義の起原2　帝国主義』大島通義・大島かおり訳、みすず書房、新装版一九八一年、二八六頁）。つまり、アーレントが見出したのは、人間の権利が実効的であるのは、国民国家の後ろ盾があるときに限られている、という事実である。

14　ナショナリズムにおいて、俗語（言文一致的な言語）が重要な意味をもつ理由は、このことに関連している。

次章で、この主題について少しばかり論じることになる。

15　ヘーゲル『歴史哲学講義』上・下、長谷川宏訳、岩波文庫、一九九四年。

16　より厳密で正確な説明は以下を参照。大澤真幸『ナショナリズムの由来』第一部。

17　アントニー・D・スミス『ネイションとエスニシティ――歴史社会学的考察』名古屋大学出版局、一九九九年（原著一九八六年）。

18　アンダーソン、前掲書、三二四頁。

19　ミシュレは次のように熱く語っている。「かれら〔歴史学の研究対象となっている死者たち〕が必要とするのは、かれらには理解できないかれら自身の謎を説明するオイディプス、かれら自身には理解できなかったかれらのことば、かれらの行為の本当の意味を教えるオイディプスである」（アンダーソン、前掲書、三二五頁）。

第17章　母の欲望

1　初めに行為ありき

ドイツ語の文学において、「近代」への転換を代表している書き手は、もちろんゲーテである。そして、衆目の一致するように、ゲーテのすべてが表現されている作品は、彼が一生をかけて書いた長篇戯曲『ファウスト』だ。この戯曲の第一部は一八〇八年に、第二部はゲーテが没した翌年一八三三年に発表された。『ファウスト』の序盤、犬に化けているメフィストフェレスがファウストの前にその姿を現す直前のところで、ファウストが『新約聖書』の「ヨハネによる福音書」――もちろんギリシア語で書かれている――の冒頭をドイツ語に翻訳する場面がある。彼が訳そうとしているのは、「初めにロゴスありき」というあの一文である。普通は「言葉」と訳されている「ロゴス」の部分に、「思い」とか「力」とかといった語彙を充当するが、もうひとつしっくりこない。最後に、ファウストは、まさにこれだ、という確信に到達し、こう書く。「初めに行為 Tat ありき」と。

すぐ後にも述べるように『ファウスト』に一九世紀的な言説の端緒を見ているフリードリヒ・キットラーは、この「初め Anfang」については、カントの『純粋理性批判』の序論との関連で解釈することでその意味が理解可能なものになる、とほのめかしている。[*1] カントは、すべての認識は経験とともにはじまる anheben が、だからといって、認識がことごとく経験から生ずる entspringen わけではない、と述べる。[*2] 前者が経験的な始まりを、後者が超越論的な起源を、それぞれ指している。ファウストが、「ヨハネ」から引き出している「初め」は、すべての言語や法――つまりロゴス――に先立ち、それらを構成する行為が位置づけられているのだから、つまり経験そのものを可能なものにする条件を措定する営みなのだから、当然、超越論的な次元に属している。が、しかし、それがまさに自由で主体的な「行為」である限りは、経験的な時点に位置づけられなくてはならない。

したがって、「初めに言葉ありき」が「初めに行為ありき」に転換されたとき、つまり後者の翻訳が前者を前提にした上でなされているとき、超越論的な起源が、経験的な世界へと投影されていることになる。というのも、この言明は、単に何かの行為が始まったということを指しているわけではなく、行為一般を可能にする言語や規範を開始させる行為を指示していることになるからだ。観念論のカント以降の展開を、つまりフィヒテやシェリングのことを思えば、キットラーが暗示しているこうした『ファウスト』解釈には説得力がある。ゲーテが、フィヒテ等を意識していたということではなく、無意識のうちに共有されていた同時代的な主題があったと考えうるという趣旨において、である。

さて、ここで前章（までに）論じたこととの繋がりを確認できるはずだ。われわれは、ネーションがどうして、客観的な現実をはるかに超えた深い過去に、自身の経験的な起点を見ようとするのか、という問いにひとつの回答を提起した。ネーションは、社会科学者の客観的な眼から見れば、新しい共同体だが、ナショナリストの主観的な眼には、非常に古く、その起源ははるか古代にある。この不整合はどうして生ずるのか。この問いに対する回答が含意しているメカニズムの論理的な形式は、ファウストが「ヨハネ」の翻訳に託しながら想定した「初め」の「行為」の場合と同じである。人類のまさに類としての共同性を始動させる超越論的な原因が、ネーションの経験的な起源に――ネーションを定礎する行為に――投影されていたのである。このとき、超越論的／経験的という存在論的なステータスの違いが、経験的なクロノロジーの次元では、国民意識の客観的な始まりとネーションを始める（と想定された）行為との間の時間的な懸隔となって現れる。人々が、自らを「フランス人」等と自覚したときには、とっくに「フランス」等のネーションが始まっていた――いやネーションを始めていた――と解釈されるのだ。人々は、フランス人であるという対自的な意識をもたないが、即自的にはフランス人だった、というわけだ。

*

このネーションは、自身の「古い起源」に執着する。このことと相関する現象として、われわれは、アントニー・スミスのナショナリズム論を批判しつつ、こう述べた。エトニー（エスニックな共同体）がネーションの源泉になっているというスミスの説とは違い、ネーションがエトニーに対して論理的に先行するのだ、と。ネーションが、自らのアイデンティティを確立する際に、エトニーを自らの歴史的な源泉として「発見」するのだ。どうして、ネーションはエトニーを必要とするのか。その理由を前章で、ごく簡単に述べておいたが、ここであらためて確認しておこう。再論するのは、もう一度、『純粋理性批判』の議論が活用できるからである。ファウストの「初めの行為」の解釈と同様に、エトニーの位置づけについての理解にもまた、カントが助けになる。ここで参照するのは、「図式論」として知られている議論である。図式論は、感覚に与えられている個別の像と悟性（知性）の一般的な概念とがどのように媒介されるかを主題としている。*3

カントが述べていることをわかりやすく言い切ってしまおう。論じられているのは、「イメージ」がもっている次のような働きである。たとえば、「三角形」は抽象的で一般的な概念である。それは、「三本の直線によって囲まれた図形」として定義することができる。だが、われわれは、この抽象的な概念規定のみによって、「三角形」が何であるかを理解することはできない。「三角形」という概念を理解するためには、具体的な三角形についてのイメージ（像）がどうしても必要だ。「三角形」が何であるかを知らない人に、それを教えるという場面を想像してみれば、このことは直ちにわかるだろう。「三本の直線……」といった抽象的な定義をいくら重ねても、相手に「三角形」の本質を理解させることはできない。「三角形」について教えるためには、いくつか具体的な三角形を描いてみせればよい。やがて、相手は、「三角形」を理解した、という確信に至るだろう。このとき、具体的な三角形のイメージ（像）が、「三角形」という抽象概念の表現としての意味を担っているのである。留意しなくてはならないことは、客観的な観点からすれば、具体的な個々の三角形は、決して、「三角形」という概念そのものではありえないということだ。それらは、ある大きさの角や、ある長さの辺を有する、特定の三角形であって、断じて三角形一般ではない。それにもかかわらず、「三角形」について真に理解しているとき、ある特定の三角形のイメージが、「三角形」という概念の現象形態として見えているのである。このとき、三角形のイメージは、感覚的な像を概念へと結びつける「図式」として機能している、ということになる。

三角形のイメージと概念としての三角形。これと類比的な関係が、エトニーと抽象的な市民社会との間に成り立つ。エトニーが、三角形の具体的なイメージに、市民社会が、「三角形」という概念に、それぞれ対応している。このような対応のもとで理解された、エトニーと市民社会との関係こそが、ネーションである。個々の具体的な三角形は、決して概念としての「三角形」ではないが、それなしに「三角形」という概念を理解することはできない。同様に、市民の抽象的な共同体は、エトニーの具体的で有機的な繋がりとは異なるが、それなしには構成されえないのである。個々の三角形の像が、それ自身は概念そのものとは合致していないにもかかわらず、概念の具現と見なされるように、エトニーが抽象的な共同体の直接の現象形態として体験されたときにネーションになるのだ。具体的なエトニーに媒介されることで、ネーションは、その構成員にとって初めて愛着の対象となりうる。エトニーの媒介なしには、ネーション（市民社会）は疎遠で抽象的な形式に留まっている。

ここで重要なことは、「三角形」を理解させるために、具体的な三角形の事例をいくつか提供しなくてはならないとしても、そのことは、決して、諸事例からの帰納的な一般化によって「三角形」という概念に到達できる、ということを含意しない、ということである。「三角形」に限らず、諸事例からの帰納的な一般化によって、概念が獲得しうるという素朴な説明は、誤謬である。帰納的な一般化とは、諸事例を貫く、本質的な共通の属性を抽出することである、と考えられている。しかし、ある性質が本質的であるか否かは、概念があらかじめ与えられていなくては決定できない。概念の内容こそが、その性質が本質的か偶有的かを判別するのである。たとえば、ある図形AとBは、ともに黒色であるという点でも共通しているし、三本の直線によって構成されているという点でも共通している。三角形の理解にとって前者は偶有的な属性であって、後者は本質的である。こうした判別は、「三角形」という概念をあらかじめ知っていなくてはできないはずだ。われわれは、事例の積み重ねを通じてなされる帰納的な一般化によって、概念へと徐々に近づいていくのではない。概念は、いくつかの事例を与えられたとき、突然の飛躍によって獲得されるのである。その飛躍こそ、「わかった！」という喜びの体験である。

ネーションの構成との関連では、この「わかった！」こそは、ネーションの歴史的な起源に対応する。「われわれの先祖」――「われわれ」に固有に所属する死者たち――が、はるかな古代において、エトニーに愛着を覚え、そのエトニーを媒介にしてネーションを「我が物」として自覚した（ちょうど三角形のイメージを通じて「三角形」の概念をわかったと感じたように）……はずである、と想定されている。その「われわれの死者」の立場に、自らを投射することで、人は、ネーションが定礎された瞬間を追体験するのだ。追体験されているのは、「初めにありき」とされているところの「行為」である。

2　母の言葉

ファウストは、「ヨハネによる福音書」を訳すことで、言語に先立つ純粋な「行為」に至りつく。この「行為」は、冒頭でも暗示したように、フィヒテが「事行 Tathandlung」と呼ぶものに対応する。事行とは、自我 Ich そのものを措定する最初の——超越論的な——行為である。「事行」の反対語、この語が斥けようとしている概念は、「事実 Tatsache」である。すべての起点となる絶対的自我の同一性《アイデンティティ》は与えられた事実ではなく、「行為」という過程の中にしかないということに、フィヒテの主張のポイントがある。

フィヒテの哲学を批判したり、検討したりするつもりはない。*4 ここであらためて注目しておきたいことは、『ドイツ国民に告ぐ』という彼のあまりにも有名な講演である。この講演は、一九世紀に勃興するナショナリズムを代表する知識人の呼びかけとして、すでに何度か引用してきたエルネスト・ルナンの『国民とはなにか』と並んでよく知られてきた。どちらの講演(演説)も敗戦の屈辱の中でなされていた、という点で共通している。ルナンの講演は、普仏戦争の敗北のショックからフランス人がまだ立ち直っていない時期になされたものである。フィヒテの講演は、それより四分の三世紀ほど前(一八〇七年～〇八年)、逆にプロイセンがナポレオンのフランスの支配下にあったとき、ベルリンで、十四回にわたって行われた。ドイツ人に向かって語られているが、このときまだ、ドイツ人は自分たちの国家をもってはいない。十三回目の講演で、フィヒテは次のように語っている。

国と国との最初の本然的の真に自然なる境界は疑いもなくその内的境界であるということである。すべて同一の言語を話す者は、あらゆる人工の加わる以前既に、多数の眼に見えぬ紐帯に依って自然的に結びつけられているのである。彼等は相互に理解し、また益々明瞭に理解し合う能力をもっておる。彼等は互いに相属するものであり、自然に一体をなし、また一の分つべからざる全体である。他の血統及び他の言語の民族がかくの如き全体を自己の中に取り入れ自己と混和せしめようと欲する事は決して許されぬ。もしこれを敢えてすれば、少なくとも最初は、自己を混乱せしめ自己の文化の均斉なる進歩を著しく害さなければならぬ。*5

この「呼びかけ」に示されているように、ナショナリズムにおいては、「言語」が決定的な役割を果たす。その言語が俗語《ヴァナキュラー》だということが肝心だ。ラテン語のような聖なる「真実語」ではなく、英語とかイタリア語とかドイツ語だとかといった俗語である。俗語の同一性とネーションの同一性との間には、深い相関関係がある。俗語の分布とネーションの境界線が一致しているわけではない。が、すべてのネーションが、自分に固有に属する俗語がある、という非常に強い確信をもっている。自分たちの内面に深く浸透した貴重な所有物のような言語、国民語がある、と。すべてのネーションの指導者は、標準的とされる自分たちの俗語の使用を、そのネーションのメンバーに強制する。とりわけ制度化された教育を通じて、国民は、標準的な俗語を話し、そして読み書きするように強いられる。

俗語と真実語の最も重要な違いはどこにあるのか。ヨーロッパのエリートの公用語だったラテン語は、「真理」に関わる特別な文書に用いられた。すなわち、宗教（キリスト教）や学問や法に関連する文書がラテン語で書かれた。ファウストが訳そうとしたギリシア語も、ラテン語と同様に真実語である（ただし西ヨーロッパでは、ギリシア語よりもラテン語の方が一般的だった）。俗語は、真実語とは異なり、人々の日常のコミュニケーションで使用される言語である。ネーション以前の共同体の支配者は、どんなに強大な権力をもっていたとしても、庶民が普段、どんな言語で意思疎通しているのかには、まったく関心を示さなかった。それは、どうでもよい瑣末なことだったのだ。彼らには、特定の俗語を標準的なものとして定め、その使用を民衆に強制するなどということは、思いもよらないことだった。ところが、ネーションにとっては、それこそが、死活的に重要なことになる。フィヒテの講演も、こうした価値観の表明になっている。

ヨーロッパでは、ラテン語の地位の衰えと俗語の出版物の普及は、ナショナリズムの時代よりも前から始まっていた。ラテン語の凋落が始まったのは近世——もう少し厳密に言えばコロンブスやマジェランが活躍した時期のすぐ後からである。リュシアン・フェーヴルとアンリ＝ジャン・マルタンの推計によれば、一五世紀末までに出版された本の七七パーセントはラテン語であった。しかし、一六世紀の後半には俗語の出版物が過半数を占めるにいたる。とはいえ、知識人がラテン語を放棄するのは、それより一世紀ほど遅れていた。一七世紀あたりに、知識人のレベルでも俗語への転換が見られるようになる。ホッブズとシェイクスピアはほぼ同時代人だが、前者はラテン語で、後者は俗語（英語）で著作活動を行った。デカルトもパスカルも主としてラテン語で書いているが、彼らより一世代ほど後の——つまり一八世紀に活躍した——ヴォルテールは俗語で書いた。[*6]

ラテン語に対する俗語の優位が頂点に達するのが、ナショナリズムの時代である。ネーションにあっては、今述べたように、俗語は単なる流行現象を超え、公権力と結びついて波及し、定着した。どうして、かつては、権力が歯牙にもかけなかった俗語が、それほど重要なものになったのだろうか。

ベネディクト・アンダーソンは、俗語の出版物の波及を、経済的な利益を求める印刷業者や出版社の資本主義的な衝動から説明しようとしている。[*7] しかし、この説明は、明らかに不十分だ。供給サイドの事情よりも、需要サイドの方が重要だからだ。俗語に愛着を覚え、俗語の書物を読みたい大量の読者がいなくては、出版に関わる者が、いかに資本主義的な営利への衝動をもっていたとしても、俗語の出版物で儲けることはできない。アーネスト・ゲルナーは、国民語の読み書きが学校教育を通じて強制された原因を、産業化の必要から説明している。たとえば、標準的な国民語によって――とりわけ文書で――コミュニケーションをとることができなくては、産業化にとって必要な不断の技術革新や流動的な職業構造（親の職業とは無関係に人がその能力にふさわしい職業に就くことができること）を確保することはできない。[*8] このゲルナーの説明も、しかし、明らかに不十分だ。俗語への衝動は、産業化という点では非常に後進的な地域でも見られたからだ。また、産業化の必要からでは、フィヒテの講演に表明されているような俗語へのとてつもなく強い愛着や情熱は説明できないからだ。

＊

あらためて、『ファウスト』を手掛かりとしてみよう。繰り返し確認しておけば、ファウストは、メフィストフェレスとの対面に先立って、初めから与えられている「ロゴス（言葉）」を、そうした言葉を生み出す原初の純粋な行為に置き換えるのであった。本章の冒頭でも示唆しておいたように、キットラーは、西洋（主としてドイツ）の一九世紀の言説のシステムと二〇世紀の言説のシステムとの対比を鮮やかに示した著書『言説システム 1800/1900』[*9] の中で、『ファウスト』とゲーテに特別な地位を与えている。キットラーのこの研究は、基本的には、フーコーの仕事――とりわけ『言葉と物』――を受け継ぐものである。時代区分も、フーコーのやり方を踏襲している。ただ、フーコーは、「表象」を中心とする古典主義時代（近世）のエピステーメーから「人間」の時代（近代）のエピステーメーへの転換を記述することに主に力を注いだわけだが、キットラーはその後の転換、つまり近代の言説から現代（二〇世紀）の言説への転換を主題とした。いずれにせよ、「近代」の部分で、二人の研究は重なっている。

キットラーの構図のもとでは、『ファウスト』は、一九世紀の初頭にあって、近代的な言説の全体を代表している。『ファウスト』は、フーコーの『言葉と物』でベラスケスの「ラス・メニーナス」（「表象」のエピステーメーそのものを表象する絵画）がもっていたのと似たような位置価を担っている。あるいは、フーコーにとっての、セルバンテスの『ドン・キホーテ』（「類似」の時代から「表象」の時代への転換がすでに起きたことを示す）やサドの小説（「表象」の時代から「人間」の時代への転換を象徴する）と似たような役割を、キットラーの説明の中では『ファウスト』が担っている。

今、『ファウスト』は近代の言説を代表すると述べたが、もう少し繊細に言い換えておいたほうがよいだろう。キットラーの観点では、『ファウスト』は、近代の言説システムが、それ以前のシステムから転換してきたその瞬間を捉えている。つまり、『ファウスト』は、前近代の言説システムの痕跡を留めながら、はっきりとそこから離陸もしているのだ。[*10] キットラーは、フーコーとは異なり、近代以前の二段階「ルネサンス（中世）／古典主義時代」を区別してはいない。そのような意味での前近代の痕跡は、『ファウスト』の初期の設定、メフィストフェレスを伴った冒険的な人生が始まる前のシーンの中に、とりわけ集中的に見てとることができる。たとえば、ノストラダムスの手稿が出てきたり、地霊を呼び出したり、悪魔と契約したり、といったエピソードや設定は、ほとんど中世の世界に属している。そもそも、ゲーテの戯曲がもとにしている伝説のファウストは、ルターと同時代の——一五世紀から一六世紀にかけての——魔術師である。科学革命以前の錬金術師や占星術師を連想させるこうした世界を、キットラーは「学者の共和国」と呼んでいる。*11

しかし、メフィストフェレスと契約した後のファウストの行動は、明らかに近代に属している。第一部のグレートヒェン（マルガレーテ）との恋愛は、騎士たちの宮廷愛ではなく、典型的なロマンチック・ラヴである。第二部では、ファウストは、たとえば、錬金術を操るのではなく、ジョン・ローと同じやり方で紙幣を発行する。*12 最後には、ファウストは、大資本家として干拓事業に関与するわけだが、このときには、もはや、彼はメフィストフェレスの計略からは大幅に解放されており、明確な自らの目的意識をもって能動的に行動する典型的な近代的〈主体〉である。そして、前近代の「学者の共和国」から近代的な言説システムへの移行の最初の一歩が果たされた場面こそ、本章の冒頭から繰り返し参照している「ヨハネによる福音書」の翻訳場面である。ギリシア語の福音書自体は、「学者の共和国」に属するアイテムである。だが、それをドイツ語に、しかもきわめて自由に翻訳するそのやり方は、聖典に対する伝統的な態度よりも、近代的な解釈学の手さばきだ。

さて、問題は、俗語への近代的な情熱を駆り立てている要素は何なのか、である。近代の言説システムの中心を占める契機は何なのか。フーコーは、中世（ルネサンス）→古典主義時代→近代と転換していくエピステーメーのそれぞれの中心が、類似↓表象↓人間と転換したと説いたわけだが、「類似」「表象」「人間」に対応する中核的な要素として、一九世紀の言説のシステムには何があるのか。この点にこそ、キットラーの洞察がある。

一九世紀の言説システムの動因となっている中心的な要素は、キットラーによれば、「母的なもの」――母に連なる「永遠の恋人」たる女――である。『ファウスト』においては、その「母的なもの」は、グレートヒェンによって代表される。グレートヒェンとの悲恋を描いた第一部では、この点は自明だが、グレートヒェンが刑死した後の物語である第二部でも、ファウストは、グレートヒェンの代理とも言うべき美女ヘレナ――トロイア戦争の原因となったギリシア神話の女性――と恋に落ちる。そして、最後に、メフィストフェレスの手に落ちようとしていた（死んだ）ファウストの魂を救ったのも「かつてグレートヒェンと呼ばれた女」だ。この女の願いを聞いた栄光の聖母が、ファウストの魂を救済する。

このように、『ファウスト』は「母」を焦点にして展開する。ここで、ひとつの仮説的な見通しをもつことができる。俗語への情熱の原点にも、「母」があるのではないか。実際、ネーションの固有な俗語は、「母語 Mother Tongue」と呼ばれる。これは、父の言葉である「ラテン語」に対する表現である。

3　話すこと＝聞くこと

国民のものとされたその俗語の最も重要な特徴は、それが「音声」であるということ――もう少し慎重に言い換えれば、それが「音声」と合致していると解釈されていること――にある。標準的な俗語を国民語として確立しようとするナショナリズムの運動は、いわゆる「言文一致」を求めているのである。ラテン語等の真実語は、数学の記号と同じで、それがどんな概念を意味しているかが重要なのであって、どう発音されるかは二義的だ。しかし、国民語では、文字が音声言語と一致していると解釈されることが本質的な条件である。

したがって、俗語である国民語の崇拝は、言ってみれば、デリダ的な現象である。つまり、デリダが批判した西洋のロゴス中心主義は、ナショナリズムの時代である一九世紀近代において極点に達している、と見なすことができる。というのも、ロゴス中心主義は、デリダのよく知られた議論によれば、音声中心主義という形態をとるからだ。一九世紀は、音声中心主義を、「国民語」の創出として、各国ごとに制度化したのだと見ることができる。すでに述べたように、一九世紀のヨーロッパに嵐のように吹き荒れた言語運動は、音声からは独立したラテン語のような真実語に代えて、音声と合致している（と思念された）俗語を――しかも「学者や聖職者の共和国」の水準だけではなく民衆的な水準で――規範的な言語として確立しようとした。

だが、どうして、近代において、文字化された言語が音声と合致していることが、突然、きわめて重要なものとして現れたのだろうか。音声が特権的なものに感じられるのは、音声においては、自らが話していることを直接聞くことができるから、つまり話すことと聞くことが同一だからである。この事実を考慮に入れたとき、近代における音声言語の優位を導いた原因は何だったのかという問いに対する回答として、次のような仮説を提起することができるのではないか。すなわち、近代においては、言語の基底的な機能が「告白」にある、との観念があったことに原因がある、と。〈私〉について真実を語ることこそ、言語に求められた第一義的な要請だった、ということに原因があるのではないか。

なぜ、言語の機能の中心に「告白」が置かれたときに、音声中心主義や俗語崇拝が生まれるのか。その理由は次のように説明される。かつて、告白の実践の効果は、次のような等式によって表現できる、と述べておいた（『〈主体〉』第17章）。

$$\lim_{n \to \infty}「私_n」＝〈私〉$$

「$私_n$」は、語られた私、「私は……」という文で言明されている私を指している。右下に添えられている「n」は、n回目の告白において、ということを示しているのだった。右辺の〈私〉は、語る私である。だが、〈私〉は、告白の当事者が意識していることとは異なり、告白に先立って存在しているわけではなく、どこまでも反復される告白が向かおうとしている――しかしいつまでも到達することができない――準拠点であり、告白という行為が生み出す幻影のようなものだ。が、いずれにせよ、告白を通じて、個人の〈内面〉に、語り尽くされない〈私〉が存在しているかのような幻想が構成される。ここまでは、かつて論じたことだ。

ここからわかるように、反復的な告白へと人を駆り立てているのは、語る〈私〉と語られた「私」の間に必ず不一致が生ずるからだ。語られた「私」は、語る〈私〉に追いつこうと、さらに、告白は繰り返される。しかし、「私」と〈私〉の間の隔たりは決して解消されない。なぜなら、その隔たりを埋めようとする実践（告白）こそが、まさに隔たりを産出しているからだ。告白すればするほど、まだ告白されていない〈私〉が個人の〈内面〉に残留することになる。

しかし、いずれにせよ、告白は、〈私〉と「私」の間の乖離を最小化しようとする。このとき、音声が特別な価値をもつ表現媒体と見なされるだろう。なぜなら、先ほど述べたように、音声においては、語ること（〈私〉）と聞かれること（「私」）とがほとんど隙間なく合致するからだ。デリダ的に言えば、音声とは、結局、自己の自己に対する透明な現前――〈私〉が「私」へと透明に転化されている状態――の別名である。とはいえ、厳密には、「私」（を主語として述定されること）が他者に認知されうる音声的な記号として外化されたとたんに、その「私」と〈内面〉の〈私〉との乖離は始まっているので、両者の間の一致は完全ではありえない。つまり音声言語を用いたからといって、完全な告白が実現されるわけではない。が、それでも、言語への要請の中心が告白的な機能に――〈私〉をめぐる真実を誠実に語ることに――あったときには、音声と合致している（と見なされる）言語が、特別に価値あるものと見なされる。俗語の優越、そして音声中心主義の突出は、こうして生ずる。

ナショナリズムにおいて頂点に達する俗語主義に関しては、このような説明を与えることができる。しかし、実はこの説明は十分なものではない。第一に、俗語は決して、実際の音声をそのまま反映するものではない。俗語と現実の口語とは区別されなくてはならない。話されている音声をそのまま文字に写しても、実際には文として成り立たない。俗語の文章、つまり言文一致とは、それ自体、独特の文体であって、（口語そのものではなく）一種の文字である。俗語は、「音声」を反映していると偽装している文字だ。そうだとすると、音声の特殊性（話すこと＝聞くこと）を前提にした以上の説明は、まだ不十分だということになる。この前提それ自体が、さらに説明されなくてはならないからだ。

第二に、〈内面〉の声が、あらかじめ存在しているわけではないのだとすれば、それはどこからやってくるのか。どうして、それは、告白を通じて、自分の真実を他者の前に示さないといられないもの、と感じられるのか。こうしたことにも説明が与えられなければ、十分な回答を示したことにはならない。

4 美しい蛇としての女

前節の仮説を補うためにこそ、キットラーの研究が役に立つ。キットラーによれば、一九世紀の言説システムの中心に「母的なるもの」がある。だが「母」はどのように作用しているのか。「母」はどのように、言説システムを、また俗語の表現を支えているのか。

ここまで、われわれは、キットラーが最も重視した作品『ファウスト』を参照してきた。しかし、一九世紀の言説システムの中で、「母」がどのように働いているのかを考察するための素材として、『ファウスト』は最も適切とは言い難い。『ファウスト』は複雑過ぎるからである。複雑過ぎる、というのは、物語の筋が錯綜していて波乱万丈だ、という意味ではない。先に述べたように、この戯曲は、二つの言説のシステムを横断している。前近代の「学者の共和国」のシステムと近代の「母」が作用しているシステムの両方に、この戯曲は足場を置いているのだ。後者の原理だけを純粋に抽出するには適していない。キットラーの考察対象の中から、近代の言説システムの方に特化している別の作品を探すことにしよう。

E・T・A・ホフマンの小説『黄金の壺』が格好の素材である。『ファウスト』の第一部の発表よりは後、第二部の発表よりは前に書かれたこの作品（一八一四年）は、まさに言語についての小説、言語を主題とした小説として読むことができるからである。キットラーに従いながら考察してみよう。[*13] 小説の筋を律儀に追うつもりはない。われわれの考察にとって有意味な部分のみに注目する。いずれにせよ、一九世紀の西洋の言説システムが、この小説の中に圧縮されて詰め込まれていることがわかってくる。

主人公は大学生のアンゼルムスだ。ある日、町外れを一人で歩いているとき、彼には、ささやき声が聞こえてきた。そのささやき声は意味のない音だったのだが、やがて言語となって、アンゼルムスの耳に入ってくる。

　するとそれがささやきの声を発しはじめたのである。（中略）アンゼルムスは一心に耳をすました。すると、どうしてだか自分自身にもわからなかったが、そのつぶやきが、ささやきが、ひびきが、彼にはなかなかかき消された低いことばになって聞こえてきた。[*14]

しかし、誰の声なのかが、最初はわからない。周囲には誰もいないのだから。だが、しばらくすると、アンゼルムスには、それは、すぐ横の木の枝にまきついていた三匹の蛇の声らしいということがわかってくる。

さまざまな経緯から、アンゼルムスは、文書管理役リントホルストの下で、仕事をする運びとなる。アンゼルムスの仕事は、リントホルストが所蔵する文書を筆写することである。あの蛇たちは、火の精の末裔であるリントホルストの三人の娘だった。アンゼルムスとその娘の中の一人ゼルペンティーナは、恋におちる。そしてアンゼルムスは、ゼルペンティーナの不思議な力に助けられ、困難な筆写の仕事を見事にこなしていくのだ。どのようにして？

アンゼルムスが、どこからともなく聞こえてくるゼルペンティーナの声に聞き惚れていると、見たこともなかったような異国の文字もだんだんわかってきて、やがては元の原稿を参照しなくても、自らが書くべき文字が羊皮紙の上にうっすらと浮かんでくるほどまでになる。アンゼルムスは、浮かんできた文字をなぞってゆくだけで、見事な文字が書き写されていくのだ。小説の最も重要な場面では、アンゼルムスは、奇妙にくねくねともつれあった読めない文字の文書を与えられるのだが、彼が、夢想の内で、ゼルペンティーナの話を聞いているうちに、気がついてみると、筆写の仕事が完結している。しかも、そこに書かれていることが、まさに今し方ゼルペンティーナが語って聞かせてくれた、火の精と蛇の関係についての物語であることが――最初は読めなかったのになぜか――わかるのである。もちろん、アンゼルムスとゼルペンティーナは最後に結婚する。

このように、『黄金の壺』では、密かに聞こえてくる（最初は無意味な）音声が言語に転換する。こうした設定の背景は、「音声の優位」という、ナショナリズムの時代（一九世紀）の言説のパラダイムである。さらに、この小説は、「音声の優位」という観念が、どのような社会的な装置、どのような社会的な現実に対応しているのか、ということをも示唆している。この小説は、「火の精」が登場する等、他のホフマンの作品と同様にたいへん幻想的だが、このような幻想に説得力を与える社会的な現実を探り出すことができるのだ。キットラーの議論の重心も、この点にこそある。

キットラーが夥しい量の資料を駆使して示しているところに従えば、結局、一九世紀の言説システムでは、音声は、「理念化された母親」に、あるいはその代理にあてる「永遠の女（恋人）」に最終的には帰せられる。つまり、音声は、「唯一の女」としての母にこそ由来すると見なされていたのだ。こうした解釈を支えている具体的な事実としては、たとえば、一九世紀のヨーロッパに爆発的に普及した、子どもに標準的な音声言語（正しい母語）を習得させるための教育書がある。この種のテクストには常に、母親が唯一の本来の教育者として指定されていた。母親が教えなければならず、他の者ではダメなのだ。『黄金の壺』においては、もちろん、ゼルペンティーナこそが、母の代理物としての永遠の女を象徴している。このように考えれば、幻想的なこの小説は、当時のありふれた現実の寓意として読むことができる。

＊

「理念化された母親」は、詩的言語の究極の源泉である「自然」の等価物である。音声としての言語は、その「自然」を表現にもたらすことを目指すのだが、究極的にはそれを果たすことができない。つまり、「自然」は、言説をそこへと引き寄せるアトラクターのようなものになっている。言説はそこに漸近はするが、決して到達することはない。第三者の外的な視点から見れば、言語＝文化の「起源」に想定されているこの「自然」は、――当事者には決して到達できないという意味で――純粋に抽象的な、文化的構築物である。

だが、一九世紀の言説を支持する、「原初の音声」としての抽象的な「自然」は、身体の具象的・可視的な運動を通じて、間接的にその姿を見せる。つまり、「言説の身体性」とでも呼ぶべきものがあって、そこに、「自然」が間接的に表現されているのだ。

ここで「言説の身体性」と呼んだ現象が何であるかは、『黄金の壺』の次の場面に例示されている。アンゼルムスが初めて、仕事部屋に導き入れられたときのことである。リントホルストが、まずはアンゼルムスの能力を確認したいという。そこで、アンゼルムスは自分の習字作品をリントホルストに見せる。アンゼルムスは、自分が身につけている「最高級のイギリス流書体」に自信をもっていたのだ。ところが、案に相違して、アンゼルムスの文字は、リントホルストに激しく批判される。


アンゼルムスは稲妻に打たれたようになった。自分の筆跡がなんともみじめなものに見えたのである。筆勢には円味がなかった。力の入れかたも正しくない。大文字と小文字が釣り合っていない。それどころか、小学生の書いたようなみすぼらしい金釘流書体なので、いくらかましな行もそれでしばしばだいなしになっているのだった。

「それからですね」とリントホルストはつづけた。「あなたの墨はすぐ消えてしまいますよ」彼は指をコップの水に漬けてから、文字のうえをかるくこすると、文字は全部跡方もなく消えてしまった。[*15]

言説の身体性とは、こうした書体に現れている身体の運動の痕跡がきわめて重要な意味をもっていた、という事実を指している。この場面で、アンゼルムスの手書き文字は、リントホルストが求める理想の書体にはなっていない。もっとも、実際の仕事では、先に述べたようにゼルペンティーナの助けで、アンゼルムスは完璧な形の文字を書き出すことができるようになる。

キットラーによれば、『黄金の壺』のこの部分は、同時代の文字教育の現実を正確に反映している。ヨーロッパでは、一九世紀前半のナショナリスティックな「俗語」への熱狂の中で、あるべき書体の理想についても大きな変革があった。代表的な教育改革者たちが、正しい手書き文字をどのように子供たちに教育すべきかについても、熱心に発言しているのだ。理想的な手書き文字は、文字を基本的な要素に分解した上で、その文字が一つの真の全体であることを表現できるような美学的な統一性を実現していなくてはならない。また、個人と社会の連続的で有機的な成長・進化に関する一九世紀的な理念に適合するかのように、連なる文字は、連続的で流麗な曲線を構成していなくてはならなかった。さらに、太い線と細い線、光と影、筆圧の美しいバランスが求められた。こうした書体へのこだわりは、手書き文字が一種の絵だったことを示している。つまり文字と絵は連続していた。総じて、手書き文字は、個（人）性の――つまり〈主体〉としての個人の――表現である。端的に言えば、絵のような個性をもつ手書き文字もまた、その書き手の真実を表現する「告白」だったのだ。

手書き文字に残されている運動の軌跡は、母に由来する〈内面〉の音声が、それを担った身体の存在を連想させるような形式で刻み込まれたものである。つまり「音声」は、手書き文字の流麗な線によって――それを書いた身体の運動の軌跡として――、視覚的にも形象化されたわけだ。『黄金の壺』は、理念的な母＝理想の女性を、蛇の形で表現している。なぜ蛇なのかと言えば、蛇の姿形、蛇の運動こそ、理想的な手書き文字の曲線だからだ。[*16] 蛇の形が、手書き文字の運動を、「自然」へと結びつけている。

『黄金の壺』では、アンゼルムスは、恋人ゼルペンティーナから吹き込まれる音声に従うだけで、彼女の実父でありアンゼルムスの義父となる文書管理役リントホルストを大いに満足させる文章を生み出している。キットラーに従って見てきたように、これは、当時の言語教育・文字教育の現実の寓意的な表現として解釈することができる。とはいえ、やはり、これはまったく幻想的な虚構ではないか。そこから、社会的な現実を読み込むことは正当なのか。そういう反論を予想してなのか、キットラーは、一九世紀の言説システムについて論じたパートの最後に、アンゼルムスとゼルペンティーナの関係をそのまま現実に写したかのような実例を紹介している。[*17] 女流詩人カロリーネ・フォン・ギュンダーローデと文献学者フリードリヒ・クロイツァーのケースである。クロイツァーは妻がいたが、カロリーネと激しく愛し合う仲となった。クロイツァーにとっては、カロリーネは学問的な霊感の源泉であり、彼女の「声」こそが、クロイツァーの研究を導いていた(と、クロイツァーには感じられていた)。つまり、クロイツァーにとって、カロリーネはまさしく、(アンゼルムスにとっての)ゼルペンティーナであった。[*18]

5 母の欲望の謎

さて、以上に概観してきたことをもとに、理論的な仮説を提起してみよう。十分な量の証拠を積み上げる余裕はないので、拙速の誹りは免れないだろうが、それを恐れず、思い切った一般化と抽象化を試みて、ひとつの仮説を創ってみよう。近代における俗語(言語)をめぐる体験を支えているのは、どのような機制なのか。俗語としての言語が、どうして、人々のアイデンティティを根底から規定する重要な要因になっていたのか。

ここで鍵になっているのは、見てきたように、母（女）の機能である。〈主体〉の〈内面〉の声は、母の声に由来しているらしい。母的なものはどのように働いているのか。考えてみると、これは、『近代篇』の中で懸案となっていた問いである。『近代篇』を通じて、われわれは、「父」については十分に論じてきた。とりわけ、ドストエフスキーとの関係で。父について、父殺しについて、考察した。父は、殺されることにおいて、つまり死者という様相で、ますます人を強く倫理的に束縛する。その父の様態については、言葉を費やしてきた。だが、そうすると疑問が出るはずだ。母はどうしたのか、と。母はどこにいるのか、と。父と母、あるいは男と女は、互いの関係の中で説明されなくてはならない。母の機能は、父とどう関係していたのか。そのように考えなくてはならない。

精神分析家のジャン・ラプランシュが述べていることが、ヒントを与えてくれる。ラプランシュは、「他者性」ということを主題とした論考の中で、われわれは、問いの中心を、「何々の謎（何々という謎）enigma *of*...」から「何々における謎 enigma *in*...」へとシフトさせなくてはならない、と述べる。「女性性という謎」から「女性性における謎」へと、である。前者は、「女とは何か？」という謎だ。それに対して、後者は、「女は何を欲しているのか？」という謎だ。[*19] 後者が、「何々における in」という形式をとるのは、当人にとっても、それが謎だからである。あなたは何を欲しているのか、と問われたその当人もまた、自分が何を欲しているのかを明確に自覚できてはいない。

さて、ここで、『黄金の壺』のことを振り返ってみよう。町外れを歩いていたアンゼルムスが、意味不明のささやき声を聞いたとき、彼は、まさにこの「女性性における謎」に直面していたのではないか。女は何を言いたいのか？　女は何を求めているのか？　アンゼルムスにはさっぱりわからない。さらに反省してみれば、これは、人間の子どもが成長の過程で一般的にぶつかる謎ではないか。「お母さんは何を欲しているのか？」「お母さんは僕に何を求めているのか？」「お母さんは僕（だけ）を求めているのか？」「お母さんにとって僕は何なのか？」母の声は、あえて解釈すれば、子どもにとってこうした一連の問いになっているはずだ。

この問いは、私についての告白の伏線になっている。やがて私は、私とは何かについて語ることになる。告白は、このとき直面している問いへの答えである。母にとって、母の欲望にとって、私は何か、について私は告白しているのだ。ただ、その「母にとって」「母の欲望にとって」の部分が、省略されたかたちで告白はなされる。母の声が、告白の参照点となる私の「〈内面〉の声」に転換する、というのは、こうした経緯を意味している。

ともあれ、先を急がず、母（女）における謎との遭遇という場面にもう少しだけ踏みとどまろう。ラプランシュの示唆に導かれながら述べたように、母（女）における謎ということは、母（女）自体が、同じ謎を抱えている、ということだと述べた。「母は何を欲しているのか？」が疑問になるのは、私にとって母が他者だからなのだが、その他者性に由来する謎を、母は母自身に対して抱いている。つまり、母は、自分自身に対して、「あなたは何を欲しているのか？」という解けない謎を抱えているのだ。これは、実際によくあることだ。われわれは、自分の欲望を意識しているわけではないからだ。

すると、事態はどのように展開するのか。母の欲望の対象に関して、子どもは、「それは僕だ！」という答えを得られない。そうであるとすれば、むしろ子どもには、母の欲望の謎は次のように解釈されるほかない。「お母さんは、僕だけでは満足できないらしい。お母さんは、僕ではない何を欲しているのだろうか？」

この謎にははっきり答えが与えられる。その点を説明するためにも、もう一度、『黄金の壺』を振り返ろう。女（ゼルペンティーナ）が何を言いたいのか、という謎に、アンゼルムスは直面していた。アンゼルムスが、ゼルペンティーナの声に反応しながら書いた文書に、父であるリントホルストは、これでよし、という承認を与える。すると、遡及的に、こう解釈されることになる。女が欲していたものは、これだった、と。

ここから、類推してみよう。母は、僕以外の何を欲望しているのか、という謎がある。その謎に対する答えが、父である。もう少し慎重に言い換えれば、父——第三者の審級——によって承認される言語こそが母が欲していたものだった、と見なされるのだ。そのような解釈のもとで、母の欲望についての謎は、父による承認に媒介された有意味な言語へと転換する。母の欲望をめぐる謎は、父（第三者の審級）の機能に媒介されることで有意味化された言語に、言わば翻訳されたのだ。その言語はもともと、母にとって私が何であったかという問いに対する回答である。つまり、この言語は、私の〈内面〉との合致を可能にする言語だ（と見なされる）。要するに、これが母語とされる俗語だ。

こうして、母と父とが結びつく。母における謎が、父における言語へと転換されたわけだ。だが、まだ解明すべきことがある。どうして、子どもは、他者（母）における謎、他者（母）という謎にとりつかれ、それに何としてでも回答を得ようとするのか。どうして、子どもは、その解けない謎から自由になれないのか。父が問い詰めるからである。父が、不断に回答を要求するからだ。父は、その存在によって、子どもに問い続けている。「お前は何者なのか？」「母の欲望との相関においてお前は何者なのか？」この父の問いが執拗になるのは、父が生ける具体的な他者以上のものになったときである。父が究極的には死者として、抽象化され尽くした第三者の審級として存在しているとき、子どもは父の要求から逃れられなくなる。この点に、近代を規定する条件がある。たとえば、資本主義の源流にあった、予定説の神もまた、このような抽象性を特徴とする第三者の審級のひとつの究極の姿である。

＊

こうして役者が揃った。死んだ父、欲望する母、そして僕。この三者を組み合わせれば、エディプス・コンプレックスになる。フロイトがこの理論をはじめて記した『夢解釈』を発表したのは、一九世紀の最後の年、つまり一九〇〇年である。実は、友人フリースへの手紙から、フロイトが、エディプス・コンプレックスの理論を発見した日もわかっている。それは、一八九七年十月十五日だ。フロイトの実際の父ヤーコプが亡くなって、ほぼ一年後にあたる。

エディプス・コンプレックスが、まるで人間の普遍的な条件のようなものとして見出された。このことが、近代の仕上がりと現代への転換のメルクマールとなる。

---

1 Friedrich A. Kittler, *Discourse Networks 1800/1900*, tr. Michael Metteer, Stanford: Stanford University Press,

1990, pp.11-14. この英訳版に付されているデイヴィッド・ウェルベリの序論も参照。*Ibid*. pp.xx-xxi.

2　カント『純粋理性批判』熊野純彦訳、作品社、二〇一二年、三四―三五頁。

3　同書、二〇二―二〇九頁。

4　第12章第3節参照。

5　フィヒテ『ドイツ国民に告ぐ』大津康訳、岩波文庫、一九二八年、二八一―二八二頁。訳文の引用にあたり表記を現代仮名遣いに、また漢字を常用字体に変えた。

6　リュシアン・フェーヴル、アンリ＝ジャン・マルタン『書物の出現』上・下、関根素子ほか訳、筑摩書房、一九八五年（原著一九五八年）。

7　ベネディクト・アンダーソン『定本　想像の共同体』白石隆・白石さや訳、書籍工房早山、二〇〇七年（原著二〇〇六年）。

8　ゲルナー『民族とナショナリズム』加藤節監訳、岩波書店、二〇〇〇年（原著一九八三年）。

9　Friedrich A. Kittler, *Aufschreibesysteme 1800/1900*, Munich: Fink, 1985. われわれが実際に参照しているこの本の英訳版については、注1を参照。

10　ドイツ文学史の標準的・教科書的な記述では、一八世紀の終わりから一九世紀にかけて、古典主義からロマン主義への移行があった、とされる。前者に属するのが、シラーやヴィルヘルム・フォン・フンボルトで、後者に属するのが、シュレーゲル兄弟、ノヴァーリス、E・T・A・ホフマン、さらに哲学者のフィヒテやシェリングだ。そして、ヘーゲルにおいて二つの流れの総合が果たされた、というわけだ。こうした理解の中で、ゲーテは、とりわけ重要な意義をもった、とされる。ゲーテは、古典主義の段階の完成者であるとともに、ロマン主義の作家たちに霊感を吹き込んだ。キットラーはしかし、このような意味での古典主義／ロマン主義の区別を重視してはいない。

11　もっとも、錬金術や占星術、あるいは新プラトン主義的思弁などは――近代科学の合理性に著しく反しているように見えるがむしろ――近代科学を直接的に準備するものでもある。どのような意味でそう言えるのか、という点については、『近世篇』第6章を参照。

12 ジョン・ローについては、『〈主体〉』第1章参照。

13 『黄金の壺』の解釈に関しては、次を参照している。Kittler, *Discourse Networks 1800/1900*, pp.77-109.

14 E・T・A・ホフマン『黄金の壺』神品芳夫訳、岩波文庫、一九七四年、一二頁。

15 同書、八六ー八七頁。

16 一九世紀初頭のエルランゲン（バイエルン）の教育者ペールマンは、次のように述べている。「蛇が這うときには、決して真っ直ぐには移動しない。……だからわれわれは上がったり下がったりする曲線を、蛇の線と呼ぶ。上手に字が書けるようになりたい者は誰でも、こうした線を描く術を習得しなくてはならないだろう」（Kittler, *op.cit.* p.106）

17 *Ibid.* pp.171-173.

18 しかし、カロリーネとクロイツァーの恋愛は悲しい結末に至る。三角関係の苦悩から、カロリーネは、ライン川で自殺してしまったのだ（一八〇六年）。ここで、われわれは『ファウスト』に連れ戻される。ファウストの恋人グレートヒェンは、自殺するわけではないが、やはり破滅的な仕方で死ぬ。彼女は、自分の母親と（ファウストの間にできた）子を殺害し、そのことが原因で発狂し、結局、死刑に処せられた。

19 Jean Laplanche, *Essays on Otherness*, London and New York: Routledge, 1999, p.255.

あとがき

探究は、結局のところ、己を知る、ということに帰着する。何を考えるにせよ、それは、直接的または間接的に、自分自身を知ろうとする試みである。「〈世界史〉の哲学」の中の『近代篇』がいささか大部なものになった理由はここにある。近代はすでに、「われわれの現在」と地続きの時代だ。だから、近代の本質をめぐる考察は、「己を知る」という探究の本来の目的に直結している。そのため『近代篇』はどうしても、いくぶんか長いものになる。

ただし、私にとって、書き方の理想は、書物が（華厳経で言うところの）「一即一切　一切即一」のおもむきをもつことにある。つまり、書物の中の一箇所が、その部分としての特異性を主張しつつ、書物の全体性をも反映しているように書ければ、それが理想だと思う。というわけで、本書の中の特定の一章が、あるいは連続する数章が、ある程度の完結性を呈しつつ、そこに『近代篇』の全体の思想が——少なくとも間接的には——現れているというようなかたちにしたい、と思いつつ、本書を書いてきた。読者が、いずれか一章を、あるいはその前後数章を拾い読みしたとしても、まとまった読書の楽しみが得られるようにしたい。それが書き手としての狙いのひとつでもあった。

＊

本書に収められているのは、「〈世界史〉の哲学」と銘打ったプロジェクトの、『群像』二〇一八年一一月号から二〇二〇年五月号までの掲載分である。このプロジェクトは、二〇〇九年二月号から始まった。本書は、その連載第一〇九回から第一二五回に相当する。

本書掲載分を連載時に担当してくださったのは、『群像』編集部の森川晃輔さんである。私はなかなか締切を守ることができず、毎月、森川さんを、心身の限界まで疲弊させてしまった。しかし、このような長い連載は、最初の読者である編集者の的を射た反応が期待できないと、とうてい書き続けることはできない。その意味で、本書の内容への森川さんの貢献は大きい。

『近代篇1 〈主体〉の誕生』と本書の担当は、横山建城さん。横山さんはベテランで、特に大きな本を作るのに習熟しておられる。書かれた物は、雑誌等で掲載された後に最後に一冊の書籍となるとき、真の生命を宿すような気がする。タイトルや装丁などを含む、ひとつの作品としての本を構成するあらゆる要素が、その生命の誕生に与っている。本書も、横山さんのおかげで、輝くような生命を得て、世界に旅立つことができた。

森川晃輔さん、横山建城さんに深くお礼申し上げたい。

それだけではない。

二〇〇九年に始まった長いプロジェクトの中に本書があることを思うと、連載スタート時に『群像』編集長だった松沢賢二さん、松沢さんの後を継いで編集長になった故佐藤とし子さん、このシリーズをともに立ち上げてくださった三枝亮介さん（当時『群像』編集部）をはじめとする、実に多くの講談社第五事業局の文芸編集者の皆さんが、本書の完成のために協力してくださっている。

ありがたいことである。

二〇二一年五月七日

大澤真幸

初出「群像」二〇一八年一一月号〜二〇二〇年五月号
（二〇一九年三月号、二〇二〇年二月号をのぞく）

大澤真幸（おおさわ・まさち）

1958年、長野県生まれ。東京大学大学院社会学研究科博士課程修了。社会学博士。思想誌『THINKING「O」』主宰。2007年『ナショナリズムの由来』で毎日出版文化賞、2015年『自由という牢獄』で河合隼雄学芸賞をそれぞれ受賞。ほかの著書に『不可能性の時代』『〈自由〉の条件』『社会は絶えず夢を見ている』『夢よりも深い覚醒へ』『可能なる革命』『日本史のなぞ』など多数。共著に『ふしぎなキリスト教』『おどろきの中国』『げんきな日本論』などがある。

〈世界史《せかいし》〉の哲学《てつがく》　近代篇《きんだいへん》2　資本主義《しほんしゅぎ》の父殺《ちちごろ》し

二〇二一年六月一六日　第一刷発行

著者　大澤《おおさわ》真幸《まさち》

発行者　鈴木章一

発行所　株式会社講談社

〒一一二―八〇〇一　東京都文京区音羽二―一二―二一

出版　〇三―五三九五―三五〇四

販売　〇三―五三九五―五八一七

業務　〇三―五三九五―三六一五

KODANSHA

印刷所　凸版印刷株式会社

製本所　大口製本印刷株式会社

ISBN978-4-06-523550-8　Printed in Japan

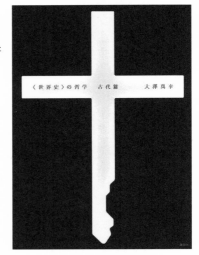

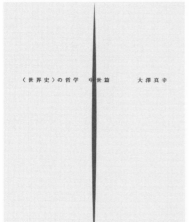

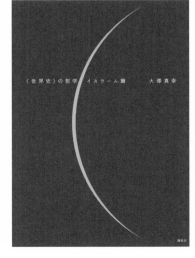

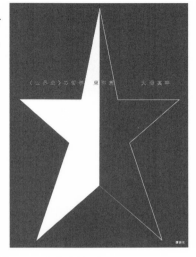

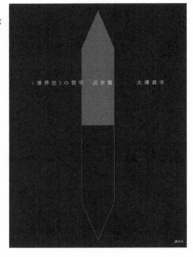

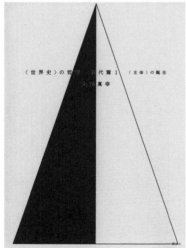